셀프트래블

뉴 욕

상상출판

셀프트래블

뉴욕

개정 1쇄 | 2022년 12월 23일
개정 3쇄 | 2023년 10월 25일

글과 사진 | 조은정

발행인 | 유철상
편집 | 김정민, 홍은선
디자인 | 주인지, 노세희
마케팅 | 조종삼, 김소희
콘텐츠 | 강한나

펴낸 곳 | 상상출판
주소 | 서울특별시 성동구 뚝섬로17가길 48, 성수에이원센터 1205호(성수동 2가)
구입 · 내용 문의 | **전화** 02-963-9891(편집), 070-7727-6853(마케팅)
팩스 02-963-9892 **이메일** sangsang9892@gmail.com
등록 | 2009년 9월 22일(제305-2010-02호)
찍은 곳 | 다라니
종이 | ㈜월드페이퍼

※ 가격은 뒤표지에 있습니다.

ISBN 979-11-6782-110-2(14980)
ISBN 979-11-86517-10-9(set)

www.esangsang.co.kr

셀프트래블

뉴 욕
New York

조은정 지음

상상출판

Prologue

참 이상하다. 세상 수많은 나라를 여행하고, 여러 도시들을 방문했지만 뉴욕 공항만큼 내 가슴을 뛰게 하는 곳은 아직 만나보질 못했다. 14시간의 비행 끝에 곧 JFK 국제공항에 도착한다는 방송이 나오면 그간 저렸던 다리와 팔, 그리고 소화가 되지 않아 울렁거리던 속은 순식간에 가라앉고, 내 눈은 어느새 창밖으로 향한다. 엠파이어스테이트 빌딩과 허드슨 강, 브루클린 브리지가 저 멀리 흐릿하게 보이다가 조금씩 그 형체가 선명해지면, 또다시 가슴이 쿵쾅거린다. 곧 뉴욕에 도착할 거라는 설렘 때문에 말이다.

가끔 내 친구들은 묻곤 한다. 어떻게 사람과 사랑에 빠진 것처럼 근 20여 년 동안 한 도시로만 마음이 향할 수 있냐고. 나 역시 이론적으로는 설명하지 못하겠지만 지금도 내 가슴속 가장 큰 열정이 향해 있는 곳은 늘 그랬듯이, 언제나 뉴욕이다. 때문에 누군가 내 인생의 가장 큰 행운이자 선물이었던 순간이 언제냐고 물으면 나는 늘 주저 없이 뉴욕에서 지냈던 1년의 시간이었다고 말하곤 한다.

넉넉하지 않았던 체류 비용과 불안하던 미래, 그리고 24시간 울리던 사이렌 소리에 시끄러워 잠 못 이루던 날들도 많았지만 매일 밤 나는 스스로에게 외치곤 했다. '오늘도 맨해튼에서 잠이 들 수 있다니, 여전히 놀랍고 행복하구나!' 그렇게 아침에 눈을 뜨면 늦잠을 잘 수가 없었다. 꿈에도 그리던, 그리고 여행 내내 1분 1초가 아까워 이리 뛰고 저리 뛰던 뉴욕에서 늦잠을 자는 건 죄악이라고 생각했기 때문이다. 1년여를 매일 최소 5~6시간씩 걸어 다녔으며, 그때 촬영한 사진만 5만여 장이 되니, 그 소중하고도 행복했던 내 삶의 기억

을 어찌 잊을 수 있을까.

내 인생의 소중한 시간, 그리고 그곳에서의 수많은 추억들… 지금도 사진을 볼 때마다 가슴이 저릴 만큼 행복했던 기억들에 그리움이 묻어난다. 하지만 언제고 다시 갈 수 있는 곳이니, 여전히 뉴욕으로 향한 나의 마음을 놓지 않고 있다.

『뉴욕 셀프트래블』은 뉴욕에서 머물던 시절 친구나 지인들이 나를 찾아왔을 때, 그들의 취향이나 예산에 맞춰 안내한 경험을 바탕으로 뉴욕의 곳곳을 소개한 책이다. 그러니 부디 이 책에서 내가 직접 뉴욕을 안내해주는 듯한 살가움이 느껴지길 바란다. 또한 뉴욕을 다녀와 나처럼 여전히 '뉴욕앓이' 중인 뉴욕 러버들, 혹은 당장은 갈 수 없지만 언젠가 여행하고자 꿈을 꾸는 이들에게도 따뜻하고 유쾌하게 읽히길 바란다.

건강한 몸으로 먼 곳까지 씩씩하게 다녀올 수 있는 체력과 지치지 않는 열정을 물려주신 사랑하는 나의 부모님과 가족에게 가장 먼저 이 책을 바친다. 오랜 시간 한결같이 나를 신뢰하고 따라주는 고마운 독자들과 늘 내 곁에서 위로하고 응원해 준 절친들이 없었다면 이 책은 세상에 나오지 못했을 거라 확신한다. 마지막으로 긴 시간 변함없이 따뜻하고 유쾌한 응원을 해주신 상상출판 유철상 대표, 홍은선 팀장님, 김정민 에디터, 주인지 디자이너에게 깊은 감사를 드린다.

조 은 정 드림

Contents
목차

Mission in New York

뉴욕에서 꼭 해봐야 할 모든 것

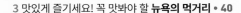

Enjoy
New York

뉴욕을 즐기는 가장 완벽한 방법

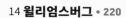

Around New York

쉽고 빠르게 끝내는 여행 준비

Step to New York

Self Travel New York
일러두기

❶ 주요 지역 소개

『뉴욕 셀프트래블』은 크게 뉴욕 맨해튼과 브루클린, 근교 도시로 나뉩니다. 맨해튼과 브루클린에서는 할렘 & 모닝사이드 하이츠, 어퍼 웨스트 사이드, 어퍼 이스트 사이드, 미드타운, 첼시 & 미트패킹 디스트릭트, 유니언 스퀘어 & 그래머시, 그리니치 빌리지 & 웨스트 빌리지, 이스트 빌리지, 소호 & 노리타 & 노호, 차이나타운 & 리틀 이태리, 로어이스트 사이드, 로어 맨해튼 & 트라이베카, 브루클린, 윌리엄스버그를 다루고, 뉴욕 근교 도시로는 워싱턴 D.C., 필라델피아, 애틀랜틱 시티, 보스턴을 소개합니다.

❷ 철저한 여행 준비

책의 앞부분에는 추천 일정과 미션, 인사이드 뉴욕 페이지가 마련돼 있습니다. 추천 일정에서는 기간이나 목적별로 다양한 일정을 제시하며, 미션에서는 뉴욕에서 놓치지 말아야 할 테마별 핫스폿을 소개합니다. 인사이드에서는 뉴욕에서 꼭 해봐야 할 경험, 사야 할 것과 먹을 것, 특별한 관광지를 제시합니다. 책 뒷부분 스텝에서는 뉴욕의 일반 정보와 입국 심사 과정, 대중교통과 렌터카, 패스 등의 교통 정보, 길 찾는 법, 여행 준비 방법, 화폐 및 단위, 알아 두면 유용한 영어 회화를 실어 초보 여행자들도 큰 어려움 없이 뉴욕을 여행할 수 있도록 했습니다.

❸ 알차디알찬 여행 핵심 정보

본격적인 스폿 소개에 앞서 지역별 특징과 꼭 해봐야 할 To Do List를 안내합니다. 다음으로 자세한 지도와 함께 관광명소, 식당, 쇼핑 장소, 숙소 등을 차례로 제시합니다. 알아 두면 유용한 정보는 Tip으로 정리했으며, Special 페이지를 통해 뉴욕의 생생한 현지 문화를 느낄 수 있도록 구성했습니다.

❹ 원어 표기

최대한 외래어 표기법을 기준으로 표기했으나, 관광명소와 업소의 경우 현지에서 사용 중인 한국어 안내와 여행자들에게 익숙한 이름을 택했습니다.

❺ 정보 업데이트

이 책에 실린 모든 정보는 2023년 4월까지 취재한 내용을 기준으로 하고 있습니다. 현지 사정에 따라 가격과 운영시간 등이 변동될 수 있으며 지하철 노선과 시간표 역시 시기에 따라 달라질 수 있으니 여행 전 한 번 더 확인하시길 바랍니다. 잘못된 정보는 증쇄 시 업데이트하겠습니다.

❻ 지도 활용법

이 책의 지도에는 아래와 같은 부호를 사용하고 있습니다.

주요 아이콘
- ● 관광지, 도서관 등 주요 스폿
- ⓡ 레스토랑, 베이커리, 카페 등 식사할 수 있는 곳
- ⓢ 백화점, 쇼핑몰, 슈퍼마켓 등 쇼핑 장소
- ⓝ 재즈 클럽, 루프톱 바 등 술집
- ⓗ 호텔, 호스텔 등 숙소

기타 아이콘
Ⓜ 지하철역 & 노선   🚊 트램역   ⛴ 페리 승선장

New York Q&A
뉴욕에 가기 전 꼭 알고 싶은 10가지

거금의 돈과 시간을 들여 모처럼 가는 여행인데 얼마나 준비할 것이 많고 또 궁금한 것이 많을까? 궁금한 점들을 질문하는 여행자들을 만날 때마다 내가 처음으로 뉴욕 여행을 갔던 그때가 생각난다. 그래서 그간 가장 많이 받았던 질문들과 답을 몇 가지 공유하겠다.

Q1.
자유여행 vs. 패키지여행, 무엇이 더 좋을까요?

자유여행은 내 맘대로 일정을 조율할 수 있다는 장점이 있지만 현지에서의 이동 경로, 코스, 방문 목적지 등을 공부해야 한다는 큰 숙제가 따르죠. 패키지여행은 일정에 맞춰 다니니 편하지만 재미(?)가 덜 할 수 있습니다. 자유와 책임을 따르느냐, 편히 짜여진 일정에 나를 맞추느냐를 선택하는 건 본인의 몫. 요즘 인기인 건 자유여행으로 가되 현지에 가서 당일투어에 조인하는 것입니다. 저마다 생각하는 가치와 기준, 경비가 다르니 '이거다!'라는 정답은 없어요. 인생과 마찬가지로 말입니다. 그러니 이런 개개인의 특성을 감안해 책을 보면서 자신만의 여행을 만들어보세요!

Q2.
뉴욕을 여행하기 가장 좋은 계절은 언제인가요?

5월과 10월을 추천합니다. 6월부터는 더워지고 관광객도 많아집니다. 또 11월부터 4월까지는 우리나라보다 훨씬 춥고 눈도 많이 오죠. 야외로 소풍도 가고 루프톱 바도 즐기려면 5월 혹은 10월을 권합니다.

Q3.
WIFI 사용 가능 여부, 전기 코드, 필수 준비물이 있다면?

WIFI는 점차 늘어나는 추세로 카페, 공원, 도서관, 백화점, 호텔 로비 등에서 대체적으로 사용 가능합니다. 지하철역도 WIFI가 연결되도록 그 수를 늘려 가고 있다니 기대를 해봐야겠죠? 물론 아직까지는 한국만큼 와이파이가 빵빵 터지지는 않습니다.
뉴욕의 전기 코드는 110V용 11자를 준비하면 됩니다. 고장이 날 수 있으니 여러 개 준비할 것을 권합니다. 놓치기 쉬운 필수 준비물은 정장 한 벌입니다. 공연을 보러 가거나 고급 레스토랑에 멋있는 정장을 입고 가면 뉴욕을 좀 더 즐길 수 있습니다.

Q4.
뉴욕은 세금이 붙는다고 하던데 얼마인가요?

미국은 주마다 세금이 다른데 뉴욕 주의 경우 8.875%입니다. 물건이나 음식 값 계산 시 자동으로 영수증에 포함이 되어서 나옵니다. 단, 신발과 의류의 경우 단일 품목 기준으로 $110 이하는 세금이 붙지 않으니 참고하세요.

Q5.
팁은 얼마나 주어야 할까요?

가장 어려운 팁 문제! 하지만 뉴욕에서라면 이 또한 익숙해져야 합니다. 보통 서비스 값의 15~20% 정도를 주는 것이 관례입니다. 계산하기 어렵다면 자동으로 계산을 해주는 스마트 폰의 애플리케이션을 추천합니다.

Q6.
여권을 가지고
다녀야 할까요?

여행 중 잃어버릴 염려가 있기도 하지만 여권을 소지해야만 입장이 가능한 곳(술집, 클럽 등)이 있고, 주류 구매 시에도 필요하며 아웃렛에서 쇼핑을 할 때도 본인 확인을 하는 경우가 있으니 소지하고 다니는 것이 좋습니다.

Q7.
날씨를 미리 체크해도 어떤 옷을
가져가야 할지 감이 안 와요.

사실 더 중요한 건 수치상의 기온이 아니라 체감 온도인데, 여행가기 전엔 예측할 수가 없죠. 뉴욕은 기본적으로 강과 바다가 만나는 곳이라 한여름을 제외하고는 한국보다 조금 추운 편입니다. 한국과 똑같이 사계절이 있는데도 말이죠. 실제 온도보다는 좀 더 따뜻하게 옷을 챙겨 가시길! 여행에서는 아프지 않은 게 제일이니까요.

Q8.
현지에서 신용카드를 쓰는 게 좋을까요,
현금을 쓰는 게 좋을까요?

신용카드를 쓰든, 달러를 쓰든 수수료를 내는 건 마찬가지입니다. 자신에게 더 유리한 것으로 쓰는 게 좋겠죠. 뉴욕에서는 작은 매장에 가도 카드 결제는 대부분 가능한 편입니다. 식당 등에서는 달러, 쇼핑 등 목돈을 사용할 때는 카드 등으로 상황에 따라 섞어 쓰는 것도 괜찮습니다.

Q9.
치안은 어떤가요?
여자 혼자 가도 괜찮을까요?

어느 나라든 완벽하게 안전한 곳은 없습니다. 뉴욕 또한 마찬가지예요. 늦은 밤 혹은 좁은 골목길 등은 가능한 한 피하는 게 좋습니다. 특히 여자분 혼자라면요. 뉴욕 지하철은 24시간 운행하지만 늦은 새벽에는 취객들이 많으니 이 또한 조심하셔야 해요.

Q10.
뉴욕에 하루만 머물 수 있다면
어떤 코스를 추천하시겠어요?

브라이언트 파크에서 점심과 커피를 즐긴 후 현대미술관을 구경하고, 전망대 중 한 곳을 갔다가 뮤지컬을 보는 것!

All about New York
뉴욕을 구성하는 5개의 독립 자치구

N

New Jersey

Bronx ❹

Manhattan ❶

Queens ❸

Brooklyn ❷

Staten Island ❺

뉴욕은 1790년 미국의 수도라는 타이틀을 워싱턴 D.C.에 넘겨주었지만 여전히 명실상부한 미국 최대의 도시로 경제와 금융, 문화와 예술, 상업과 무역의 중심지이다. 서울 시보다 두 배 정도 큰 땅덩어리인 뉴욕 시New York City에는 900만 명에 가까운 사람들이 살고 있고, 맨해튼에만 170만여 명이 거주하고 있다. 우리가 흔히 말하는 뉴욕은 정확히 표현하자면 뉴욕 주New York State의 뉴욕 시, 그 안에서도 맨해튼을 의미한다. 뉴욕 시티는 맨해튼, 브루클린, 퀸스, 브롱크스, 스테이튼 아일랜드 이렇게 5개의 행정 구역으로 이루어져 있다.

❶ 뉴욕의 중심지
맨해튼 *Manhattan*

뉴욕 시 5개의 자치구 중에서 크기는 가장 작지만 세계 경제와 문화의 중심지이자 뉴욕의 대표 명소가 모여 있는 곳으로 허드슨 강과 이스트 강에 둘러싸여 있다. 쇼핑의 중심인 5번가와 소호, 금융의 중심인 월 스트리트, 뮤지컬의 천국 브로드웨이, 뉴욕의 심장 센트럴 파크와 뉴욕 현대 미술관 등 유명한 관광지들이 있어 1년 내내 언제나 바쁘게 움직이는 곳이다.

❷ 예술가들의 놀이터
브루클린 *Brooklyn*

뉴욕 시에서 거주 인구가 가장 많은 곳이며 이스트 강 건너편으로 맨해튼이 보인다. 오래된 브라운스톤이 늘어선 한적한 주택 지역이 대부분이고 예전에는 맨해튼의 언저리로 취급받았지만 지금은 수많은 예술가들이 살고 있다. 최근 윌리엄스버그, 덤보, 부시윅 등이 주목을 받으면서 뉴요커들에게 가장 인기 있는 지역으로 바뀌고 있다.

❸ 뉴욕의 관문
퀸스 *Queens*

5개의 자치구 중 가장 넓은 면적을 차지하는 곳으로 수많은 이민자들이 터전을 일구며 살고 있다. 중국인, 남미인, 한국인 등이 많이 거주하며 뉴욕의 관문인 JFK 국제공항과 라과디아 공항이 이곳에 위치해 있다. 뉴욕 현대 미술관의 분관인 P.S.1 현대 미술 센터와 메이저 리그 뉴욕 메츠의 홈구장인 시티 필드 또한 퀸스에 자리하고 있다.

❹ 힙합의 본고장
브롱크스 *Bronx*

5개의 행정 구역으로 이루어진 뉴욕 중에서 유일하게 본토와 접해 있는 지역이다. 맨해튼의 북쪽에 위치하고 있으며 이스트 강을 사이에 두고 맨해튼과 퀸스를 마주본다. 양키 스타디움, 브롱크스 동물원, 뉴욕 식물원 등 대형 시설물이 많으며 뉴욕 시와 대륙을 연결하는 지역이라 교통이 발달했다. 예전에는 백인들이 모여 살던 부촌이었지만 지금은 흑인과 히스패닉, 푸에르토리코계 미국인이 많이 거주한다.

❺ 한적한 전원도시
스테이튼 아일랜드

Staten Island

허드슨 강의 끝에 있는 작은 섬으로 뉴욕의 중산층이 사는 한적한 거주지가 대부분이다. 서쪽의 뉴저지와 동쪽의 브루클린과는 다리로 연결되어 있지만 맨해튼으로 연결되는 다리가 없어 이를 오가는 무료 왕복 페리가 운행되고 있다. 월 스트리트에서 스테이튼 아일랜드까지는 10여 분이 소요된다.

01

Mission in New York

뉴욕에서 꼭
해보야 할 모든 것

뉴욕에서 즐겨야 할 수많은 것들
베스트 1주일 코스

최대한 많이 보고 싶지만 시간은 여유롭지 않고… 뭐 하나 포기할 수 없는 그 마음
익히 잘 알고 있기에 뉴욕에서 즐겨야 할 수많은 것들 중 핵심만을 모았다. 뉴욕의
알짜배기를 모아 체험하는 베스트 코스로 박물관과 라이브 재즈 연주 감상에서
부터 타임스 스퀘어, 자유의 여신상, 뮤지컬 관람, 그리고 쇼핑으로 마무리까지!

Day 1
인천국제공항 출발 ▶ 뉴욕 JFK 국제공항 도착 ▶ 숙소 체크인 ▶ 센
트럴 파크 ▶ 타임스 스퀘어 ▶ 저녁 : 셰이크 색 버거 ▶ 서밋 또는 에
지 전망대

Day 2
블루 보틀 커피 ▶ 점심 : 프리드맨 헬스 키친 ▶ 5번가 ▶ 메트로폴리
탄 미술관 ▶ 베슬 ▶ 해리 포터 뉴욕 ▶ 저녁 : 블루 노트 라이브 재즈 관람

Day 3
소호 ▶ 뉴욕 대학교 ▶ 점심 : 머레이 베이글 ▶ 워싱턴 스퀘어 파크 ▶
스텀프타운 커피 로스터스 ▶ 그리니치 빌리지 ▶ 매그놀리아 베이커리
▶ 하이 라인 파크 ▶ 첼시 ▶ 저녁 : 첼시 마켓

Day 4
월 스트리트 ▶ 황소상 ▶ 틴 빌딩 바이 장 조지 ▶ 점심 : 트라이베카 그
릴 ▶ 덤보 ▶ 브루클린 브리지 파크 ▶ 저녁 : 그리말디 피자 ▶ 브루클
린 브리지 걸어서 맨해튼으로 넘어오기

Day 5
유니언 스퀘어 ▶ 노드스트롬 랙 쇼핑 ▶ 점심 : ABC 키친 ▶ 브라이언트
파크 ▶ 뉴욕 공립 도서관 ▶ 저녁 : 브라이언트 파크 그릴 ▶ 뮤지컬 공
연 관람 타임스 스퀘어

Day 6
뉴욕 JFK 국제공항 출발

Day 7
인천국제공항 도착

여유롭고 꼼꼼하게 뉴욕 재발견
베스트 2주일 코스

2주면 한국인의 휴가치고는 상당히 여유 있는 기간이다. 뉴욕 여행 베스트 코스에 개인의 취향에 따른 일정도 추가할 수 있고, 남는 시간엔 근교까지 다녀올 수 있어 더욱 알찬 여행이 될 것이다. 여유롭게 뉴요커들의 삶을 체험하며 즐거운 시간을 가져보자.

Day 1
인천국제공항 출발 ▶ 뉴욕 JFK 국제공항 도착 ▶ 숙소 체크인 ▶ 타임스 스퀘어 ▶ 점심 : 셰이크 색 버거

Day 2
홀 푸드 마켓 ▶ 점심 : 센트럴 파크^{피크닉} ▶ 블루 보틀 커피 ▶ 뉴욕 현대 미술관 ▶ 저녁 : 엘렌스 스타더스트 다이너 ▶ 프레스 라운지^{루프톱 바에서 술 한잔}

Day 3
소호 ▶ 스트랜드 북스토어 ▶ 뉴욕 대학교 ▶ 점심 : 머레이 베이글 ▶ 워싱턴 스퀘어 파크 ▶ 카페 그럼피^{커피} ▶ 그리니치 빌리지 ▶ 매그놀리아 베이커리 ▶ 저녁 : 블루 노트^{라이브 재즈 관람}

Day 4
틴 빌딩 바이 장 조지 ▶ 점심 : 트라이베카 그릴 ▶ 월스트리트 ▶ 황소상 ▶ 카페 1668^{커피} ▶ 트리니티 교회 ▶ 저녁 : 로스 타코스 넘버 원

Day 5
유니언 스퀘어 ▶ 노드스트롬 랙 & DSW^{쇼핑} ▶ 점심 : ABC 키친 ▶ 브라이언트 파크 ▶ 뉴욕 공립 도서관 ▶ 저녁 : 에스티아토리오 밀로스

Day 6
5번가 ▶ 메트로폴리탄 미술관 ▶ 점심 : 미술관 내 카페 ▶ 리틀 아일랜드 ▶ 베슬 ▶ 저녁 : 허드슨 야드 몰 ▶ 뮤지컬 공연 관람^{타임스 스퀘어}

Day 7
우드버리 커먼 프리미엄 아웃렛^{쇼핑}

Day 8
미트패킹 디스트릭트 ▶ 첼시 ▶ 점심 : 첼시 마켓 ▶ 휘트니 미술관 ▶ 하이 라인 파크 ▶ 저녁 : 부다칸

Day 9
시포트 ▶ 덤보 ▶ 점심 : 타임 아웃 마켓 뉴욕에서 음식 구매 후 옥상에서 즐기기 ▶ 브루클린 브리지 파크 ▶ 저녁 : 그리말디 피자 ▶ 브루클린 브리지 걸어서 맨해튼으로 넘어오기 ▶ 서밋 또는 에지^{전망대}

Day 10~11
보스턴 or 워싱턴 D.C. or 필라델피아 근교 여행

Day 12
이스트 리버 주립 공원 ▶ 점심 : 듀몽 버거 ▶ 윌리엄스버그 골목골목 거리 즐기기 ▶ 르뱅 베이커리에서 인생쿠키 맛보기 ▶ 브루클린 브루어리 투어^{맥주 한잔} ▶ 저녁 : 페테 자우

Day 13
뉴욕 JFK 국제공항 출발

Day 14
인천국제공항 도착

Hello Yellow

Try New York
Plan 03

뉴욕을 맛있게 즐기는 방법을 빠르게!
맛집 일주 여행 코스

뉴욕에서 인정받아야 세계적인 브랜드로 거듭날 수 있다고 할 만큼 뉴요커들의 입맛을 사로잡기란 여간 어려운 일이 아니다. 그중에서도 베스트로 손꼽히는 스테이크와 치즈케이크, 생맥주를 체험해 보고, 세계 최강의 퀄리티인 뉴욕 커피와 미슐랭 스타 레스토랑에서의 식사로 미식의 견문(아니 식견?!)을 넓히는 좋은 기회를 만들어 보자!

Day 1
인천국제공항 출발 ▶ 뉴욕 JFK 국제공항 도착 ▶ 숙소 체크인 ▶ 점심 : 리버티 베이글 ▶ 센트럴 파크 ▶ 저녁 : 부벳 ▶ 프레스 라운지^{루프} 톱 바에서 술 한잔

Day 2
뉴욕 현대 미술관 ▶ 르뱅 베이커리의 쿠키 맛보기 ▶ 점심 : 할랄 가이즈 ▶ 5번가 ▶ 국제연합 ▶ 그랜드 센트럴 터미널 ▶ 저녁 : 버거 조인트 ▶ 맥솔리 올드 에일 하우스^{맥주 한잔}

Day 3
소호 ▶ 노리타 ▶ 점심 : 잭스 와이프 프레다 ▶ 뉴욕 대학교 ▶ 아니타 마마 델 젤라또 ▶ 워싱턴 스퀘어 파크 ▶ 매그놀리아 베이커리^{레드 벨벳 컵케이크 & 바나나 푸딩} ▶ 맥널리 잭슨 북스의 스텀프타운 커피 ▶ 그리니치 빌리지 ▶ 하이 라인 파크 ▶ 첼시 ▶ 저녁 : 첼시 마켓

Day 4
월 스트리트 ▶ 황소상 ▶ 점심 : 그리말디 피자 ▶ 덤보 ▶ 브루클린 브리지 파크^{스모가스버그가 열리는 날이면 간단한 간식} ▶ 저녁 : 피터 루거 스테이크하우스 ▶ 브루클린 아이스크림 팩토리 ▶ 브루클린 브리지 걸어서 맨해튼으로 넘어오기

Day 5
유니언 스퀘어 ▶ 노드스트롬 랙^{쇼핑} ▶ 점심 : 세라 바이 비레리아 ▶ 브라이언트 파크 ▶ 뉴욕 공립 도서관 ▶ 블루 보틀 커피 ▶ 그랜드 센트럴 터미널 ▶ 국제연합 ▶ 저녁 : 장 조지

Day 6
뉴욕 JFK 국제공항 출발

Day 7
인천국제공항 도착

Tip **뉴욕 레스토랑 예약 가능**
웹사이트 www.resy.com
앱 Open Table

빌딩숲 사이사이 꽃피운 예술
건축 & 디자인 여행 코스

세계적인 건축가들의 건물을 볼 수 있다는 것도 매력적이지만 오래된 옛 건물과 최신식 빌딩의 조화도 멋스럽다. 풀턴 센터의 유리로 된 돔 지붕과 루프톱 바에서 보이는 엠파이어 스테이트 빌딩의 전경, 버려진 철도를 개조해 만든 하이 라인 파크와 뉴욕을 한눈에 내려다볼 수 있는 전망대에서의 풍경 또한 환상적이니 방문해 보기를!

Day 1

인천국제공항 출발 ▶ 뉴욕 JFK 국제공항 도착 ▶ 숙소 체크인 ▶ 점심 : 셰이크 색 버거 ▶ 타임 워너 센터 ▶ 홀 푸드 마켓 ▶ 저녁 : 톱 오브 더 스트랜드 루프톱 바에서 식사 겸 술 한잔

Day 2

뉴욕 현대 미술관 기프트숍 ▶ 크라이슬러 빌딩 ▶ 점심 : 그랜드 센트럴 오이스터 바 ▶ 그랜드 센트럴 터미널 ▶ 국제연합 ▶ 저녁 : 피오 피오 8 ▶ 서밋 또는 에지 전망대

Day 3

신 현대 미술관 ▶ 점심 : 에식스 시장 ▶ 리틀 아일랜드 ▶ 하이 라인 파크 ▶ 베슬 ▶ 더 쉐드 ▶ 저녁 : 첼시 마켓

Day 4

풀턴 센터 ▶ 월 스트리트의 황소상 ▶ 점심 : 오큘러스 센터 내에서 고르기 ▶ 덤보 ▶ 브루클린 브리지 파크 ▶ 저녁 : 그리말디 피자 ▶ 윌리엄스버그

Day 5

유니언 스퀘어 ▶ 조 커피 ▶ 점심 : 머레이 베이글 ▶ 모건 라이브러리 & 뮤지엄 ▶ 뉴욕 공립 도서관 ▶ 저녁 : 세라 바이 비레리아 ▶ 톱 오브 더 록 전망대

Day 6

뉴욕 JFK 국제공항 출발

Day 7

인천국제공항 도착

Try New York
Plan 05

당신을 사로잡을 쇼윈도의 유혹
쇼핑 여행 8일 코스

누가 그런 말을 했던가. 세상에서 가장 저렴하게 쇼핑하는 방법은 미국에 가는 것이라고! 물론 그 저렴한 쇼핑을 위해 항공권 값을 지불해야 한다는 것이 슬프지만, 그럼에도 미국에서의 쇼핑은 상당히 매력적이다. 전 세계 유행의 흐름이 시작되고, 최고가에서부터 최저가까지 원하는 예산과 취향대로 맞춤 쇼핑이 가능한 그곳. 자, 이제 떠나기만 하면 된다. 지갑에 신용카드를 두둑이 챙긴 채!

Day 1
인천국제공항 출발 ▶ 뉴욕 JFK 국제공항 도착 ▶ 숙소 체크인 ▶ 타임스 스퀘어 ▶ 점심 & 저녁 : 셰이크 섁 버거 ▶ 홀 푸드 마켓^{일상에 필요}한 유기농 용품 쇼핑

Day 2
우드버리 커먼 프리미엄 아웃렛 ▶ 오전 쇼핑 ▶ 점심 : 푸드 코트 ▶ 오후 쇼핑

Day 3
오큘러스 센터 쇼핑 ▶ 점심 : 오큘러스 센터 내에서 고르기 ▶ 허드슨 야드 몰 쇼핑 ▶ 저녁 : 허드슨 야드 몰 내에서 고르기 ▶ 뮤지컬 공연 관람^{타임스 스퀘어}

Day 4
노드스트롬 랙 쇼핑 ▶ 점심 : 그래머시 태번 ▶ 티제이 맥스 쇼핑 ▶ 저녁 : 블루 노트^{라이브 재즈 관람}

Day 5
소호의 로컬 숍 쇼핑^{마이클 코어스, 스티븐 앨런 등} ▶ 점심 : 타임 ▶ 그리니치 빌리지 & 웨스트 빌리지의 로컬 숍 쇼핑^{마크 제이콥스, 알렉산더 맥퀸, 크리스찬 루부탱, 래그&본 등} ▶ 저녁 : 르 쿠쿠

Day 6
5번가 쇼핑^{애버크롬비&피치, 애플, DKNY, 바나나 리퍼블릭, 레고 스토어 등} ▶ 점심 : 토니 드래곤스 그릴 ▶ 윌리엄스버그^{플리 마켓 산책} ▶ 저녁 : 페테 자우^{비비큐}

Day 7
뉴욕 JFK 국제공항 출발

Day 8
인천국제공항 도착

★ ★ ★
Try New York
Plan 06

미술품 애호가를 위한 스페셜 가이드
뮤지엄 방문 1주일 코스

골목마다 뮤지엄이 있다 해도 과언이 아닌 뉴욕! 현대 미술관과 구겐하임, 그리고 휘트니 미술관에서 현대 미술의 진수를 느끼고, 유대인 문화를 체험해 볼 수 있는 유대인 박물관도 들러보자. 쿠퍼 휴이트 디자인 박물관의 아름다운 정원을 즐긴 후 클로이스터스에서의 평화로운 산책이면 알찬 일정이 완성된다. 뮤지엄별로 오픈과 마감 시간, 문 닫는 요일이 다르므로 확인 후 상세 일정을 짤 것.

Day 1
인천국제공항 출발 ▶ 뉴욕 JFK 국제공항 도착 ▶ 숙소 체크인 ▶ 뉴욕 현대 미술관Terrace 5에서 간식 및 기프트 숍 ▶ 아트 & 디자인 박물관로버트에서 저녁식사

Day 2
자연사 박물관 ▶ 점심 : 리버티 베이글 ▶ 뉴욕 시티 박물관 ▶ 유대인 박물관 ▶ 저녁 : 도스 토로스 타퀘리아

Day 3
쿠퍼 휴이트 디자인 박물관 ▶ 구겐하임 미술관 ▶ 점심 : 조조 ▶ 노이에 갤러리카페 사바스키에서 커피 ▶ 센트럴 파크 ▶ 뉴욕 공립 도서관 ▶ 브라이언트 파크 ▶ 저녁 : 톱 오브 더 스트랜드

Day 4
클로이스터스 ▶ 점심 : 부벳 ▶ 메트로폴리탄 미술관미술관 내 카페에서 커피 ▶ 휘트니 미술관 ▶ 저녁 : 첼시 마켓 ▶ 하이 라인 파크

Day 5
9 · 11 메모리얼 & 박물관 ▶ 카페 1668커피 ▶ 모건 라이브러리 & 뮤지엄 ▶ 점심 : ABC 키친 ▶ 타임스 스퀘어 ▶ 저녁 : 디지스 클럽 코카콜라공연 관람

Day 6
뉴욕 JFK 국제공항 출발

Day 7
인천국제공항 도착

Cheese

뉴요커들의 사랑
루프톱 바 BEST 5

뉴요커들이 특히 열광하며 좋아하는 루프톱(지붕이 없는 옥상)에서의 아름다운 야경을 내 눈에 직접 담아보는 시간이야말로 뉴욕을 아름답게 기억할 수 있는 좋은 방법 중 하나이다. 뉴요커들에게 베스트로 손꼽히는 루프톱 바를 소개한다.

▼르 뱅 *(p.126)*
드넓은 옥상의 바에서는 소파에 기대 앉아 월 스트리트와 뉴저지를 내려다보며 맥주와 와플을 즐길 수 있다. 날씨 좋은 날에는 하늘 위 비행기와 허드슨 강의 뷰를 평화롭게 즐길 수 있어 운치 있다. 한 층 아래에는 수영장이 딸린 바가 있다.

▲프레스 라운지 *(p.104)*
맨해튼에 있는 루프톱 바에서 최고로 손꼽히는 곳 중 하나이다. 허드슨 강과 맨해튼의 빌딩숲이 아름답게 펼쳐져 있어 어느 쪽에 머물러도 지루하지 않은데, 특히 이곳에서 보는 뉴욕 마천루의 풍경이야말로 최고이다.

▼스카이락 *(p.105)*
고급스러운 분위기, 환상적인 풍경, 정면으로 보이는 엠파이어 스테이트 빌딩까지…. 이 모든 것이 완벽하게 조화를 이루는 멋진 곳이다.

▲톱 오브 더 스트랜드 *(p.103)*
엠파이어 스테이트 빌딩이 눈앞에서 펼쳐지면 그 자태가 어찌나 섹시한지 이곳을 처음 방문하는 이들은 '와~' 하면서 입을 벌리고 놀란다. 반짝이는 빌딩을 바라보며 주고받는 대화의 시간은 그 무엇과도 바꿀 수 없을 만큼 짜릿하다.

▲리파이너리 루프톱 *(p.103)*
머리 위로 보이는 엠파이어 스테이트 빌딩의 모습에 절로 탄성이 나오는 곳이다. 동화 속 풍경처럼 꾸며져 있는 편안한 테이블과 세련된 바, 그리고 은은한 불빛으로 수놓아진 전구들은 크리스마스를 연상시킬 만큼 낭만적이다.

최고의 문화생활
뉴욕 뮤지엄 BEST 4

뉴욕만큼 거리에 박물관과 미술관이 널려 있는 도시가 또 있을까. 마음 먹고 시간만 넉넉히 마련한다면 얼마든지 원하는 문화생활을 즐길 수 있는 곳이 바로 뉴욕이다. 많고 많은 박물관과 미술관 중 베스트 뮤지엄을 손꼽아보았다.

▼뉴욕 현대 미술관 *(p.83)*

모던하면서도 심플한 내부와 다양한 전시로 늘 새롭게 바뀌는 변화가 기분 좋게 느껴지는 곳이다. 19세기와 20세기의 다양한 그림과 사진, 조각 등을 볼 수 있어 절로 미술 공부가 되며 피카소, 고흐, 마티스, 모네, 앤디 워홀 등의 작품 앞엔 항상 많은 사람들로 북적인다.

▲프릭 컬렉션 *(p.75)*

피츠버그의 철강왕이자 대재벌 헨리 클레이 프릭이 자신의 집과 수많은 소장품을 기증하면서 설립된 사립 미술관이다. 유럽풍의 저택은 시선을 뗄 수 없을 만큼 웅장하고 근사하며, 실내는 럭셔리 그 자체이다. 전시된 예술품들도 훌륭하지만 건물 자체만으로도 충분히 멋스러운 볼거리이다.

노이에 갤러리 *(p.76)*

저택을 개조한 내부는 고풍스럽고 아름답다. 구스타프 클림트와 에곤 실레의 작품들 외에도 독일과 오스트리아 여러 작가들의 작품을 관람할 수 있다. 기프트 숍에서 판매하는 유럽 미술 책과 포스터, 엽서가 특히 아름답다.

▶클로이스터스 *(p.53)*

클로이스터스는 프랑스와 스페인 등 중세 수도원의 유물과 다양한 가구, 그림, 조각 등이 전시되어 있으며 규모가 크지 않아 관람 시간도 오래 걸리지 않는다. 이곳을 베스트로 꼽은 이유는 번잡스러운 뉴욕을 떠나 마음의 평화를 느끼고 싶을 때 찾으면 좋기 때문이다.

뉴욕의 이정표가 되어주는
전망대 BEST 3

그 어느 도시보다 화려한 마천루를 자랑하는 뉴욕은 전망대에서 내려다봐야 그 진가를 제대로 느낄 수 있다. 뉴욕에 갔다면 한 번 이상은 반드시 들러야 할 곳! 가슴 시리게 아름다운 풍경을 볼 수 있는 훌륭한 전망대를 소개한다.

◀서밋 원 밴더빌트 (p.85)
인스타그래머블한 사진 촬영에 적합한 전망대로, 현재 뉴욕 최고의 인기 명소이다. 전망대의 벽과 천장, 바닥이 모두 유리와 거울로 되어 있어 몽환적인 느낌을 주며 예술 작품과 풍선 룸 등 다른 전망대에 비해 다양한 체험이 많아 더욱 인기이다. 지금 뉴욕에서 예약이 가장 빨리 마감되는 곳이니 서둘러 준비할 것.

▶ 에지 (p.86)
100층 건물의 꼭대기에서 계단에 걸터앉아 맨해튼의 뷰를 내려다볼 수 있어 매력적이다. 뉴욕의 다른 모든 전망대 중 어디에서도 제공하지 않는 의자가 있어 편하게 쉬면서 길게 즐길 수 있다. 서쪽에 자리하고 있어 아름다운 선셋은 덤!

◀톱 오브 더 록 (p.87)
탁 트인 공간에서 야경을 감상할 수 있고, 뉴욕에서 센트럴 파크와 엠파이어 스테이트 빌딩을 한 번에 볼 수 있는 유일한 장소이기도 하다. 톱 오브 더 록의 입구에는 스와로브스키 측에서 제작한 거대한 크리스털 장식품이 있는데, 록펠러 센터 빌딩을 거꾸로 매달아 놓은 형상이다.

여유롭고 매력적인
공원 BEST 5

드넓은 뉴욕에는 다양한 콘셉트의 그림 같은 공원들이 존재한다. 조깅과 산책은 물론 피크닉까지 즐길 수 있어 뉴욕의 심장부 역할을 톡톡히 하고 있는 다채로운 공원들. 그중에서도 베스트만을 모아 봤다.

▲센트럴 파크 (p.68)

센트럴 파크는 뉴욕의 심장이자 맑은 공기와 건강을 책임지는 파수꾼이다. 일광욕과 피크닉을 즐기는 뉴요커들이 사랑하는 장소이며 계절의 변화를 느낄 수 있는 아름다운 곳이기도 하다. 항상 새롭게 펼쳐지는 다양한 거리 공연도 놓치지 말자.

▼하이 라인 파크 (p.123)

버려진 철로를 개조해 오랜 시간 동안, 많은 비용을 들여 오픈한 특별한 공원이다. 봄과 여름에는 꽃이 만발하고 가을이면 갈대로 가득해 낭만적인 정취를 풍긴다. 첼시에서 맛있는 식사를 하고 이곳에서 산책하는 일정을 짜면 효율적이다.

▲갠트리 플라자 주립 공원

맨해튼에서 퀸스보로 브리지를 건너면 바로 보인다. 국제연합 빌딩을 중심으로 맨해튼의 다양한 빌딩들을 와일드하게 감상하기 좋은 곳이며 다른 관광지에 비해 한적해서 여유로운 시간을 보낼 수 있다.

▼브라이언트 파크 (p.88)

공원의 규모는 작지만 요가 레슨, 뮤지컬, 클래식, 댄스 공연 등이 무료로 진행되어 언제 가도 지루하지가 않다. 특히 계절별로 펼쳐지는 다양한 이벤트 덕에 시민들의 열렬한 사랑을 받고 있다. 뉴욕 시내 한복판의 오아시스 같은 곳이다.

▲브루클린 브리지 파크 (p.214)

아이들이 뛰어놀 수 있는 놀이터, 잔디밭, 회전목마, 테이블 등이 설치되어 있어 가족 혹은 연인들이 자주 찾는다. 맨해튼의 월 스트리트와 브루클린 브리지, 맨해튼 브리지가 한눈에 들어와 어디를 배경으로 놓고 사진을 찍어도 작품이 된다.

즐거운 시장놀이,
벼룩 & 주말시장 BEST 3

사람 사는 곳이 어디나 똑같듯 뉴욕 또한 시장이 있고, 인기가 많다. 깔끔하게 잘 차려진 매장에서 예쁘게 포장된 물건을 고르는 것도 재밌지만 한 번쯤은 뉴요커들이 애용하는 그들만의 시장에 들러 그 일상을 잠시나마 함께해 보자.

▼ 스모가스버그 *(p.215)*
맛을 인정받은 100여 개의 브랜드 벤더가 참여하는 뉴욕 최고의 먹거리 장터. 라멘으로 만든 버거, 베이컨이 올라간 메이플 베이컨 컵케이크, 숯불에 구워주는 갈비 샌드위치, 랍스터 버거 등이 유명하다. 4~10월에는 토요일마다 브루클린 내 2곳에서 열리고 나머지 시즌엔 실내에서 운영된다. 팁은 없고 현금 결제만 가능하나 가격은 저렴하지 않은 편. 장소 및 운영시간 변경이 잦으니 방문 전 체크는 필수.

▲ 유니언 스퀘어 그린 마켓 *(p.133)*
뉴욕에도 우리나라 시골 5일장처럼 장이 선다. 시내 곳곳에서 생각보다 자주 시장이 열리며 많은 뉴요커들이 애용하고 있는데 이곳이 특히나 재미있는 건 시장 자체가 주는 활기참과 다양함 때문이다. 뉴욕 시 인근 농장에서 직접 재배한 채소와 과일, 치즈 등을 파는데, 먹어보라고 권하기도 하고 농사에 대한 이야기도 들어볼 수 있으니 대형마트에서는 느낄 수 없는 인간적인 분위기를 체험할 수 있다.

▲ 아티스트 & 플리 윌리엄스버그
매주 주말에만 열리는 윌리엄스버그의 대표 플리마켓으로 최고의 장점은 실내에서 운영하는 곳이다 보니 춥거나 비가 와도 시장을 즐기는 데 전혀 문제가 없다는 것. 주로 이 근처에 사는 현지 예술가의 작품과 수공예품 제품이 많다. 구석구석 둘러보는 재미가 있는 이곳에서 특별한 아이템을 골라보자. 주말에만 문을 연다. www.artistsandfleas.com/williamsburg

실내라서 즐거운
비 오는 날 가면 좋은 장소 BEST 4

비가 온다고 해서 축 처져 있을 필요가 절대 없는 뉴욕! 실내에서 즐길 수 있는 곳들이 많기 때문이다.
날씨에 구애받지 않고 뉴욕의 또 다른 진가를 느껴볼 수 있는 장소들! 그곳들을 소개한다. 아래 장소
들이 내키지 않는다고? 걱정마시라, 이곳은 뉴욕이다. 뮤지컬 관람과 쇼핑을 즐기면 된다.

▲ 첼시 마켓 (p.124)

유명 쿠키 브랜드가 세운 공장 건물이 색다른 음식 문화 공
간으로 탈바꿈하게 되기까지는 그리 오랜 시간이 걸리지 않
았다. 한적하게 내부를 거닐며 상점을 구경해도 좋고 식사
한 끼를 해결하기에도 좋다. 뉴욕 주변의 농장에서 가져오
는 싱싱하고 성분 좋은 다양한 농산물과 해산물을 구입하거
나 곳곳에 그려진 벽화와 과거 공장 건물의 부품 구경 또한
빼놓을 수 없는 즐거움이다.

▲ 뉴욕 공립 도서관 (p.85)

단순히 책만 있는 공간이 아니라 스터디 룸과 아이들을 위
한 독서 공간, 기프트 숍 등으로 꾸며져 있다는 사실만으로
도 충분히 가치가 있는 곳이다. 도서관 건물 자체도 볼거리
인데, 마치 어느 유명 박물관처럼 보일 만큼 화려하다. 르네
상스풍의 외관과 건물 내부는 왠지 모를 경건함마저 느끼게
해준다. 매일 무료로 진행되는 투어에 참여해 도서관의 과
거와 숨겨진 역사를 알아보는 것 또한 재미있다.

▲ 그랜드 센트럴 터미널 (p.87)

하루에도 수백만의 여행자가 오가는, 우리로 치면 서울역과
같은 곳이다. 그 규모도 엄청나지만 최고의 하이라이트라
할 수 있는 건 바로 천장이다. 거대하고 높은 천장에는 아름
다운 조명으로 별자리가 수놓아져 있다. 운이 좋다면 별자
리를 볼 수도 있다. 고풍스러운 옛 역사를 그대로 간직하고
있다는 사실이 여행자에겐 참 고마운 일이다. 뉴욕에서 다
른 지역으로 여행을 갈 때도 자주 이용하게 된다.

▲ 시포트 (p.200)

월 스트리트 근처에 있는 전망이 근사한 관광지이자 복합
쇼핑몰이다. 항구와 브루클린 브리지, 하늘 높이 솟아 있는
수많은 빌딩이 한눈에 들어온다. 옥상에는 야외 공연장과
루프톱 바가 있어 분위기가 좋은데 언제나 데이트하는 커플
로 북적인다. 이곳을 방문하려면 일몰 혹은 저녁 시간을 권
한다. 건물 1층에는 LA의 인기 맛집인 말리부 팜 Malibu Fram
이 입점해 있어 많은 인기를 얻고 있다.

뉴욕스러운
사진 찍기 좋은 장소 BEST 4

많은 사람들이 뉴욕을 상징하는 배경을 찾아 열심히 사진을 찍으러 다닌다. 넓고도 넓은 뉴욕, 제한된 시간 속에서 과연 어디를 가야 가장 뉴욕스러운 사진을 찍을 수 있을까?

타임 아웃 마켓 뉴욕 *(p. 213)*

뉴욕의 맛있는 먹거리를 모두 한데 모아둔 브루클린의 '핫플'이다. 맛집 사이사이에 개성 있는 로컬 브랜드 숍이 위치해 쇼핑까지 할 수 있다. 5층 옥상에 가면 또 다른 분위기의 푸드 코트가 있고 브루클린, 맨해튼 브리지가 한눈에 보이는 멋진 뷰가 무료로 펼쳐진다.

타임스 스퀘어 *(p.82)*

언제나 무수히 많은 사람들로 북적거리지만 뉴욕에 온 이상 반드시 들러야 하는 곳이자 들를 수밖에 없는 뉴욕의 상징, 타임스 스퀘어. 거대하고도 수많은 광고판과 뮤지컬 극장들, 다양한 상점과 기념품점, 식당들이 얽혀 있어 언제 가도 정신이 없지만 그럼에도 흥미진진한 이곳은 방문한 이들 모두를 들뜨게 만든다. 낮과 밤이 전혀 다른 매력을 가지고 있으므로 각기 다른 시간대에 각각 한 번 이상 방문할 것을 권한다.

자유의 여신상 *(p.197)*

1886년 미국의 독립 100주년을 기념하여 프랑스에서 기증한 자유의 여신상은 뉴욕의 상징이자 관광 명소이다. 뉴욕에 와서 자유의 여신상을 안 보고 갈 수는 없는 법. 뉴욕 여행 인증 사진을 남길 수 있는 가장 확실한 곳이니깐! 90m가 넘는 높이 때문에 너무 가까이에선 오히려 사진을 찍을 수가 없고 배터리 파크에서 페리를 탄 후 그 안에서 찍어야 사진이 가장 잘 나온다.

브루클린 브리지 *(p.201)*

뉴욕 맨해튼에는 다리가 여러 개 있다. 뉴저지로 가는 조지 워싱턴 브리지, 퀸스로 가는 퀸스보로 브리지, 브루클린으로 가는 브루클린 브리지 등…. 모양과 분위기가 모두 다르다. 수많은 다리 중에서 가장 낭만적이고 아름다워서 인기가 많은 곳은 브루클린 브리지다. 이 다리가 특히 여행자들에게 인기 있는 이유는 맨해튼의 경치를 보면서 걸을 수 있기 때문이다. 브루클린에서 맨해튼으로 걸어오는 것을 추천!

낭만적이고 로맨틱한
뉴욕 최고의 야경 BEST 3

어느 도시를 가든 반드시 챙겨야 하는 게 있다면 그 도시 최고의 야경 장소를 체크하는 것이다. 뉴욕 또한 야경을 즐길 만한 곳이 많은데 그중에서도 가장 로맨틱하고 아름다워 연인과 함께하기에 좋은 장소를 몇 곳 추려 보았다.

◀브루클린 하이츠 산책로 *(p.216)*
뉴요커라면 누구나 알고 있는 명소로 낮보다는 밤에 특히 아름답다. 해 질 녘 온통 하늘이 주홍빛으로 물들 즈음이면 둘씩 나란히 벤치에 앉아 데이트하는 커플을 많이 볼 수 있다. 뉴욕을 아름답게 기억할 수 있는 또 하나의 장소이며 사색에 빠져 생각을 정리하고 싶을 때 가면 좋다. 단, 오가는 길에 인적이 드물어 위험할 수 있으니 반드시 2명 이상 동행하도록 하자.

▶루스벨트 아일랜드 트램웨이 *(p.84)*
루스벨트 아일랜드는 뉴욕 시내의 어퍼 이스트 쪽에 자리하고 있는 길이 3.2km짜리 작은 섬이다. 맨해튼 시내와 떨어져 있는 한적한 곳인데, 이곳의 포인트는 케이블카이다. 퀸스보로 브리지 위를 지나는 이 케이블카는 MTA 메트로 카드로 이용이 가능하다(비용은 지하철 1회 탑승 요금과 같음). 케이블카 안에서 내려다보이는 퀸스보로 브리지와 루스벨트 아일랜드, 그리고 가까이에서 보이는 국제연합 빌딩과 크라이슬러 빌딩의 아름다움에 취해 감탄을 연발하게 된다.

호보켄 & 해밀턴 파크 *(Washington St, Hoboken & 773 Boulevard E, Weehawken)*
뉴욕 옆의 뉴저지 주에는 맨해튼의 아름다운 마천루가 한눈에 펼쳐져 환상의 야경을 감상할 수 있는 곳이 두 곳 있다. 바로 호보켄(맨해튼에서 PATH로 Hoboken역 하차)과 해밀턴 파크(Port Authority Bus Terminal에서 Westwood행 165번 버스를 타고 Boulevard East at Eldorado Place역 하차)인데, 해 질 녘이나 밤에 가면 더욱 낭만적인 뉴욕을 보게 될 것이다.

Things to Do

뉴욕에서 놓쳐선 안 될
꼭 해봐야 할 경험

뉴욕 여행에서는 욕심을 줄여야 성공한다. 즐길 것이 너무 많은데 시간은 한정되어 있으
니 이를 맞추기 위해선 결국 마음을 비워야 한다는 뜻이다. 그럼에도 불구하고 이것만은
양보할 수 없다고 믿는 것, 세 가지! 이를 소개할 테니 하늘이 무너져도 꼭 경험해 보고 돌
아오기를!

1. 브로드웨이의 뮤지컬 관람하기
돈 아깝다고 망설이지 마라. 나중에 돈 벌어서 다시 가는 게 더 힘드니깐! 뉴욕
에 가면 세계적으로 유명한 최고의 뮤지컬 무대를 경험해 보길 권한다. 최근 인
기 있는 뮤지컬 중 자신의 스타일에 맞는 것을 골라야 만족도가 높을 것이다.

2. 뉴요커처럼 브런치 즐기기
〈섹스 앤 더 시티〉의 주인공들처럼 친구들과 시간을 맞춰 아침과 점심 사이에
수다를 떨며 즐기는 맛있는 식사라니! 상상만으로도 마음이 편안해지면서 스트
레스가 풀릴 것이다. 뉴욕은 브런치가 하나의 문화로 자리 잡은 지 오래이다. 시
끌벅적 떠드는 뉴요커들 틈에서 아침 겸 점심을 즐겨보자. 여유 있게 그 자리,
그 시간을 즐기면서 말이다.

3. 예술 작품을 깊게 이해하기
세계적인 작품이 가득한 뉴욕! 특히 세계적으로 유명한 메트로폴리탄 미술관이
나 뉴욕 현대 미술관, 자연사 박물관의 경우 오디오 가이드를 통해 좀 더 깊이
있는 관람이 가능하다. 일부는 한국어로 안내가 되니 꼭 오디오 가이드와 함께
박물관을 둘러보도록 하자. 현대 미술관과 메트로폴리탄의 경우 별도의 애플리
케이션도 있으므로 다운받아 가면 훨씬 유용하다. 다만 와이파이 상태에 따라
만족스럽지 못할 수가 있으니 이 점을 참고할 것. 또한 현대 미술관은 사진이 있
는 신분증을 가져가야 오디오 가이드를 빌릴 수 있는데, 여권과 신용카드는 안
되고 코스트코Costco 회원증이나 국제학생증의 경우 가능하다.

Shopping Item

뻔하지 않은

뉴욕의 쇼핑 아이템

뉴욕은 다양한 아웃렛과 백화점, 로컬 숍이 종류별로 펼쳐져 있어 돈과 시간만 뒷받침해 주면 얼마든 쇼핑을 즐길 수 있다. 그중에서도 우리가 알고 있는 일반적인 쇼핑 아이템들 외에 독특하고 특별한 아이템을 소개할 테니, 쇼핑 좀 한다하는 분들은 주목하시라!

1. 현지 화가가 그린 그림 또는 사진

유니언 스퀘어나 소호, 노리타 등을 걸을 때 가판대에서 많이 볼 수 있다. 빈티지한 느낌의 포스터나 현지 예술가들이 그린 그림이 다양하게 펼쳐져 있는데, 이를 비교해 보면서 걷는 것도 꽤나 재미있다. 과거 뉴욕의 풍경 사진 혹은 포스터 등은 무척 운치가 있어 집 안 장식용으로도 좋으니 부담되지 않는 부피라면 구입해 보자.

2. 주방용품 및 생활용품 쇼핑

고급스러운 인테리어 용품을 보고 즐길 수 있는 RH, 투박하면서도 클래식한 미국식 접시와 소품 등을 구매할 수 있는 피시스 에디Fishs Eddy, 럭셔리 주방용품으로 유명한 윌리엄 소노마Williams-Sonoma, 생활용품과 소품이 다양하게 구비된 크리에이트 앤 배럴Creat and Barrel, 포터리 반Pottery Barn, 웨스트 엘름West Elm, CB2 등은 한번 들어가면 나오기 힘든 매력의 장소들!

3. 치즈

치즈 마니아라면 주목! 뉴요커들이 사랑해 마지않는 다양한 치즈를 맛보고 구입하려면 자바스Zabar's나 머레이 치즈Murray's Cheese를 권한다. 자바스는 어퍼 웨스트 사이드, 머레이 치즈는 그리니치 빌리지의 터줏대감과도 같은 숍으로 수많은 뉴요커들의 사랑을 받으며 오랜 시간 군림하고 있다. 저렴한 가격에 질 좋은 치즈를 마음껏 시식하고 고를 수 있는 곳, 이 두 곳에서 치즈 쇼핑을 신나게 즐겨보자!

4. 빈티지 옷 교환하기?!

비콘스 클로젯Beacon's Closet, 버팔로 익스체인지Buffalo Excange는 내가 사용하던 중고용품을 팔거나 남이 쓰던 물건을 구매할 수 있어 인기이다. 화려할 것만 같은 뉴요커의 일상을 엿볼 수도 있는 좋은 기회. 운이 좋다면 태그도 떼지 않은 새 옷을 득템할 수도 있으니 여러 지점 중 가까운 곳으로의 방문을 추천!

5. 벼룩시장 빈티지 물품

뉴욕 거리를 걷다 보면 다양한 벼룩시장을 만날 수 있다. 로컬 디자이너가 만든 액세서리, 지갑, 가방, 옷 외에도 집에서 쓰던 오래된 물건을 가지고 나와서 파는 이들도 많아 지루할 새가 없다. 현지인들이 들고나온 물건에 대해 이런저런 이야기를 주고받다 보면 그들의 삶과 생활방식을 조금이나마 느껴볼 수 있는 소중한 시간이 될 것이다.

Taste of New York

맛있게 즐기세요!
꼭 맛봐야 할 뉴욕의 먹거리

다양한 인종들이 한데 어울려 살아가는 대표적인 코즈모폴리턴 도시, 뉴욕! 이곳에서라면 음식을 가리는 그 누구라 할지라도 아무런 불편 없이 여행할 수 있다. 골목마다 전 세계의 맛있는 음식만을 판매하는 최고의 레스토랑들이 모두 모여 있기 때문. 그러니 특별히 원하는 음식이 있다면 그저 휴대폰의 GPS를 따라 지도를 보며 찾아가기만 하면 된다. 그중에서도 잊지 말고 반드시 먹어야 할 뉴욕의 베스트 먹거리를 모았다!

피자 Pizza
참 의외다. 이태리가 아닌 뉴욕인데 거리마다, 골목마다 피자집이 있다. 그리말디나 롬바르디스 같은 유명한 집은 오랜 시간 줄을 서야 입장이 가능하고 조각 피자도 판매하지 않지만, 뉴욕 거리에는 피자를 한 조각씩만 잘라 파는 집이 차고 넘쳐 일일이 열거하기 어려울 정도이다. 가격도 저렴하고 맛도 좋아 여행하면서 이동하다가 맛보기에 제격이다. 거리에서 아티초크 피자Artichoke Pizza라는 간판을 발견했다면 일단 한번 들어가 보자. 지중해에서 많이 나는 아티초크라는 식물이 올라간 피자인데, 두툼하면서도 고소해 인기가 많다. 그리니치 빌리지를 걷는다면 조 피자Joe's Pizza도 잊지 말 것. 영화 〈스파이더 맨 2〉에서 남자 주인공이 일하는 곳으로 나왔던 탓에 늘 붐빈다.

할랄 푸드 Halal Food
아침부터 저녁까지 뉴욕은 거리의 가판대에서 파는 할랄 푸드(철판에 고기와 야채, 소스를 볶아 파는 중동식 덮밥 혹은 샌드위치)의 냄새가 진동한다. 우리나라의 닭갈비와도 유사한 냄새인데, 기본 소스가 달라 맛은 똑같지 않지만 한국인 입맛에도 제법 잘 맞는다. 뉴욕 물가에 비하면 양도 많고 가격도 비싸지 않은 편이어서 한 번쯤 끼니를 때우기 좋다. 별도로 테이블이 있는 것은 아니라 알아서 식사를 해결해야 한다. 뉴요커들에게 인기 있는 메뉴로 자리한 지 오래인 할랄 푸드와 함께 거리에 서서 즐기는 음식 맛도 체험해 보자.

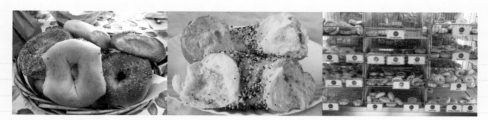

베이글 Bagel

뉴욕은 베이글의 왕국이다. 거리 곳곳에서 베이글 간판을 쉽게 찾아 볼 수 있고 포장해 가 아침, 점심의 끼니로 때우는 뉴요커들 또한 많다. 다른 빵에 비해 포만감이 많이 들어 식사 대용으로 좋은데, 특히 연어나 크림치즈와 궁합이 잘 맞는다. 맛있는 건 물론 속도 든든해지는 베이글. 뉴욕에 갔다면 한 번 이상은 맛봐야 할 그들의 문화 중 하나이다.

맥주 Beer

의외라고 할지 모르겠다. 하지만 뉴욕 주는 물맛이 좋기로 유명하고, 물맛이 좋은 곳은 당연하게도 와인과 맥주가 발달해 있다. 특히 뉴욕에서는 생맥주를 마실 수 있는 펍이 많은 편인데, 가격 또한 많이 비싸지 않으므로 저녁 식사를 하며 뉴욕에서 만든 생맥주를 꼭 한 번 즐겨보자. 신선하고도 깔끔한 맛에 반해 매일 밤 맥주를 즐기게 될지도!

커피 Coffee

뉴요커들의 입맛을 사로잡는 커피는 늘 바뀐다. 그렇기 때문에 무엇이 최고라고 말하기는 어렵지만 거리의 가판대에서만 판매해 뉴욕의 또 다른 상징이 되어버린 파란 종이컵 커피에서부터 최고급 브랜드의 커피까지 나름의 개성이 있으니 한 번씩 맛보는 것을 추천한다. 은근히 높아진 커피 취향 때문에 한국에 돌아온 후 뉴욕의 커피가 몹시 그리워질지도 모르겠지만.

Play Ball

꿈의 구장을 가다!
메이저리그 야구 관람

야구를 좋아한다면 주목! 뉴요커들 또한 야구를 좋아해 경기가 있는 날이면 수많은 팬들이 경기장을 찾는다. 최고 수준의 야구 경기와 팬들의 열기를 느껴보는 것도 뉴욕 여행 중 특별한 경험이 될 테니 야구에 관심 있는 여행자라면 하루쯤 시간을 내어 관람을 해보자. 다만 맨해튼에서 1시간 정도 떨어진 곳에 위치하고 있어 오가는 데 시간이 좀 걸릴 수 있으므로 여유롭게 일정을 잡기를 권한다.

뉴욕에는 큰 야구장이 두 곳 있는데, 브롱크스 지역에 위치한 뉴욕 양키스의 양키 스타디움과 퀸스 플러싱에 자리한 뉴욕 메츠의 시티 필드 스타디움이다.

Tip
입장권은 경기하는 팀에 따라, 좌석에 따라 그 가격이 천차만별이니 이를 감안하여 본인의 예산에 맞춰 예약할 것을 권한다. 티켓 구입은 경기장의 홈페이지 혹은 www.ticketmaster.com에서 가능하다.

양키 스타디움 Yankee Stadium

양키스는 1901년 창단된 야구 구단으로 미국 최고의 승률을 자랑하는 팀이다. 양키 스타디움은 2009년 4월 새로 개장해서 더욱 화려하고 쾌적한 시설을 갖추게 되었고, 관중석이 가장 가까운 경기장으로 평가받고 있다. 역대 최고의 스타 선수를 가장 많이 보유한 팀이기도 한데, 한국인 최초로 박찬호 선수가 선수생활을 하기도 했다. 경기장 1층에는 세계 유명 체인인 하드록 카페가 있다.

주소 E 161st St, River Ave
홈피 yankees.mlb.com
위치 지하철 4 · B · D선
　　　161st St-Yankee Stadium역

시티 필드 스타디움 Citi Field Stadium

뉴욕 메츠의 시티 필드 스타디움은 지하철로 한 정거장 떨어진 곳에 코리아타운이 있어서 한국인들이 많이 찾는 곳이기도 하다. 4만 2천 명이 수용 가능한 거대한 구장으로 2009년 새로 개장했으며 그라운드에는 천연 잔디가 깔려 있다. 이곳에서는 야구 경기 외에 종종 콘서트가 열리기도 해 많은 뉴요커들이 즐겨 찾는다. 야구장 내에는 뉴욕 시내에서도 유명한 셰이크 섁과 바비큐 전문점 블루 스모크 등이 입점해 있어 음식을 먹기에도 편리하다.

주소 12301 Roosevelt Ave, Flushing
전화 718-507-6387
홈피 newyork.mets.mlb.com
위치 지하철 7선 Mets-Willets Point역

Shopping Outlet

'득템'할 기회!
특색 있고 저렴한 뉴욕의 할인 몰들

쇼핑을 부추기는 도시 뉴욕! 뉴욕을 다녀간 사람이라면 누구든 이 말에 공감하게 될 것이다. 굳이 시간과 돈을 들여 머나먼 아웃렛까지 가지 않아도 된다! 맨해튼 시내에만도 여러 할인 몰이 있어 이곳들만 잘 뒤져도 항공권 값은 충분히 뽑을 수 있을 정도이다. 그러니 쇼핑할 체력과 돈만 준비하자. 여기서 소개하는 할인 몰들은 각각 특징이 있으니 자신의 취향과 여행 동선에 맞춰 몇 곳을 골라 방문하도록 하자. 전부 들렀다간 파산할 수도 있으니 지갑을 조심하도록!

1. 백화점 이월상품 전문점

뉴욕의 고급 백화점에서 팔다가 이월된 상품들을 판매한다. 100% 캐시미어 스웨터, 명품 브랜드의 가방 등을 저렴하게 구매할 수 있는 곳이다.

삭스 오프 피프스 Saks off 5th
주소 125 E 57th St
전화 212-634-0730
홈피 www.saksoff5th.com
운영 월~토 10:00~21:00, 일 11:00~19:00
위치 지하철 4 · 5 · 6선 59th St-lexington Ave역,
지하철 N · R · W선 Lexington Ave/59th St역

블루밍데일 더 아웃렛 스토어
Bloomingdale's The Outlet Store
주소 2085 Broadway
전화 212-634-3190
홈피 www.bloomingdales.com
운영 월~토 11:00~20:00, 일 11:00~18:00
위치 지하철 1 · 2 · 3선 72nd St역

2. 일반 이월상품 전문점

옷과 가방, 주방용품, 집안의 생활용품은 물론 커피원두와 과자까지 총망라해 저렴하게 판매하니 찬찬히 둘러보고 득템하여 살림에 도움이 되는 쇼핑을 즐겨보자.

마샬스 Marshalls
주소 620 6th Ave
전화 212-741-0621
운영 월~토 09:00~21:00, 일 10:00~20:00
위치 지하철 1 · 2 · 3선 14th St역,
　　　지하철 F · M · L선 14th St역(그 외 여러 지점 있음)

티제이 맥스 T.J.MAXX
주소 620 Ave of the Americas
전화 212-229-0875
운영 월~토 09:00~21:30, 일 10:00~20:00
위치 지하철 1선 18th St역
　　　(그 외 여러 지점 있음)

타깃 Target
주소 255 Greenwich St
전화 917-438-2214
홈피 target.com
운영 07:00~23:00
위치 지하철 1 · 2 · 3 · A · C · F선 Chambers St역
　　　(그 외 여러 지점 있음)

City Tour Bus

뉴욕 중심에서 길거리 공연을!
극장식 투어 버스, 더 라이드

뉴욕을 색다르게 여행할 수 있는 신개념의 투어 버스가 개발되어
인기몰이 중이다. '더 라이드The Ride'라는 이름의 이 버스는 마치 극
장 스크린처럼 한쪽 면이 통유리로 되어 있고, 밖을 바라보며 앉을
수 있는 1~3층으로 구성되어 있다. 75분 동안 창밖으로 뉴욕 시내
의 주요 명소들을 관람하는 코스이며, 버스 안에서는 2명의 진행
자가 사회를 보면서 분위기를 북돋운다. 무엇보다 거리를 걷던 뉴
욕 시민들이 주인공으로 깜짝 변신해 춤, 노래, 발레 등의 화려한
공연을 펼치므로 잠시도 눈을 뗄 수 없다. 검색을 통하면 홈페이
지의 정식 가격보다 저렴한 할인 티켓을 구매할 수 있으니 손품을
팔아보자. 탑승하는 위치가 자주 바뀌니 시작 지점 확인은 필수.

주소 584 8th Ave
전화 212-221-0853
홈피 www.theridenyc.com
요금 $79(버스 맨 앞줄 좌석 $89)

© The Ride

Governors Island

평화롭고 비밀스러운 그곳,
거버너스 아일랜드

한때는 5월에서 10월까지만 방문할 수 있었던 이곳, 2021년부터는 그 제한이 없어졌다. 거버너스 아일랜드Governors Island는 과거 군사적 요지였고, 현재까지도 섬 전체가 역사보존구역으로 지정되어 있어 대중에게 널리 알려지지 않았다. 지금은 개방되어 큰 축제가 열리는 것은 물론, 피크닉과 산책을 즐길 수 있는 공간으로 탈바꿈했다.

섬에서 바라보는 맨해튼의 풍경은 뉴욕을 맛보는 또 다른 즐거움이며, 우리가 알고 있는 뉴욕 시내와는 너무나 다르게 지극히 평화롭고 고요한 공간이라 뉴욕이 아닌 다른 곳에 와있는 듯한 착각에 빠지도록 만든다. 뉴욕을 방문하는 기간 동안 반나절쯤은 시간을 내서 꼭 이곳에 들러보길 권한다. 맨해튼을 살짝 벗어난 조용한 공간에서, 혼자 혹은 소중한 일행과 따뜻한 햇살을 맞으며 바다 건너 뉴욕을 바라보고 있자면 그 자체만으로도 큰 행운이라 느껴질 것이다. 섬의 개방 시간과 가는 방법 등은 방문 전 홈페이지를 통해 확인하면 된다. govisland.com

02

Enjoy New York

뉴욕을 즐기는
가장 완벽한 방법

01 할렘 & 모닝사이드 하이츠
Harlem & Morningside Heights

센트럴 파크의 북쪽 끝을 시작으로 해서 서쪽은 모닝사이드 하이츠, 동쪽은 할렘 지역이라 한다. 모닝사이드 하이츠에는 컬럼비아 대학교가 있고, 그 위로는 클로이스터스 미술관과 여러 공원이 있다. 할렘은 한때 우범 지역이었지만 최근 새롭게 주목을 받고 있다. 재즈와 소울 음악의 뿌리가 된 곳이며 맛있는 미국 남부 음식을 즐길 수 있는 곳이 많아 사람들의 발길이 끊이지 않는다.

Writer's Story | 뉴욕에서 지내던 초창기 시절, 친구의 차를 타고 여행을 갔다 돌아오는 길을 잘못 들어 할렘가로 들어서게 되었다. 쇠뿔도 단김에 빼랬다고 나는 차를 돌리려는 친구에게 제안을 했다. "이왕 이렇게 온 김에 남부 지방의 음식을 먹고 가면 어떨까?" 내 제안에 귀가 솔깃해진 친구는 두리번거리며 주차할 곳을 찾아냈고, 우리는 할렘가의 레스토랑에서 정통 미국 남부식 요리를 신나게 즐겼다(그곳이 이 책에도 소개한 '실비아'라는 레스토랑이다). 따로 시간을 낸다면 마음먹고 가야 하는 곳이거늘, 운 좋게도 친구의 자가용을 얻어 타는 호사를 누리며 즐겼던 할렘의 맛집 탐방! 할렘, 생각만큼 멀거나 무서운 곳이 아니니 뉴욕의 또 다른 모습을 찾아 한 번쯤 떠나보는 건 어떨까.

To Do List
- ☐ 미국 남부식 바비큐 맛보기
- ☐ 컬럼비아 대학교 교정 산책하기
- ☐ 아폴로 극장에서 미국의 전설적인 팝스타 마이클 잭슨 흔적 찾기
- ☐ 포트 트라이언 파크에서 사색하기

할렘 & 모닝사이드 하이츠
Harlem & Morningside Heights

Hudson Pkwy

↑ 클로이스터스 방향
The Cloisters

M ③ Harlem 148th St

M ① 145th St

M A C B D 145th St

M ③ 145th St

Riverside Drive

M ① 137th St-
City College

Amsterdam Ave

M B C 135th St

Adam Clayton Powell Jr Blvd

Malcolm X Blvd

M ② ③ 135th St

Broadway

세인트 니콜라스 파크
St. Nicholas Park

5th Ave

Madison Ave

R 다이너소어 바비큐
Dinosaur Bar-B-Que

M ① 125th St

A C B D M 125th St

● 아폴로 극장
Apollo Theater

R 실비아
Sylvia's

M ② ③ 125th St   Dr. Martin Luther King Blvd   M ④ ⑤ ⑥ 125th St

Hudson River 허드슨 강

Riverside Drive

Henry Hudson Pkwy

● 리버사이드 파크
테니스 코트
Riverside Park
Tennis Court

모닝사이드 파크
Morningside Park

마커스 가비 파크
Marcus Garvey Park

Malcolm X Blvd

● 컬럼비아 대학교
Columbia University

M ① 116th St-
Columbia University

Adam Clayton Powell Jr Blvd

M B C 116th St

M ② ③ 116th St

M ⑥ 116th St

헝가리안
페이스트리 숍
The Hungarian
Pastry Shop

● 세인트 존 더 디바인 대성당
The Cathedral Church of
St. John the Divine

R

Amsterdam Ave

Cathedral Pkwy-
110th St

M B C Cathedral Pkwy-
110th St

M ② ③ Central Park North-
110th St

M ⑥ 110th St

● 노스 우즈
North Woods

Riverside Drive

● 더 라빈
The Ravine

M ① 103rd St

B C M 103rd St

더 로치
The Loch

M ⑥ 103rd St

Columbus Ave

5th Ave

Madison Ave

노스 메도
North Meadow

M ① ② ③ 96th St

M B C 96th St

M ⑥ 96th St

Broadway

클로이스터스 The Cloisters

맨해튼 북쪽 언덕에 있는 포트 트라이언 파크^{Fort Tryon Park} 내에 위치한 클로이스터스는 유럽 중세 시대의 예술품을 전시한 미술관으로 한적하고 평화로운 곳이다. 미국의 대부호 록펠러 2세가 조각가인 조지 그레이 버나드의 중세 유물을 구입했고, 그가 수집한 돌들로 외관을 만들었다. 내부에는 12~15세기의 유럽 예술 작품 5천여 점과 아름다운 예배당, 회랑 등이 중세 시절 모습 그대로 구성되어 있다. 메트로폴리탄 미술관의 분관이며 일주일 내에 방문할 경우 한 번의 티켓 구매로 두 곳 모두 입장할 수 있다.

주소	99 Margaret Corbin Drive
전화	212-923-3700
홈피	www.metmuseum.org/visit/ visit-the-cloisters
운영	목~화 10:00~17:00 (수요일, 1월 1일, 추수감사절, 크리스마스 휴무)
요금	성인 $30, 65세 이상 $22, 학생 $17
위치	지하철 A선 190th St역

컬럼비아 대학교 Columbia University

1754년 개교한 컬럼비아 대학교는 할렘가에 위치한 사립 종합대학교로, 넓고 거대한 교정을 가지고 있다. 미국 동부에 있는 8개의 명문 대학 연합인 아이비리그 중 하나로, 미국 대통령이었던 시어도어 루스벨트와 프랭클린 루스벨트, 버락 오바마와 유명 투자가 워런 버핏 등을 배출해 냈다. 다양한 학부 중에서 인문사회과학과 자연과학이 특히 유명하며 이 외에도 17개의 대학원이 있다.

주소	116th St & Broadway
전화	212-854-4900(Visitors Center)
홈피	www.columbia.edu
위치	지하철 1선 116th St- Columbia University역

❸

세인트 존 더 디바인 대성당
The Cathedral Church of St. John the Divine

성당의 거대한 규모에 한 번 놀라고, 그 규모에도 불구하고 아직 반도 채 지어지지 않았다는 사실에 한 번 더 놀라게 된다. 1892년에 짓기 시작해서 2050년 완공 예정인데, 완공된 후에는 세계 최대 규모의 성당이 된다. 비잔틴 양식으로 지어졌으며 내부의 스테인드글라스가 특히 아름답다. 가이드 투어가 무료로 진행되며, 성당 앞의 작은 공원에는 아름다운 조각과 꽃이 많다.

주소 1047 Amsterdam Ave
전화 212-932-7347
홈피 www.stjohndivine.org
운영 월~토 09:30~17:00,
　　 일 12:00~17:00
요금 성인 $10,
　　 65세 이상 및 학생증 소지자 $8
위치 지하철 1·B·C선
　　 Cathedral Pkwy-110th St역

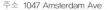

❹

아폴로 극장 Apollo Theater

1914년 극장으로 오픈해 한 시대를 풍미하며 인기를 누렸던 옛 콘서트 홀이다. 듀크 엘링턴, 빌리 홀리데이, 제임스 브라운을 비롯해 마이클 잭슨, 토니 베넷, 어셔 등의 스타들을 배출한 의미 있는 곳이기도 하다. 매주 수요일 밤마다 펼쳐지는 '아마추어 나이트Amateur Night'가 유명하며 가이드 투어를 통한 내부 관람이 가능하다. 극장 입구에는 스타들의 손도장이 찍혀 있다.

주소 253 W 125th St
전화 212-531-5300
홈피 www.apollotheater.org
위치 지하철 2·3·A·B·C·D선
　　 125th St역

①

실비아 Sylvia's

1962년 오픈한 실비아는 넬슨 만델라, 빌 클린턴, 버락 오바마 등이 다녀간 뉴욕의 대표적인 흑인 소울 푸드 음식점으로 할렘가의 대로변인 말콤 엑스Malcolm X에 위치하고 있다. 대표 메뉴인 바비큐 립과 프라이드치킨 콤보 세트를 시키면 우리가 어릴 적 먹던 프라이드치킨에 실비아 특유의 소스가 가미된 바비큐가 나온다. 사이드 메뉴로 야채나 고구마, 감자, 옥수수 등도 선택할 수 있다. 식전 서비스로 나오는 옥수수 빵Corn Bread은 모두가 반할 만큼 맛있다.

주소	328 Malcolm X Blvd
전화	212-996-0660
홈피	sylviasrestaurant.com
운영	일~화 11:00~20:00,
	수~토 11:00~22:00
요금	$30~
위치	지하철 2·3선 125th St역

Food 추천

②

다이너소어 바비큐 Dinosaur Bar-B-Que

할렘을 대표하는 바비큐 맛집으로 외진 곳에 위치하여 지하철역에서 한참 걸어야 한다는 단점 외에는 완벽하다. 24시간 숙성해서 구운 맛있는 고기는 누구나 반할 만큼 매력적이며 가격 또한 비싸지 않아 맥주 한잔과 함께 즐기기 좋다. 관광객보다는 뉴욕 현지인들이 많이 방문해 언제 가도 북적이는 곳이다.

주소	700 W 125th St
전화	212-694-1777
홈피	www.dinosaurbarbque.com
운영	화~수·일 12:00~21:00,
	목 12:00~22:00,
	금~토 12:00~23:00(월요일 휴무)
요금	$20~
위치	지하철 1선 125th St역

Food

③

헝가리안 페이스트리 숍 The Hungarian Pastry Shop

컬럼비아 대학교와 세인트 존 더 디바인 대성당 사이에 위치한 인기 카페로, 우리나라 여느 대학가 앞의 장소처럼 오래되었지만 그 낡음이 정겨운 곳이다. 전형적인 유럽 스타일의 케이크를 판매하며 커피는 무한 리필이 가능해 자리를 잡고 오래 앉아 있는 학생들이 많은 편이다. 좁고 어두운 공간이지만 토론을 하거나 공부하는 컬럼비아 대학생들로 가득하다. 현금 결제만 가능.

주소	1030 Amsterdam Ave
전화	212-866-4230
운영	월~금 07:30~20:30,
	토~일 08:30~20:30
요금	$4~
위치	지하철 1선
	Cathedral Pkwy-110th St역

뉴욕에서 즐기는 다양한 축제
NYC Festival

날마다 갖가지 이벤트들이 넘쳐나는, 최고의 축제 도시 뉴욕! 이왕이면 다홍치마라고 날짜를 맞춰서 여행을 준비하면 어떨까? 물론 여행하는 도중에 우연히 축제를 만나게 된다면 그 이상의 행운은 없을 것이다.

01
세인트 패트릭 데이 & 부활절 퍼레이드
St. Patrick's Day & Easter Parade

매년 3월 17일은 아이리시를 위한 세인트 패트릭 데이St. Patrick's Day로 이때 시내는 온통 아이리시를 상징하는 녹색 물결이다. 거리에선 퍼레이드가 이어지며 아이리시 펍은 대낮부터 술을 마시는 사람들로 가득하다. 4월에는 부활절 퍼레이드Easter Parade가 화려하게 펼쳐지는데, 계란과 꽃 등을 활용한 기발한 장식과 복장을 구경하는 재미가 있다.

02
베개 싸움 축제
Pillow Fight Day

매년 봄 유니언 스퀘어에서는 색다른 축제가 벌어진다. 힘찬 호루라기 소리와 함께 축제가 시작되면 어마어마한 함성과 더불어 베개와 깃털이 공중에 마구 날아다닌다. 2008년부터 시작된 베개 싸움 축제Pillow Fight Day는 매년 정해진 시간과 장소에 모여 신나게 베개로 싸우는 게 목적이다. '그간 쌓인 스트레스를 베개 싸움으로 풀자'라는 취지로 시작해 현재는 세계 40여 개국 120여 개 도시에서 진행되고 있다. 행사를 통해 모은 후원금과 베개는 동물 보호 기금과 후원소로 보내진다.

03
게이 퍼레이드 & 뮤지엄 마일 축제
Gay Pride Parade & Museum Mile Festival

뉴욕 퍼레이드 중 최강자는 게이 퍼레이드Gay Pride Parade로 매년 6월에 진행되는데, 화려한 의상과 분장들에 눈이 즐겁다. 또한 매년 6월 둘째 주 화요일에는 뮤지엄 마일 축제Museum Mile Festival가 진행된다. 이때 어퍼 이스트 사이드의 뮤지엄이 모여 있는 거리 '뮤지엄 마일'에서 하루 종일 무료로 미술관을 즐길 수 있다. 차의 출입이 금지되기 때문에 길거리에 앉아 그림을 그리는 아이들과 거리 공연을 즐기는 시민들의 해맑은 표정을 볼 수 있는 날이다.

홈피 게이 퍼레이드 www.nycpride.org

04
레스토랑 위크
Restaurant Week

뉴욕에서는 일 년에 두 번, 여름과 겨울 시즌에 레스토랑 위크Restaurant Week 행사가 진행된다. 뉴욕 시에서 선정한 우수 레스토랑 200여 곳에서 점심식사를 $30, 저녁식사는 $45(3코스 기준)에 맛볼 수 있다. 평소 가보고 싶었으나 음식 값이 비싸 엄두를 내지 못했던 레스토랑이 있다면 도전할 수 있는 좋은 찬스이다.

홈피 www.nycgo.com/restaurant-week

05
핼러윈 거리 축제
Halloween

아일랜드에서 기원한 핼러윈^{Halloween}은 미국의 중요한 축제 중 하나로, 매년 10월 31일을 악령을 쫓는 날로 여긴다. 이날은 귀신보다 더 무섭게 분장을 해야 진짜 귀신이 다가오지 못한다고 하여 누구나 귀신이나 마귀 복장을 한다. 핼러윈은 특히 어린이들에게 중요한 날인데, "트릭 오어 트릿?^{Trick or Treat?}"이라고 외치기만 하면 어디서건 캔디와 초콜릿을 받을 수 있기 때문이다.
뉴욕에 아는 이웃도 없고, 핼러윈이 왜 즐거운지 모르겠다고? 그럴 때는 망설이지 말고 거리로 향하면 된다. 이날 역시 거대한 퍼레이드가 펼쳐지니 귀신 분장을 한 뉴요커들과 어깨동무하고 노래 부르며 기념촬영을 하는 것만으로도 충분히 즐겁다. 핼러윈이 다가오면 뉴욕 거리는 온통 주황색 호박으로 뒤덮이는데, 호박에 얼굴을 그리고 속은 도려내어 그 안에 초를 켜둔다. 호박이 넝쿨째 굴러다니는 뉴욕의 가을, 바로 핼러윈 시즌이다.

06
추수감사절
Thanksgiving Day

한 해의 첫 수확을 하늘에 바친다는 의미로 시작된 추수감사절^{Thanksgiving Day}은 매년 11월 넷째 주 목요일로 온 가족이 모여 칠면조^{Turkey} 고기를 먹는다. 또 하나의 즐거운 이벤트는 바로 메이시 백화점이 주최하는 거리 퍼레이드! 스폰지밥, 피카추 등 대형 캐릭터 헬륨 풍선과 함께 퍼레이드가 진행되며 매년 한두 명의 유명 할리우드 스타가 깜짝 등장해 즐거움을 준다.
또한 7월 4일 독립기념일과 크리스마스 등의 기념일에도 뉴욕 전체가 들썩들썩한다. 일부러 축제에 맞춰 여행을 계획하긴 어렵겠지만 만약 뉴욕에 갔을 때 특별한 축제를 만나게 된다면 망설이지 말고 현지인처럼 즐겨보자! 평생 가슴에 남을 추억을 만들 수 있을 테니까.

07
다양한 뉴욕의 이벤트
Event in NYC

매년 4월 29일이면 미국 재즈계의 거장, 듀크 엘링턴^{Duke Ellington}의 생일을 기념하는 행사가 센트럴 파크 내의 듀크 엘링턴 서클(5th Ave, 110th St)에서 열린다. 그의 딸이 행사의 사회자로 참석하고 어린이 합주단과 뮤지컬 배우들이 협연을 한다. 별도의 절차 없이 센트럴 파크에 모여 그의 생일을 기리고 그의 음악을 되새기며 다시 한번 고인을 떠올리는 흥겨운 축제이다.
이런 큰 행사 외에도 골목마다 행해지는 동네별 거리 행사인 스트리트 페어^{Street Fairs}는 화창한 봄부터 가을까지 거의 매주 이어지므로 집 밖으로 나가면 언제든지 즐길 수 있다. 저렴하게 판매하는 생활용품과 중고 CD, 세계 각국의 길거리 음식들이 지나가던 이들의 발걸음을 잡아끈다.

뉴욕 축제 캘린더

여행 일정을 짜기 전 아래의 연중행사를 확인한 후 가능하다면 날짜에 맞춰 떠나보자. 임도 보고 뽕도 따는 일석이조 뉴욕 여행이 될 것이다.

행사명	기간	내용	장소	특징
Luna New Year	음력 1월 1일	중국인들의 전통 퍼레이드 진행	Chinatown	매년 날짜 변경
Valentine's Day	2월 14일	사랑하는 연인들이 서로 초콜릿, 꽃, 선물을 주고 받음	–	화이트데이 개념은 없음
St. Patrick's Day	3월 17일	아일랜드인을 위한 날로 퍼레이드가 펼쳐지고 아일랜드 전통 음식과 맥주를 먹음	5th Ave	–
Easter Day	3월 중순~4월 중순 사이 하루	종교인의 날로, 계란을 응용한 다양한 퍼레이드 진행	5th Ave	매년 날짜 변경
Pillow Fight Day	4월 중 하루	유니언 스퀘어에 모여 베개 싸움을 하며 스트레스를 푸는 날	Union Square	매년 날짜 변경
Duke Ellington's Birthday	4월 29일	미국 재즈계의 거장 듀크 엘링턴의 생일 기념 음악 행사	Duke Ellington Circle	–
Gay Pride Parade	6월 중 하루	게이들의 자유와 권리를 퍼레이드로 표현	5th Ave	매년 날짜 변경
Museum Mile Festival	6월 둘째 주 화요일	뮤지엄 마일 거리에 있는 9개 박물관이 무료로 개방되며 차 진입 금지	Museum Mile	매년 날짜 변경
Independence Day	7월 4일	미국 독립기념일을 축하하는 거대한 불꽃놀이	East River/ Hudson River	매년 장소 변경
Columbus Day	10월 둘째 주 월요일	콜럼버스가 처음으로 신대륙에 상륙한 날을 기념하는 거리 퍼레이드	5th Ave	매년 날짜 변경
Halloween	10월 31일	악령을 쫓는 축제일로 거리 퍼레이드 진행	6th Ave, Spring St	–
Thanksgiving Day	11월 넷째 주 목요일	한 해의 첫 수확을 하늘에 바친다는 의미가 있으며 메이시 백화점 주최의 퍼레이드가 유명	Broadway	매년 날짜 변경
Christmas	12월 25일	교회와 성당에서는 특별 예배와 미사가 진행되고, 5번가의 숍과 백화점 디스플레이가 매년 다른 테마로 진행	–	–
Happy New Year	12월 31일	타임스 스퀘어에서 볼 드롭 행사가 있고 센트럴 파크에서는 불꽃놀이가 진행	Times Square/ Central Park	–
Restaurant Week	1월과 7월에 2주씩 두 번	뉴욕의 유명 레스토랑(250곳)에서 이 기간에 점심 $26, 저녁 $42로 코스 요리 제공	–	매년 날짜 변경

02 어퍼 웨스트 사이드
Upper West Side

센트럴 파크 서쪽 지역으로 허드슨 강을 따라 늘어선 브라운 스톤과 아파트가 즐비한 부촌으로 존 레논과 앤디 워홀이 살았던 다코타 아파트가 있는 곳으로도 유명하다. 거리는 고급 주택가답게 깨끗하고 세련된 편이다. 허드슨 강변 쪽으로 가면 리버사이드 파크가 보이는데, 잘 가꾸어진 테니스 코트와 조깅 트랙 등이 있어 운동과 여가를 즐기는 뉴요커들을 많이 만날 수 있다. 강가의 전망 좋은 곳에는 레스토랑과 카페가 이어져 있으니 잠시나마 여유를 즐기며 쉬었다 가기에도 좋다.

Writer's Story | 나는 뉴욕에서 지낼 때 주말이면 무조건 센트럴 파크로 갔다. 현지 친구들과 함께 롤러스케이트 동호회 활동을 하기 위해서였다. 미리 허가받은 구역에 바리케이드를 쳐두고 DJ가 음악을 틀어주면 그 안에서 신나게 롤러스케이팅을 즐겼다. 그냥 바라보기만 해도 즐거운 센트럴 파크에서 현지인들과 즐겼던 롤러스케이트는 나에게 있어 잊을 수 없는 소중한 추억이다. 뉴욕에서의 나의 주말이 늘 시작되던 곳, 바로 센트럴 파크 서쪽의 72nd St이다.

To Do List
- 르뱅 베이커리의 쿠키 맛보기
- 스모크 재즈 클럽의 연주 감상
- 자연사 박물관에서 동심 찾기
- 링컨 센터에서 공연 관람하기
- 리버사이드 파크에서 아침 조깅

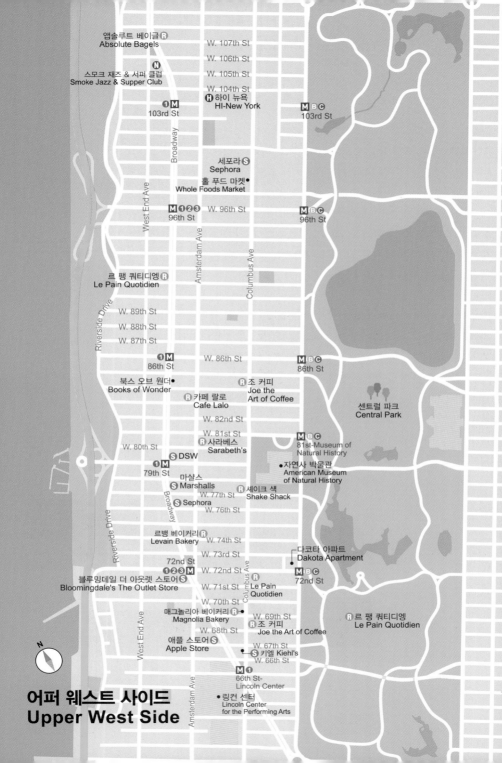

앱솔루트 베이글 ⓡ
Absolute Bagels

W. 107th St

W. 106th St

W. 105th St

스모크 재즈 & 서퍼 클럽 ⓝ
Smoke Jazz & Supper Club

W. 104th St

하이 뉴욕 ⓗ
HI-New York

① Ⓜ
103rd St

Ⓜ Ⓑ Ⓒ
103rd St

Broadway

West End Ave

세포라 Ⓢ
Sephora

홀 푸드 마켓 ●
Whole Foods Market

Ⓜ①②③ W. 96th St
96th St

Ⓜ Ⓑ Ⓒ
96th St

Amsterdam Ave

Columbus Ave

르 팽 쿼티디엥 ⓡ
Le Pain Quotidien

Riverside Drive

W. 89th St

W. 88th St

W. 87th St

① Ⓜ
86th St

W. 86th St

Ⓜ Ⓑ Ⓒ
86th St

북스 오브 원더 ●
Books of Wonder

카페 랄로 ⓡ
Cafe Lalo

ⓡ 조 커피
Joe the
Art of Coffee

W. 82nd St

W. 81st St

W. 80th St

ⓡ 사라베스
Sarabeth's

Ⓜ Ⓑ Ⓒ
81st-Museum of
Natural History

● 자연사 박물관
American Museum
of Natural History

센트럴 파크
Central Park

① Ⓜ
79th St

Ⓢ DSW

마샬스
Ⓢ Marshalls

Broadway

W. 77th St

ⓡ 셰이크 색
Shake Shack

Ⓢ Sephora

W. 76th St

르뱅 베이커리 ⓡ
Levain Bakery

W. 74th St

다코타 아파트
Dakota Apartment

W. 73rd St

Riverside Drive

72nd St
①②③ Ⓜ

W. 72nd St

Columbus Ave

Ⓜ Ⓑ Ⓒ
72nd St

블루밍데일 더 아웃렛 스토어 Ⓢ
Bloomingdale's The Outlet Store

W. 71st St

ⓡ
Le Pain
Quotidien

W. 70th St

매그놀리아 베이커리 ⓡ
Magnolia Bakery

W. 69th St

ⓡ 조 커피
Joe the Art of Coffee

ⓡ 르 팽 쿼티디엥
Le Pain Quotidien

W. 68th St

애플 스토어 Ⓢ
Apple Store

W. 67th St
Ⓢ 키엘 Kiehl's
W. 66th St

West End Ave

Ⓜ①
66th St-
Lincoln Center

● 링컨 센터
Lincoln Center
for the Performing Arts

Amsterdam Ave

N

어퍼 웨스트 사이드
Upper West Side

다코타 아파트 Dakota Apartment

출입이 가능하지 않아 바깥에서 건물 외관만 볼 수 있다. 어퍼 웨스트 사이드
를 대표하는 고급 아파트 중 하나. 5번가의 플라자 호텔을 건축한 헨리 제인웨
이 하덴버그Henry Janeway Hardenbergh가 설계하였고, 1880년에 짓기 시작해 1884
년에 완공하였다. 다코타 아파트가 유명한 이유는 과거 비틀즈의 멤버 존 레
논과 그의 아내 오노 요코가 살았던 곳이자 1980년 존 레논이 극성팬의 총에
맞아 사망한 사건의 현장이기 때문이다. 지금도 비틀즈의 팬들을 비롯한 수많
은 관광객이 방문하고 있으며 레너드 번스타인, 앤디 워홀 등 유명 인사들 또
한 이곳에 거주했었다.

주소 1 W 72nd St
위치 지하철 B · C선 72nd St역

링컨 센터 Lincoln Center for the Performing Arts

오페라, 클래식, 연극, 뮤지컬, 발레 등의 공연을 관람할 수 있는 복합 예술 센터
다. 세계 최고를 자랑하는 뉴욕 필하모닉 오케스트라, 한국 학생들이 특히 많은
것으로 알려진 줄리아드 음악 학교, 메트로폴리탄 오페라 공연장, 뉴욕 시티 발
레단 등이 함께 자리하고 있어 매일 다양한 공연이 펼쳐진다(공식 홈페이지를
통해 예매 가능). 공연 예술에 대한 방대한 자료를 모아둔 '뉴욕 공연 예술 공립
도서관New York Public Library for the Performing Arts'도 볼만하다.

주소 10 Lincoln Center Plaza
전화 212-875-5456
홈피 www.lincolncenter.org
위치 지하철 1선
　　　 66th St-Lincoln Ctr역

③

자연사 박물관 American Museum of Natural History

1869년 설립된 세계 최대 과학 박물관으로 과학뿐 아니라 동물, 지리, 공룡, 인류역사, 우주, 생물 등 3,000점 이상의 다양한 전시품이 있다. 아이맥스 영화관은 뉴욕에서 가장 큰 스크린이 설치되어 있다는 것만으로도 가볼 만하고, 우주선처럼 생긴 로즈 센터에선 매달 테마를 달리한 우주 스페이스 쇼가 펼쳐진다. 매년 10월부터 다음 해 5월까지 전 세계 나비 500여 종을 전시하는 '버터플라이 컨서버토리The Butterfly Conservatory' 또한 인기가 많다. 선풍적인 인기를 끌면서 3편의 시리즈까지 나온 벤 스틸러 주연의 영화 〈박물관이 살아있다〉의 실제 배경이 된 곳이다.

주소	Central Park West & 79th St
전화	212-769-5100
홈피	www.amnh.org
운영	10:00~17:30 (추수감사절, 크리스마스 휴무)
요금	성인 $28, 60세 이상 및 학생증 소지자 $22, 어린이(3~12세) $16 **플러스원 티켓(IMAX 영화, 스페이스 쇼 관람 포함)** 성인 $34, 60세 이상 및 학생증 소지자 $27, 어린이(3~12세) $20 **슈퍼 세이버(모든 특별 전시 포함)** 성인 $39, 60세 이상 및 학생증 소지자 $31, 어린이(3~12세) $24
위치	지하철 B · C선 81st St-Museum of Natural History역

❶

르 팽 쿼티디엥 Le Pain Quotidien

1990년대 초 벨기에에서 시작되어 현재 전 세계 20개국 260여 개 지점이 넘는 유명 베이커리 체인점이다. 유기농 재료로 매장에서 직접 구운 당일의 빵만 판매하고 매장 내 비품은 재활용품을 사용한다. 코지한 분위기 덕분에 뉴요커들에게도 언제나 인기인데, 가장 추천하고픈 매장은 센트럴 파크 내의 시프 메도Sheep Meadow 옆 69th St에 위치한 지점이다. 센트럴 파크 전경을 바라보며 조깅하고 산책하는 뉴요커들을 만날 수 있다. 벨기에식 바게트와 커피 한 잔을 즐겨보자.

주소	2 W 69th St
전화	646-233-3768
홈피	www.lepainquotidien.com
운영	07:00~17:00
요금	$10~30
위치	지하철 B · C선 72nd St역

Food

❷

앱솔루트 베이글 Absolute Bagels

어퍼 웨스트를 책임지는 인기 베이글 맛집이다. 연어가 들어간 베이글이 특히 유명해 많은 이들이 이른 아침부터 줄을 서서 사 먹는다. 내부 분위기는 지극히 평범하고 소박한 편. 클래식한 느낌의 뉴요커 스타일 베이글을 맛보고 싶다면 도전!

주소	2788 Broadway
전화	212-932-2052
운영	06:00~21:00
요금	$5~
위치	지하철 1선 Cathedral Pkwy 110th St역

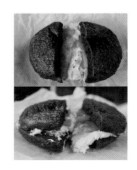

③

르뱅 베이커리 Levain Bakery

뉴욕에서 가장 맛있는 쿠키를 맛볼 수 있는 곳으로, 작은 반지하의 공간이지만 쿠키를 사 먹으려는 사람들로 언제나 복잡하다. 가장 인기가 많은 쿠키는 '초콜릿 칩 호두 쿠키Chocolate Chip Walnut'이며 좋은 품질의 초코 칩이 가득 들어 있어 부드럽고 촉촉하다. 스콘 또한 예술. 맨해튼 내에 지점이 계속 늘고 있다.

주소	167 W 74th St
전화	212-874-6080
홈피	www.levainbakery.com
운영	08:00~20:00
요금	$5.5~
위치	지하철 1·2·3선 72nd St역

④

카페 랄로 Cafe Lalo

영화 〈유브 갓 메일〉에서 주인공 톰 행크스와 멕 라이언이 만났던 장소로 유명한 카페지만 그 이전부터 이미 유러피안 스타일의 디저트 카페로 명성이 높았던 곳이다. 디저트뿐 아니라 브런치도 제공하고 있으며 늘 사람들로 북적인다. 100여 가지가 넘는 다양한 케이크 종류가 있어 고르기가 힘들 정도. 신용카드는 $10 이상 결제 시에만 사용할 수 있다. 2023년 10월 기준 임시휴업 중이다.

주소	201 W 83rd St
전화	212-496-6031
홈피	cafelalo.com
운영	월~목 09:00~01:00,
	금~토 09:00~03:00,
	일 09:00~01:00
요금	브런치 $6~20
위치	지하철 1·B·C선 86th St역

❶

스모크 재즈 & 서퍼 클럽 Smoke Jazz & Supper Club

훌륭한 음향시설과 재즈 공연으로 현지 매체에서 여러 번의 수상 경력이 있는 유서 깊은 곳이다. 특히 여느 재즈 클럽보다 훌륭한 재즈 뮤지션들이 많이 공연하는 것으로 유명하다. 방문 전 예약하는 것이 좋다.

주소 2751 Broadway
전화 212-864-6662
홈피 www.smokejazz.com
운영 화~일 16:00~23:00
요금 입장료 $15~45, 식사비 별도
위치 지하철 1선 103rd St역

Tip 뉴욕 재즈 여행 팁!
뉴욕 재즈 클럽 정보 & 리뷰
www.bigapplejazz.com/bebopping.html
뉴욕 재즈 클럽 연주 일정 총 정리
nyc.jazznearyou.com

Stay : 호스텔

❶

하이 뉴욕 호스텔 HI-New York City Hostel

유스호스텔 연맹의 공식 숙소로 침대만 600개가 넘는 거대한 규모를 자랑한다. 공동 취사가 가능한 부엌과 거실, 세탁실 등의 시설을 갖추고 있어 이용이 편리하며 공항까지 왕복하는 셔틀이 있어 유용하다.

주소 891 Amsterdam Ave
전화 212-932-2300
홈피 hinewyork.org
요금 $80~
위치 지하철 1 · B · C선 103rd St역

©HI New York City Hostel

센트럴 파크
Central Park

뉴욕의 심장이라고 불리는 센트럴 파크는 남북의 길이만 해도 4.1km나 되는 거대한 공원이다. 1853년 550만 달러를 투자해 만들었는데, 미국의 역사 기념물이자 국가사적지이기도 하다. 공원 안에는 센트럴 파크 동물원Central Park Zoo, 존 레논의 추모 장소인 스트로베리 필즈Strawberry Fields, 아름다운 호수를 바라보며 식사를 할 수 있는 보트 하우스Boat House, 재클린 케네디 오나시스 저수지 Jacqueline Kennedy Onassis Reservoir, 거대한 느릅나무가 양쪽으로 늘어선 더 몰The Mall, 야외 원형 극장인 델라코테 극장Delacorte Theater, 초원에 우뚝 서 있는 벨베데레 성Belvedere Castle, 유럽 스타일의 정원인 컨서버토리 가든Conservatory Garden 등이 있다. 이 외에도 수영장, 늪, 암벽 등반장, 야구장, 테니스장, 호수와 같은 즐길 거리가 천지이다.

주소	59th St & 110th St, 5th Ave & Central Park West
전화	212-794-6564 (Dairy Visitor Center)
홈피	www.centralparknyc.org
운영	06:00~01:00
위치	지하철 1 · A · B · C · D선 59th St-Columbus Circle역, 지하철 N · Q · R선 5th Ave/59th St역, 지하철 F선 57th St역

본격적인 구경에 앞서 공원 정문의 인포메이션 센터에서 지도를
받아두는 것도 좋다. 공원 내에서 위치를 파악하려면 가로등을 확
인하면 되는데, '7201' 이런 식으로 숫자 네 개가 적혀 있다. 앞의
두 자리 숫자(72)는 길 이름(72nd St)이고 뒤의 두 자리 숫자(01)
는 가로등의 순서로, 72nd St의 첫 번째 가로등이라는 뜻이다.

영화 속 그곳, 울먼 링크

그냥 걷기만 해도 멋진 센트럴 파크에서 아이스 스케이팅이라니! 상상만으로도 멋지지 않은가? 울먼 링크Wollman Rink는 도심 한복판 센트럴 파크의 전경 속에서 즐기는 아이스 스케이트 장소이다. 데이트하러 오는 수많은 연인과 가족 단위의 방문객들로 언제나 붐비며 야외에서 즐기는 스케이팅인 만큼 운치를 더한다. 여름에는 개장하지 않으며 현금 결제 필수.

주소 E 62nd St & 63rd St
전화 212-439-6900
홈피 wollmanrinknyc.com
운영 월~화 10:00~14:30,
　　수 · 목 · 일 10:00~21:00,
　　금~토 10:00~22:00
요금 성인 $15~35
　　(피크 시즌 여부에 따라 달리 적용)
　　65세 이상 및 2~12세 $10
　　스케이트 대여비 $10

Tip 센트럴 파크를 즐기는 다양한 방법

자전거 vs. 보트 vs. 마차 vs. 페디캡
거대한 공원을 즐기는 또 하나의 방법은 현지의 이동수단을 활용해 보는 것이다. 주어진 시간이나 취향에 맞게 선택하여 센트럴 파크에서의 소중한 추억을 만들어 보자.
그중에서도 자전거나 보트는 저렴하게 이용 가능하지만 인력이 필요한 마차나 페디캡(자전거 인력거)은 가격이 비싼 편이다. 단 흥정은 필수라는 것을 잊지 말 것!

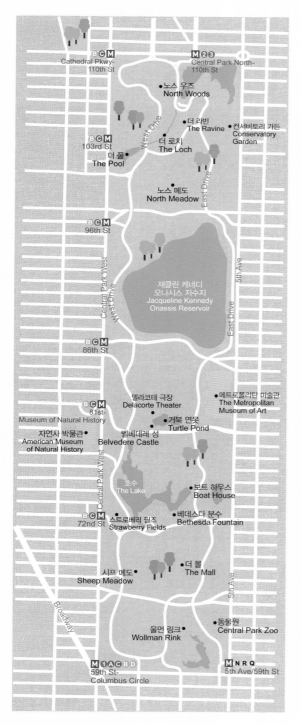

_*
하이라이트 추천 코스

8th Ave의 콜럼버스 서클 ▶ 시프 메도 ▶ 더 몰
▶ 스트로베리 필즈 ▶ 베데스다 분수 ▶ 보트 하
우스 ▶ 울먼 링크 ▶ 5번가

1) 시프 메도
센트럴 파크가 만들어지기 전에는 양을 방목해
서 기르던 곳이다. 지금은 뉴요커들이 사랑하는
일광욕과 피크닉 장소! 봄부터 가을까지 소풍 나
온 이들로 가득하다.

2) 더 몰
시프 메도를 대각선으로 가로질러 나가 왼쪽 방
향으로 고개를 돌리면 느릅나무들이 길 양쪽에
늘어선 근사한 길이 보인다.

3) 스트로베리 필즈
존 레논의 사망 후 오노 요코가 그를 기리기 위
해 땅을 사들여 바닥에 조각을 해놓은 공간이다.

4) 베데스다 분수
1871년 만들어진 뉴욕 최고의 분수로 분수 한가
운데 서 있는 '물의 천사Angel of the Water' 조각은
센트럴 파크의 상징이다.

5) 보트 하우스
베데스다 분수 옆에 위치한 레스토랑으로, 아름
다운 풍경 덕에 데이트하는 커플들이 자주 찾
아 자리 잡기가 어렵다. 크랩 케이크가 맛있기
로 유명하다.

_*
그 외 명소

1) 동물원
북극곰부터 여러 조류와 파충류 등을 만나 볼 수
있다. 염소나 토끼에게 직접 먹이를 줄 수 있는
체험도 가능해 가족 여행객이 많다.

2) 재클린 케네디 오나시스 저수지
워낙 거대해 저수지라고는 믿기지 않을 정도인
데 맨해튼의 빌딩숲과 어울러진 저수지는 상상
외로 아름답다.

3) 벨베데레 성
마치 유럽에 와 있는 착각이 들 정도로 매력적인
성이라 한 번쯤 방문해 볼 가치가 있다.

4) 컨서버토리 가든
유럽풍의 정원으로 꾸며진 이곳은 언제 가도 조
용하게 사색 및 산책을 즐길 수 있다.

To Do List
☐ 뮤지엄 마일에서 예술에 취해보기
☐ 로맨틱한 레스토랑 조조에서 브런치
☐ 구겐하임 미술관의 칸딘스키 만나기
☐ 뉴요커들의 럭셔리한 쇼핑 거리,
　매디슨 애비뉴 구경하기

센트럴 파크의 동쪽은 여러 미술관과 박물관이 포진해 있어 '뮤지엄 마일Museum Mile'이라고도 불린다. 5번가 옆의 매디슨 애비뉴Madison Ave는 '뉴욕의 진짜 럭셔리'를 느낄 수 있는 곳으로 다른 지역에 비해 한적하고 여유로운 편이다. 또한 어퍼 이스트는 맨해튼에서도 가장 부유한 사람들이 모여 사는 지역으로 알려져 있으며 고급스러운 숍과 레스토랑, 주택이 많아 뉴욕 상류층의 생활을 엿볼 수 있다. 미드타운에 비해 거리가 깔끔하고 고급스러우므로 여유 있는 여행을 원한다면 이곳을 들러보자. 뉴욕의 또 다른 매력을 느낄 수 있을 것이다.

Writer's Story | 어퍼 이스트 사이드는 1년에 하루 동안 진행되는 뮤지엄 마일 축제로 매우 유명하다. 큰 대로변을 모두 막고 차가 다니지 못하게 경찰들이 관리를 하며, 이날 뮤지엄 마일 안의 미술관과 박물관은 대부분 무료로 입장할 수 있다. 사람들은 이날만을 기다렸다는 듯 부담 없이 예술 작품을 관람하고 거리 공연을 구경하면서 축제를 즐긴다. 누가 나눠주었는지 모를 커다란 분필이 바닥에 한가득인데 어른 아이 할 것 없이 모두 땅에 주저앉아 그림을 그리며 서로 웃고 즐기는 그 모습… 그들의 축제가 진심으로 부러웠던 건 나뿐만이 아니겠지? 우리나라에서도 언젠가 개최될 뮤지엄 마일 축제를 기다려보련다.

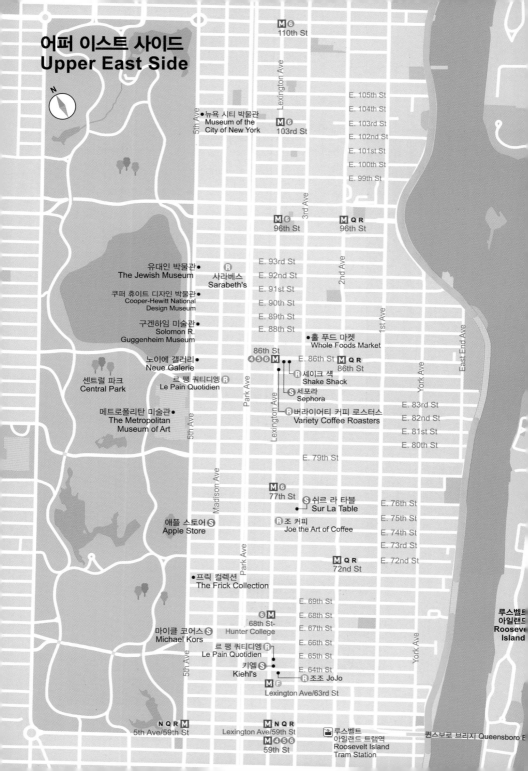

어퍼 이스트 사이드
Upper East Side

M 6 110th St

뉴욕 시티 박물관
Museum of the
City of New York

M 6 103rd St

E. 105th St
E. 104th St
E. 103rd St
E. 102nd St
E. 101st St
E. 100th St
E. 99th St

Lexington Ave

5th Ave

3rd Ave

2nd Ave

1st Ave

York Ave

East End Ave

M 6 96th St

M Q R 96th St

유대인 박물관
The Jewish Museum

사라베스
Sarabeth's

쿠퍼 휴이트 디자인 박물관
Cooper-Hewitt National
Design Museum

구겐하임 미술관
Solomon R.
Guggenheim Museum

E. 93rd St
E. 92nd St
E. 91st St
E. 90th St
E. 89th St
E. 88th St

홀 푸드 마켓
Whole Foods Market

노이에 갤러리
Neue Galerie

센트럴 파크
Central Park

르 팽 쿼티디엥
Le Pain Quotidien

86th St
4 5 6 M

E. 86th St

M Q R 86th St

세이크 색
Shake Shack

세포라
Sephora

메트로폴리탄 미술관
The Metropolitan
Museum of Art

버라이어티 커피 로스터스
Variety Coffee Roasters

E. 83rd St
E. 82nd St
E. 81st St
E. 80th St

Park Ave

5th Ave

Madison Ave

Lexington Ave

E. 79th St

M 6 77th St

쉬르 라 타블
Sur La Table

E. 76th St
E. 75th St
E. 74th St
E. 73rd St
E. 72nd St

조 커피
Joe the Art of Coffee

애플 스토어
Apple Store

M Q R 72nd St

프릭 컬렉션
The Frick Collection

E. 69th St
E. 68th St
E. 67th St
E. 66th St
E. 65th St
E. 64th St

6 M
68th St-
Hunter College

마이클 코어스
Michael Kors

르 팽 쿼티디엥
Le Pain Quotidien

키엘
Kiehl's

조조 JoJo

M F
Lexington Ave/63rd St

N Q R M
5th Ave/59th St

M N Q R
Lexington Ave/59th St

M 4 5 6
59th St

루스벨트
아일랜드 트램역
Roosevelt Island
Tram Station

루스벨트
아일랜드
Roosevelt
Island

퀸스보로 브리지 Queensboro B

①

프릭 컬렉션 The Frick Collection

1935년 오픈한 이곳은 철강왕 헨리 클레이 프릭Henry Clay Frick이 살았던 저택으로 그가 개인 소장했던 13~19세기 유럽의 그림과 앤티크 가구, 조각 등을 전시하고 있다. 〈여주인과 하녀Mistress and Maid〉, 〈장교와 웃는 소녀Officer and Laughing Girl〉 등 네덜란드의 유명 화가 요하네스 베르메르Johannes Vermeer의 작품이 특히나 많다. 장 오노레 프라고나르Jean-Honoré Fragonard의 〈사랑의 과정The Progress of Love〉, 렘브란트나 엘 그레코, 드가, 고야의 작품도 만나볼 수 있다. 고급스러운 가구와 인테리어, 샹들리에, 천장은 유럽의 여느 박물관이나 저택보다 훌륭하고, 작은 정원 역시 매우 아름답다. 내부 사진 촬영은 금지이다.

주소 1 E 70th St
전화 212-288-0700
홈피 www.frick.org
운영 화~토 10:00~18:00,
　　 일 11:00~17:00
　　 (월요일, 1월 1일, 마틴 루터 킹의 날,
　　 대통령의 날, 현충일, 독립기념일,
　　 노동절, 콜럼버스의 날, 추수감사절,
　　 크리스마스 휴무)
요금 성인 $22, 65세 이상 $17,
　　 학생 $12, 10세 미만 입장 불가,
　　 목요일(16:00~18:00)
　　 기부 입장 가능
위치 지하철 6선
　　 68th St-Hunter College역

②

메트로폴리탄 미술관 The Metropolitan Museum of Art

파리의 루브르 박물관, 런던의 영국 박물관에 이어 세계 3대 박물관으로 손꼽히며 고대 이집트, 그리스 등의 중세 예술 작품과 유럽과 미국의 그림, 조각, 가구 등이 200만 점 이상 전시되어 있다. 1870년 개관해 지금의 부지로는 1880년에 옮겨졌다. 한 해 방문객만 700만 명이 될 정도로 인기가 많은 곳이며 내부에는 엘 그레코, 렘브란트 등의 인상파와 그 후기 작품들이 많다. 워낙 넓은 데다가 볼 것, 즐길 것이 많은 곳이니 시간을 여유롭게 잡고 방문하는 것이 좋다. 매년 4~10월이면 박물관의 옥상에서 20세기 현대 예술가들의 조각 작품을 전시하는데, 그 풍경이 압권이다.

주소 1000 5th Ave
전화 212-535-7710
홈피 www.metmuseum.org
운영 일~화 · 목 10:00~17:00,
　　 금~토 10:00~21:00(수요일,
　　 1월 1일, 5월 첫째 주 월요일,
　　 추수감사절, 크리스마스 휴무)
요금 성인 $30, 65세 이상 $22,
　　 학생 $17, 12세 이하 무료
위치 지하철 4 · 5 · 6선 86th St역

Sightseeing ★★★

③

노이에 갤러리 Neue Galerie

독일과 오스트리아의 예술 작품을 관람할 수 있는 노이에 갤러리는 뉴욕의 상류층이었던 윌리엄 스타 밀러^{William Starr Miller}가 살던 저택을 개조해 공간을 만들었으며 뉴욕의 미술품 거래상이자 수집가였던 로널드 로더^{Ronald S. Lauder}와 서지 사바스키^{Serge Sabarsky}가 기획해 2001년 오픈했다. 구스타프 클림트와 에곤 실레, 파울 클레의 작품들 외 독일과 오스트리아 작가들의 작품을 관람할 수 있다. 미술관 1층에는 브런치로 명성을 날리고 있는 카페 사바스키^{Café Sabarsky}가 있는데, 호불호가 갈리는 곳이니 선택은 개인의 몫. 내부 사진 촬영은 금지이다.

주소 1048 5th Ave
전화 212-628-6200
홈피 www.neuegalerie.org
운영 목~월 11:00~17:00
　　(화~수요일, 1월 1일, 독립기념일
　　휴무)
요금 성인 $25, 65세 이상 $16, 학생 $12,
　　12세 이하 입장 불가(12~16세는
　　성인 동반하에 입장 가능),
　　매월 첫 번째 금요일
　　(16:00~19:00) 무료
위치 지하철 4·5·6선 86th St역

Sightseeing ★★★

④

구겐하임 미술관 Solomon R. Guggenheim Museum

거대한 원통형이자 변기 모양의 화이트 건물로 유명한 구겐하임은 1943년에 건축가 프랭크 로이드 라이트가 설계하였고, 1959년 오픈했다. 초기에는 미국 철강업의 사업가였던 솔로몬 구겐하임^{Solomon R. Guggenheim}이 수집한 현대 미술품 위주였으나 그 후 피카소, 샤갈, 폴록의 작품들이 추가되었고, 180여 점의 칸딘스키 작품도 전시되어 있다. 계단이 아닌 오르막길을 통해 미술관을 관람할 수 있는 나선형 구조라 건축에 관심이 있다면 더욱 볼만하다.

주소 1071 5th Ave
전화 212-423-3500
홈피 www.guggenheim.org/new-york
운영 일~월, 수~금 11:00~18:00,
　　토 11:00~20:00(화요일,
　　추수감사절, 크리스마스 휴무)
요금 성인 $25, 65세 이상 및 학생 $18,
　　12세 이하 무료
　　토요일(18:00~20:00, 마지막 티켓
　　배부 19:30) 기부 입장 가능
위치 지하철 4·5·6·Q선 86th St역

⑤

유대인 박물관 The Jewish Museum

뉴욕뿐만 아니라 미국의 정치, 경제, 문화, 금융 등을 쥐고 흔드는 어마어마한 세력, 유대인!! 그들만의 독특한 문화와 유래를 공부할 수 있는 박물관으로 1904년에 개관했다. 전 세계에 있던 유대인 관련 유물들과 작품 2만여 점을 한곳에 모아 전시하고 있다. 그중에는 유대인 학살과 관련한 홀로코스트 전시관도 있어 눈길을 끈다.

주소	1109 5th Ave
전화	212-423-3200
홈피	www.thejewishmuseum.org
운영	일~월, 금~토 11:00~18:00, 목 11:00~20:00
	(화~수요일, 유대인 명절 휴무, 방문 전 홈페이지 참고)
요금	성인 $18, 65세 이상 $12, 학생 $8, 18세 미만 무료,
	토요일 무료
위치	지하철 6선 96th St역

⑦

쿠퍼 휴이트 디자인 박물관
Cooper-Hewitt National Design Museum

1976년 설립된 디자인 전문 미술관으로 디자인 관련 역사에서부터 현대의 디자인 작품까지 전시되어 있다. 미국의 이름난 대부호였던 앤드루 카네기(Andrew Carnegie)의 저택을 개조하여 미술관으로 사용하고 있는데, 정원이 특히 아름답다.

주소	2 E 91st St
전화	212-849-8400 홈피 www.cooperhewitt.org
운영	수~월 10:00~18:00(화요일, 추수감사절,
	크리스마스 휴무)
요금	성인 $18, 62세 이상 $12, 학생 $9,
	장애인 $10, 18세 이하 무료,
	수~월요일(17:00~18:00) 기부 입장 가능
위치	지하철 6선 96th St역

⑥

뉴욕 시티 박물관
Museum of the City of New York

1923년 개관한 뉴욕 시티 박물관은 뉴욕의 역사와 발전, 그곳에 거주했던 현지인들의 과거와 현재를 재조명한 곳이다. 3개의 층에서 전시되고 있으며 특히 유럽인들이 처음 뉴욕을 발견했던 시대의 풍경이 색다르다. 내부에는 미국의 유명 부호 존 D. 록펠러(John D. Rockefeller)의 저택도 재현되어 있어 흥미롭다. 다양한 뉴욕의 역사 교육과 관련한 프로그램이 많고 박물관 내의 가이드 투어가 무료로 제공된다.

주소	1220 5th Ave
전화	212-534-1672 홈피 www.mcny.org
운영	금~월 10:00~17:00, 목 10:00~21:00
	(화~수요일, 1월 1일, 추수감사절, 크리스마스 휴무)
요금	성인 $20, 65세 이상 및 학생 $14, 20세 미만 무료
위치	지하철 6선 103rd St역

①

버라이어티 커피 로스터스
Variety Coffee Roasters

2008년 브루클린에 처음 문을 연 카페로, 지금도 매일 원두를 볶아 판매 중인 '찐' 뉴욕 브랜드 커피이다. 현재는 맨해튼 내에도 여러 곳의 지점이 생길 정도로 인기. 클래식한 분위기에 커피 맛이 좋아 늘 붐빈다.

주소	1269 Lexington Ave
전화	212-289-2104
홈피	varietycoffeeroasters.com
운영	07:00~21:00
위치	지하철 4 · 5 · 6선 86th St역

 # 미드타운
Midtown

맨해튼의 중심부이자 뉴욕 관광의 최고 핵심 지역으로 센트럴 파크가 시작되는 59th St부터 유니언 스퀘어의 위 지역까지를 의미한다. 뮤지컬 극장이 몰려 있는 시어터 디스트릭트와 타임스 스퀘어, 엠파이어 스테이트 빌딩, 그랜드 센트럴 터미널, 브라이언트 파크, 메이시 백화점, 국제연합, 코리아타운 등을 만나볼 수 있다. 관광객에 치여 정신없을 수도 있지만 그만큼 다양한 매력을 가지고 있는 뉴욕 맨해튼의 핵심 관광지이다. 하루에 다 볼 수 없는 곳이니 여유 있게 시간을 배분해서 천천히 둘러볼 것. 왜 수많은 사람들이 뉴욕, 뉴욕을 외치는지 확실히 느끼게 될 테니까.

To Do List
- 브로드웨이 뮤지컬 관람하기
- 센트럴 파크로 소풍 가기
- 루스벨트 아일랜드 케이블카 타기
- 브라이언트 파크에서 힐링하기
- 현재 최고 인기 전망대
  서밋 원 밴더빌트와 에지 비교 체험
- 모이니한 트레인 홀에서 뉴욕 최고의
  푸드 코트 & 화장실 즐기기
- 베슬을 배경으로 뉴욕 인증샷
  촬영하기

재즈 앳 링컨 센터 Jazz at Lincoln Center
홀 푸드 마켓 Whole Foods Market
디지스 클럽 코카콜라 Dizzy's Club Coca-Cola
Mandarin Oriental

W. 60th St

장 조지
Jean-Georges
59th St-Columbus Circle

콜럼버스 서클
Columbus Circle

W. 59th St

W. 58th St

타임 워너 센터
Time Warner Center

아트 & 디자인 박물관
Museum of Arts & Design

르 팽 쿼티디엥
Le Pain Quotidien

W. 57th St

마이클 코어스
Michael Kors

57th St-7th Ave

Park Hyatt

11th Ave

쉬르 라 타블
Sur La Table

카네기 홀
Carnegie Hall

Le Parker
Meridien

W. 56th St

12th Ave

W. 56th St

버거 조인트
Burger Joint

W. 55th St

W. 55th St

7th Ave

W. 54th St

Hilton New York
Midtown

디 윗 클린턴 파크
De Witt Clinton Park

W. 53rd St

7th Ave

W. 52nd St

단지 Danji

할랄 가이즈
The Halal Guys

Broadway

W. 51st St

Hampton Inn
Times Square North

비블 & 십
Bibble & Sip

12th Ave

W. 50th St

50th St

50th St

NBC 스튜
NBC Stu

10th Ave

W. 49th St

49th St

W. 49th St

엠 & 엠스 월드
M&M's World

W. 48th St

Kimpton INK 48

W. 48th St

프레스 라운지
The Press Lounge

W. 47th St

TKTS 타임스 스퀘어
TKTS Times Square

9th Ave

8th Ave

타임스 스퀘어
Times Square

인트레피드 해양 항공 우주 박물관
Intrepid Sea, Air
& Space Museum

W. 46th St

W. 46th St

디즈니 스토어
Disney Store

W. 45th St

W. 45th St

도우 도넛
Dough Doughnuts

주니어스 베이커리
Junior's Bakery

W. 44th St

서클 라인 사이트싱 크루즈
Circle Line Sightseeing Cruises

셰이크 색
Shake Shack

세포라
Sephora

W. 43rd St

W. 43rd St

존스 피자리아
John's Pizzeria

버거 & 로브스터
Burger & Lobster

W. 42nd St

42nd St-Port
Authority Bus Terminal

Times Sq-42nd St

세인트 클라우드
St. Cloud Rooftop Bar

포트 오소리티
버스 터미널
Port Authority
Bus Terminal

보케리아
Boqueria

Lincoln Tunnel

W. 39th St

스카이락
The Skylark

카페 그럼피
Cafe Grumpy

캔들우드 스위트
뉴욕 시티 타임스 스퀘어
Candlewood Suites
New York City-Times Square

리파이너리 루프
Refinery Rooft

12th Ave

11th Ave

W. 36th St

W. 36th St

톱 오브 더 스트랜드
Top of the Strand

자비츠 센터
The Javits Center

W. 35th St

W. 35th St

모나크 루프톱 바
Monarch Rooftop Bar

10th Ave

메이시 백화
Macy's

12th Ave

DSW

34th St-Penn Station

34th St-Penn Station

34th St-Penn Station

Tar

W. 33rd St

미드타운 웨스트
Midtown West

에스티아토리오 밀로스
Estiatorio Milos

모이니한 트레인 홀
Moynihan Train Hall

매디슨 스퀘어 가든
Madison Square Garden

펜 스테이션
Penn Station

허드슨 야드 Hudson Yard
딜런스 캔디 바 Dylan's Candy Bar

토니 드래곤스 그릴 Tony Dragon's Grille
E. 61st St
마이클 코어스 Michael Kors
딜런스 캔디 바 Dylan's Candy Bar
세렌디피티 3 Serendipity 3
E. 60th St
Ⓜ N Q R 5th Ave/59th St
사라베스 Sarabeth's
블루밍데일 백화점 Bloomingdale's
Lexington Ave/ 59th St
Ⓜ N Q R
Ⓜ 4 5 6 59th St
루스벨트 아일랜드 트램역 Roosevelt Island Tram Station
Ⓢ The Plaza Ⓗ
애플 스토어 Apple Store
매그놀리아 베이커리 Magnolia Bakery
티제이 맥스 Ⓢ T.J. Maxx
Ⓜ Ⓕ
버그도프 굿맨 Bergdorf Goodman
티파니 Tiffany & Co.
삭스 오프 피프스 Ⓢ Saks off 5th
E. 58th St
57th St
애버크롬비 & 피치 Abercrombie & Fitch.
나이키 타운 NIKETOWN
E. 57th St
홀 푸드 마켓 Whole Foods Market
조스 상하이 Joe's Shanghai
트럼프 타워 Trump Tower
E. 56th St

Madison Ave
Park Ave
Lexington Ave
3rd Ave
1st Ave

E. 55th St

W. 54th St

뉴욕 현대 미술관 The Museum of Modern Art
Le Pain Quotidien
Ⓜ Ⓔ Ⓜ 5th Ave/53rd St
E. 54th St

W. 52nd St
포고 데 차오 Fogo de Chão
Ⓔ Ⓜ Ⓜ Lexington Ave/ 53rd St
E. 53rd St

E. 52nd St
제이크루 Ⓢ J.Crew
더 레고 스토어 The Lego Store
E. 51st St
51st St Ⓜ
Ⓝ 업스테어 앳 킴벌리 호텔 Upstairs at the Kimberly Hotel
Top of the Rock
Ⓡ 랄프스 커피 Ralph's Coffee
세인트 패트릭 대성당 St. Patrick's Cathedral
Ⓡ
Ⓗ 더 포드 호텔 51 The Pod Hotel 51
에사 베이글 Ess-A-Bagel
록펠러 센터 Rockefeller Center
Ⓢ 콜 한 Cole Haan
E. 50th St
르 팽 쿼티디엥 Le Pain Quotidien
Ⓢ 삭스 피프스 애비뉴 Saks 5th Avenue
E. 49th St
Ⓢ Magnolia Bakery
Ⓢ 마이클 코어스 Michael Kors
알로 요가 Alo Yoga
E. 48th St
Ⓑ Ⓓ Ⓕ Ⓜ 50th Sts-Rockefeller Center
Ⓢ 세포라 Sephora
E. 47th St

Bottle Coffee Ⓡ
Ⓢ 아디다스 플래그십 뉴욕 Adidas Flagship New York
주니어스 베이커리 Junior's Bakery
Ⓡ 셰이크 색 Shake Shack
Ⓡ 조 커피 Joe the Art of Coffee
Ⓜ 매그놀리아 베이커리 Magnolia Bakery
Ⓢ 애플 스토어 Apple Store

W. 45th St
2nd Ave
1st Ave
E. 45th St

크루더 Ⓡ
카페 1668 Kaffe 1668
Ⓢ NBA 스토어 NBA Store
르 팽 쿼티디엥 Le Pain Quotidien
초콜릿 Kreuthe dcrafted ocolate
W. 44th St
어번 아웃피터스 Urban Outfitters
E. 44th St
W. 43rd St
서밋 원 밴더빌트 SUMMIT One Vanderbilt
Ⓡ 카페 그럼피 Cafe Grumpy
E. 43rd St
국제연합 United Nation Headquarters

Ⓜ Ⓞ 5th Ave
Ⓢ Sephora
그랜드 센트럴 터미널 Grand Central Terminal
Grand Hyat New York Ⓗ
크라이슬러 빌딩 Chrysler Building
E. 42nd St

nd St-Bryant Park
Ⓜ 4 5 6 7 Ⓢ Grand Central-42nd St
Ⓗ The Library Hotel
E. 41st St

브라이언트 파크 Bryant Park
뉴욕 공립 도서관 New York Public Library
이언트 파크 그릴 ryant Park Grill Ⓡ
E. 40th St

Ⓗ The Bryant Park Hotel
E. 39th St
셰이크 색 Shake Shack

Pain tidien
블루 보틀 커피 Blue Bottle Coffee
E. 38th St
The Pod Hotel 39

Ⓗ Refinery Hotel
Ⓡ Sarabeth's
Ⓝ 리파이너리 루프톱 Refinery Rooftop
E. 37th St

Ⓗ The Strand Hotel
Ⓝ 톱 오브 더 스트랜드 Top of the Strand
E. 36th St

Ⓡ 컬처 에스프레소 Culture Espresso
모건 라이브러리 & 뮤지엄 The Morgan Library & Museum

Best Western Premier Herald Square
E. 35th St

Ⓗ Holiday Inn Express Times Square South
E. 34th St

Ⓑ Ⓓ Ⓕ Ⓜ N Q R 34th St-Herald Sq
아마존 북스 Amazon Books
Le Pain Quotidien

엠파이어 스테이트 빌딩 Empire State Building
Ⓜ Ⓖ 33rd St
E. 33rd St

W. 33rd St
코리아타운 Korea Town
Ⓡ 본촌치킨 Bon Chon Chicken
Ⓡ 큰집 Kunjip
Ⓡ 우리집 Woorijip
E. 32nd St

상하이 몽 ghai Mong
Ⓡ 턴테이블 치킨 재즈 Turntable Chicken Jazz
E. 31st St

N

미드타운 이스트 Midtown East

타임스 스퀘어 Times Square

뉴욕 여행의 첫 번째 필수 코스이자 랜드 마크인 타임스 스퀘어는 7th Ave의 42nd St 주변을 뜻한다. 1903년 〈뉴욕 타임스〉 본사가 이곳으로 이전하면서 타임스 스퀘어라는 명칭이 생겼고, 그 이전에는 말과 마차, 그리고 마구간이 있던 거리였으나 1899년 오스카 해머스타인이 극장을 설립하기 시작하면서 뮤지컬 공연장이 생겨났다. 처음 타임스 스퀘어에 도착하면 화려한 네온사인과 광고판이 쉴 새 없이 돌아가 정신이 없지만 그곳만의 독특한 매력에 쉽게 유혹되고 만다. 전 세계에서 가장 비싼 광고판이 있는 곳으로 유명하며 우리나라의 대기업인 삼성, LG, 현대자동차의 광고가 반갑기도 하다. 주변에는 다양한 숍들과 레스토랑, 뮤지컬 극장이 있고, 거리 퍼포먼스가 끝없이 이어지는 뉴욕의 대명사와 같은 곳이다.

주소 7th Ave, 42~49th Sts
홈피 www.timessquarenyc.org
위치 지하철 1 · 2 · 3 · 7 · N · Q · R · S선 Times Sq–42nd St역

Naked Cowboy

TKTS 타임스 스퀘어 TKTS Times Square

뉴욕 브로드웨이의 뮤지컬 관람 티켓을 저렴하게 구입할 수 있는 곳이다. 타임스 스퀘어에서 커다란 세로형 전광판 밑의 붉은빛 계단 아래에 자리하고 있다. 당일 외에 다음 날의 공연 티켓도 구할 수 있다.

주소 1564 Broadway
전화 212–912–9770
홈피 www.tdf.org
운영 월~화 · 금
　　 15:00~20:00,
　　 수~목 · 토 11:00~20:00,
　　 일 11:00~19:00
위치 지하철 B · D · F · M선 47–50th
　　 Sts–Rockefeller Ctr역,
　　 지하철 N · Q · R선 49th St역

뉴욕 현대 미술관 The Museum of Modern Art

1929년 미국의 대부호였던 존 D. 록펠러 2세의 부인과 지인들이 모여 만든 현대 미술관(MoMA라고도 부름)은 1880년대부터 지금까지의 전 세계 현대 미술품을 전시하고 있다. 2004년 일본인 건축가 다니구치 요시오에 의해 재건축되어 다양한 특별 전시와 기획전, 출판, 영화 상영 등이 이루어지고 있고, 빈센트 반 고흐의 〈별이 빛나는 밤에〉, 피카소의 〈아비뇽의 여인들〉, 앤디 워홀의 〈캠벨 수프 캔〉, 앙리 루소의 〈잠자는 집시〉 등을 비롯해 모네, 마티스, 세잔, 샤갈, 키스 해링, 리히텐슈타인 등의 작품이 있다. 내부 사진 촬영이 가능하며 기프트 숍에 다양한 디자인 제품이 많다. 입장 시 작은 손가방 외의 모든 짐은 1층 로커에 맡겨야 하며 한국어로 된 안내서와 애플리케이션을 통한 오디오 가이드(한국어)가 있다.

주소	11 W 53rd St
전화	212-708-9400
홈피	www.moma.org
운영	일~금 10:30~17:30, 토 10:30~19:00 (추수감사절, 크리스마스 휴무)
요금	성인 $25, 65세 이상 $18, 학생 $14, 16세 이하 무료, RockMoMA Combination Ticket $52
위치	지하철 E · M선 5th Ave/53rd St역, 지하철 B · D · E선 7th Ave역

> **Tip 현대카드 꼭 챙겨가세요!**
> 현대카드 플래티넘 이상 카드 소지자에 한해 본인 및 동반 2인까지 무료입장이 가능하다.
> 1층의 'Membership Desk'에서 실물 형태의 해당 카드(애플리케이션 등은 불가)와 영문 이름이 기재된 신분증을 제시하면 입장권을 받을 수 있다. 카드사와의 제휴관계에 따라 혜택이 자주 달라지니 방문 전 최신정보 확인은 필수.

무료입장 가능한 박물관 & 미술관

01. 9·11 메모리얼 & 박물관 9·11 Memorial & Museum
월요일 07:00~15:30

02. 모건 라이브러리 & 뮤지엄 The Morgan Library & Museum
금요일 17:00~19:00

03. 유대인 박물관 The Jewish Museum
토요일

04. 노이에 갤러리 Neue Galerie
매월 첫 번째 금요일 16:00~19:00

05. 브루클린 미술관 Brooklyn Museum
매월 첫 번째 토요일 17:00~22:00

기부금(Donation) 입장 가능한 박물관 & 미술관

01. 구겐하임 미술관 Solomon R. Guggenheim Museum
토요일 18:00~20:00

02. 프릭 컬렉션 The Frick Collection
목요일 16:00~18:00

03. 휘트니 미술관 Whitney Museum of American Art
금요일 19:00~22:00

04. 쿠퍼 휴이트 디자인 박물관
Cooper-Hewitt National Design Museum
수~월요일 17:00~18:00

Tip 1 Pay What You Wish 이 문구가 보이는 미술관이나 박물관에서는 기부금 입장이 가능하다!

Tip 2 셀카봉 금지 작품 훼손과 안전 문제로 인해 뉴욕의 뮤지엄들은 셀카봉 사용을 금지하고 있다. 뉴욕 현대 미술관, 구겐하임 미술관, 메트로폴리탄 미술관, 9·11 메모리얼 & 박물관, 자연사 박물관, 쿠퍼 휴이트 디자인 박물관 등에서 셀카봉 사용이 불가능하다.

Sightseeing ★★★

루스벨트 아일랜드 트램웨이
Roosevelt Island Tramway

맨해튼과 퀸스 사이를 잇는 루스벨트 아일랜드는 12,000여 명의 뉴요커가 거주하는 맨해튼의 조용한 지역이다. 퀸스보로 브리지가 연결되어 있고, 이 위를 케이블카로 이동할 수 있다. 낭만적이고도 아름다운 풍경 때문에 루스벨트 아일랜드에 거주하는 현지인들 외에 관광객도 많이 방문한다. 걸어서 섬을 돌아도 채 30분이 걸리지 않는다. 영화 〈스파이더 맨〉에서 주인공이 악당으로부터 여자친구를 구하는 장면이 촬영되기도 했다.

주소 E 59th St & 2nd Ave
전화 212-756-8739
홈피 rioc.ny.gov/tramtransportation.htm
운영 일~목 06:00~02:00,
　　　금~토 06:00~03:30
요금 케이블카 편도 $2.75
　　　(MTA 메트로 카드 이용 가능)
위치 지하철 4·5·6선 59th St역,
　　　지하철 N·Q·R선
　　　Lexington Ave/59th St역

서밋 원 밴더빌트 SUMMIT One Vanderbilt

305m의 높이를 자랑하는 전망대로 2021년 10월 오픈했다. 91층에 내려서 3개의 층을 관람할 수 있는데 한번 올라가면 다시 내려올 수 없는 구조이다. 벽과 바닥, 천장 등이 모두 유리와 거울로 만들어져 있어 창밖의 뉴욕 풍경과 독특한 조화를 이룬다. 전망을 볼 수 있다는 것 외에도 유명 예술가 겐조 디지털Kenzo Digital의 '에어Air'라는 설치미술 작품을 감상할 수 있고 'Affinity Air'라는 이름의 룸에서는 헬륨 가스가 들어간 풍선들과 동화 속 세상에 온 것 같은 체험을 할 수도 있다. 93층에는 건물의 끝부분이 바깥으로 튀어나와 있는 통유리 공간이 있는데, 긴 줄을 서야 사진 촬영이 가능하다. 야외 테라스에 위치한 간단한 스낵과 음료를 즐길 수 있는 카페 'Arpes'는 셰이크 색 버거의 창시자 대니 마이어의 요리 그룹이 운영하고 있어 맛도 좋다. 바닥의 유리 때문에 치마와 굽 있는 구두 차림은 입장 불가.

주소	45 E 42nd St
전화	877-682-1401
홈피	summitov.com
운영	수~월 09:00~24:00
	(화요일 휴무)
요금	**SUMMIT Experience**
	13세 이상 $39, 6~12세 $33
	SUMMIT Ascent
	13세 이상 $59, 6~12세 $53
	Ultimate SUMMIT
	13세 이상 $73, 6~12세 $67
위치	지하철 7선 5th Ave역

뉴욕 공립 도서관 New York Public Library

1895년 카레르 & 헤이스팅스 사에 의해 건설되어 1911년 오픈한 미국 최대 도서관 중 하나로 1901년 앤드루 카네기가 거금을 기부하면서 완공을 서두를 수 있었다. 도서관 입구의 두 마리 사자상이 유명한데, 각각 인내와 용기를 뜻한다. 내부는 아름답고 고풍스러우며 특히 3층의 공개 도서실에는 고전 책들이 가득하고, 천장을 메운 벽화와 샹들리에 또한 멋스럽다. 5,000만 권 이상의 다양한 책과 희귀본을 소장하고 있으며 미국에서는 워싱턴D.C.의 국회도서관 다음으로 큰 규모를 자랑하는데 무료 가이드 투어를 통해 도서관의 역사를 더욱 상세히 알 수 있다. 영화 〈섹스 앤 더 시티〉에서 주인공 캐리가 결혼식을 하려던 장소로 나오기도 했다.

주소	476 5th Ave
전화	917-275-6975
홈피	www.nypl.org
운영	월 · 목~토 10:00~18:00,
	화~수 10:00~20:00,
	일 13:00~17:00
위치	지하철 7선 5th Ave역

록펠러 센터 Rockefeller Center

뉴욕 5번가 인근에 자리한 19개 빌딩들의 집합소인 록펠러 센터는 록펠러 재단에 의해 1930년대에 건립되었다. 합리적이고도 과학적인 설계를 통해 통풍과 채광 등을 모두 고려한 인체공학적 빌딩이라는 것이 눈길을 끈다. 상업적인 일반 오피스를 비롯해 공연장으로 유명한 라디오 시티 뮤직 홀과 겨울철이면 뉴욕의 상징이 되는 스케이트장, 시즌마다 달라지는 꽃들로 가득한 가든, 실제 미국 방송이 녹화되어 진행되는 NBC 스튜디오, 전망대로 유명한 톱 오브 더 록, 다양한 쇼핑 숍과 레스토랑 등을 모두 갖추고 있다. 현지에서는 '롸카펠러 센터'라고 발음한다.

주소	45 Rockefeller Plaza
전화	212-588-8601
홈피	www.rockefellercenter.com
위치	지하철 B · D · F · M선 47-50th Sts-Rockefeller Ctr역, 지하철 E · M선 5th Ave/53rd St역

에지 Edge

2020년 3월 100층짜리 건물에 오픈한 뉴욕에서 가장 높은 344m 야외 전망대이다. 서밋이 맨해튼 동쪽의 뷰를 보여준다면 이곳은 서쪽의 뷰를 맡고 있는 셈. 바닥은 일부 강철 투명 유리로 되어 있고, 빌딩 외관은 V자 형태로 외부로 튀어 나와 있어 기념촬영을 하기 위해 늘 긴 줄이 늘어서 있다. 앉아 쉴 수 있도록 층층이 마련된 계단에서 내려다보는 맨해튼의 뷰는 압권이다. 일몰에 맞춰 갈 것을 추천하며, 세계에서 가장 높은 뉴욕의 빌딩 외관을 걷는 클라이밍 체험 또한 인기이다. PEAK라는 레스토랑 예약 시에는 무료 입장이 가능하다.

주소	Level 4 of The Shops & Restaurants at 30 Hudson Yards
전화	332-204-8500
홈피	edgenyc.com
운영	10:00~22:00
요금	**General Admission** 13~61세 $38, 62세 이상 $36, 6~12세 $33
	Flex Pass 13~61세 $58, 62세 이상 $56, 6~12세 $53
	Champagne Admission 21~61세 $55, 62세 이상 $53, 13~20세 $38, 6~12세 $33,
	Premium Admission 21~61세 $73, 62세 이상 $71, 13~20세 $38, 6~12세 $33
위치	지하철 7선 34th St-Hudson Yards역

톱 오브 더 록 Top of the Rock

록펠러 센터에 있는 여러 계열사의 빌딩 중 가장 높은 높이를 자랑하는 GE 빌딩의 꼭대기에 위치한 전망대이다. 뉴욕에서 유일하게 엠파이어 스테이트 빌딩과 센트럴 파크를 정면으로 바라볼 수 있어 뻥 뚫린 맨해튼이 한눈에 들어온다. 전망대는 68~69층에 자리하고 있고 티켓은 지하 1층 매표소와 인터넷에서 예매가 가능하다. 현장 구매 시 입장 가능 시간이 정해져 있으니 그에 맞춰 들어가면 된다. 톱 오브 더 록과 뉴욕 현대 미술관을 모두 방문한다면 'RockMoMA Combination Ticket'을 구매해 보자. $52로 관람이 가능하다.

주소 30 Rockefeller Plaza
전화 212-698-2000
홈피 www.topoftherocknyc.com
운영 09:00~23:00
요금 성인 $40, 65세 이상 $38,
　　 어린이(6~12세) $34
위치 지하철 B·D·F·M선 47-50th
　　 Sts-Rockefeller Ctr역

그랜드 센트럴 터미널 Grand Central Terminal

1913년 보자르 양식으로 건립된 그랜드 센트럴 터미널은 중앙 홀 천장의 12궁 별자리가 유명하다. 중앙 홀에서 레스토랑으로 이어지는 계단은 프랑스 파리의 오페라 하우스 양식을 본떠 만들어 우아하다. 하루 12만 명이 넘는 뉴욕과 뉴욕 근교 통근자들의 소중한 발이 되어주고 있으며, 기차와 지하철이 교차하는 교두보의 역할을 한다. 내부에는 오이스터 바와 같은 유명 레스토랑과 슈퍼마켓, 숍 등 다양한 볼거리가 많다. 미국 인기 드라마 〈가십걸〉의 첫 장면 촬영지이며, 중앙 홀 안내 데스크 위의 대형 시계는 이곳의 상징이자 만남의 장소로 유명해 수많은 영화에 등장하기도 했다.

주소 89 E 42nd St
전화 212-340-2583
홈피 www.grandcentralterminal.com
위치 지하철 4·5·6·7·S선
　　 Grand Central-42nd St역

⑪

브라이언트 파크 Bryant Park

1686년 설계되어 한동안은 공동묘지로 운영되었다가 1884년 '브라이언트 파크'라는 이름으로 변경한 후 현재의 공원이 되었다. 미드타운 한복판에 자리한 작은 규모의 공원이지만 무료 요가 레슨, 뮤지컬, 클래식, 댄스 공연, 패션쇼, 필름 페스티벌 등 1년 내내 다양한 이벤트가 펼쳐진다. 공원 한쪽에는 체스 테이블과 탁구대, 회전목마, 카페, 분수대 등이 있어 시민들은 운동을 즐기거나 약속 장소로 이용하기도 한다. 뿐만 아니라 겨울철이면 아이스 스케이트장과 크리스마스마켓까지 만나볼 수 있어 뉴요커들의 열렬한 지지를 받고 있다. 사계절 어느 때에 방문해도 한가롭게 휴식을 취할 수 있는 곳. 브라이언트 파크는 누구나 사랑할 수밖에 없는 보석 같은 공간이다.

주소	6th Ave & W 42nd St
전화	212-768-4242
홈피	www.bryantpark.org
운영	07:00~22:00
위치	지하철 B · D · F · M선 42nd St-Bryant Park역

브라이언트 파크

더 폰드 The Pond

브라이언트 파크는 매년 가을부터 잔디를 걷어내는 작업을 시작해 12월이 되면 아이스 스케이트장, 더 폰드를 오픈하는 것으로 유명하다. 입장료가 없고 스케이트 대여비만 내면 돼 다른 곳에 비해 이용하기 더욱 경제적이다. 뉴욕의 시내 한복판 거대한 빌딩숲 속에서 즐기는 아이스 스케이팅은 기대 이상으로 낭만적이다.

전화	212-661-6640
홈피	www.wintervillage.org
운영	08:00~22:00
요금	스케이트 대여비 $15~50 헬멧 대여비 $6
위치	지하철 B · D · F · M선 42nd St-Bryant Park역

⑫

세인트 패트릭 대성당 St. Patrick's Cathedral

화려한 5번가의 중심에 위치한 세인트 패트릭 대성당은 1858년 고딕 양식의 부활을 위해 지어진 뉴욕 최고의 가톨릭 성당이다. 내부는 화강암으로 이루어져 있고, 눈길을 끄는 외관의 거대한 첨탑은 그 높이만도 100m에 이르러 웬만큼 멀리 떨어져서 찍지 않으면 사진 촬영이 힘들 정도이다. 부활절이나 크리스마스 등에는 특별 미사가 진행되고 성당 내부의 화려한 스테인드글라스와 파이프 오르간의 울림 있는 연주가 특히 유명하다.

주소	14 E 51st St
전화	212-753-2261
홈피	www.saintpatrickscathedral.org
운영	**가이드 투어** 09:00~17:00
요금	성인 $8, 학생 $7 **가이드 투어** $25
위치	지하철 E·M선 5th Ave/53rd St역, 지하철 6선 51st St역, 지하철 B·D·F·M선 47–50th Sts–Rockefeller Ctr역

⑬

엠파이어 스테이트 빌딩 Empire State Building

높이 381m, 102층으로 이루어진 엠파이어 스테이트 빌딩은 1931년의 대불황 시대에 아르데코풍으로 건설되었다. 건물 내의 전망대는 야외 관람이 가능한 86층과 유리창을 통해 창밖을 관람할 수 있는 102층, 이렇게 두 곳이다. 〈킹콩〉을 비롯해 〈스파이더 맨〉, 〈시애틀의 잠 못 이루는 밤〉 등 수많은 영화 속 배경으로 등장했다. 평상시엔 빌딩의 조명이 화이트 톤이지만 독립기념일이나 추수감사절 등 미국의 특별한 기념일에는 화려한 조명을 사용해 빌딩 색이 바뀌는 것이 재미있다. 오디오 가이드 신청 시 한국어 안내를 받을 수 있으며 셀카봉은 사용 금지이다.

주소	350 5th Ave
전화	212-736-3100
홈피	www.esbnyc.com
운영	08:00~02:00
요금	**전망대(86층)** 성인 $44, 62세 이상 $42, 어린이(6~12세) $38 **전망대 익스프레스 (86층, 대기열 없음)** $80 **전망대+최상층 전망대 (86층+102층)** 성인 $77, 62세 이상 $75, 어린이(6~12세) $71
위치	지하철 B·D·F·M·N·Q·R선 34th St–Herald Sq역

5번가 5th Avenue

뉴욕 맨해튼의 한복판을 가르는 미드타운의 중심지이다. 애플 스토어와 애버
크롬비 & 피치 매장을 시작으로 이어지는 브랜드 숍과 백화점의 디스플레이만
봐도 눈이 즐겁다. 버그도프 굿맨, 삭스 피프스 애비뉴 등의 백화점과 영화에
도 많이 등장한 티파니 매장, 남자들이 그냥 못 지나치는 NBA 스토어, 변함없
는 부동의 인기 1위 스포츠 브랜드 나이키 타운 등 남녀노소 누구나 탄성을 지
르며 걷게 된다. 루이비통과 불가리, 미키모토, 베르사체, 프라다, 아르마니 등
의 명품은 물론 바나나 리퍼블릭, 자라, 갭, 유니클로, 디젤 등의 캐주얼한 브랜
드까지 모두 모여 있다.

주소	5th Ave & 40~59th St
홈피	www.visit5thavenue.com
위치	지하철 N · Q · R선
	5th Ave/59th St역,
	지하철 E · M선 5th Ave/53rd St역,
	지하철 B · D · F · M선 47–50th
	Sts–Rockefeller Ctr역,
	지하철 F선 57th St역

크라이슬러 빌딩 Chrysler Building

건축가 윌리엄 밴 앨런이 1930년 설계해 지은 크라이슬러 빌딩은 높이 318.9m
로 세계에서 가장 높은 빌딩이었다. 하지만 이듬해인 1931년 완공된 엠파이어
스테이트 빌딩에게 1위 자리를 넘겨주어야 했다. 아름다운 아르데코 양식으로
지어진 건물의 외관 때문에 뉴욕을 대표하는 사진에 언제나 등장하지만 내부는
전형적인 오피스 빌딩이므로 관광객은 1층까지만 출입이 가능하다.

주소	405 Lexington Ave
전화	212–682–3070
위치	지하철 4 · 5 · 6 · 7 · S선
	Grand Central–42nd St역

타임 워너 센터 Time Warner Center

센트럴 파크 초입에 자리하고 있는 모던한 쌍둥이 빌딩이다. 2004년 10월에 문을 열었으며 미국의 유명 미디어 그룹인 타임 워너의 본사가 위치해 있기도 하다. 지하 1층부터 4층까지 미슐랭 레스토랑과 고급 브랜드 부티크 숍, 홀 푸드 마켓, 윌리엄스 소노마, 디지스 클럽 코카콜라 공연장 등이 자리해 있다. 왼쪽 건물에는 CNN 방송국이, 오른쪽 건물에는 만다린 오리엔탈 호텔이 입점해 있다.

주소 10 Columbus Circle
전화 212-823-6300
홈피 www.theshopsatcolumbus circle.com
운영 월~토 10:00~21:00, 일 11:00~19:00
위치 지하철 1 · A · B · C · D선 59th St-Columbus Circle역

재즈 앳 링컨 센터 Jazz at Lincoln Center

세계적인 수준의 재즈 공연을 즐길 수 있는 공연장으로 타임 워너 센터 5층에 위치하고 있다. 3개의 공연장(Rose Theater, Allen Room, Dizzy's Club Coca-Cola)에서 펼쳐지는 다양한 재즈 공연을 즐길 수 있으며 공연장 뒤로 보이는 센트럴 파크와 야경이 압권이다. 음식, 공연장, 사운드, 출연진 어느 하나 버릴 것 없이 훌륭하다.

주소 10 Columbus Circle
전화 212-721-6500
홈피 www.jazz.org
위치 지하철 1 · A · B · C · D선 59th St-Columbus Circle역

국제연합 United Nation Headquarters

세계평화 유지를 위해 1945년에 설립된 국제기구로 200여 개의 가입 국가가 있다. 한국인 최초로 반기문 전 유엔 사무총장이 이곳에서 업무를 수행하기도 했다. 가이드 투어 참여 시 내부 관람이 가능한데 뉴욕 현지 여행사에서 한국어 가이드 투어를 진행 중이다. 운이 좋다면 실시간으로 현재 진행 중인 회의 장면을 직접 볼 수도 있다. 지하 1층의 우체국에서는 세계에서 유일하게 UN의 소인이 찍힌 엽서를 발송할 수 있다.

주소 1st Ave & E 42nd St
전화 212-963-4475
홈피 visit.un.org
운영 월~금 09:00~17:00 (티켓 마감이 빠르니 서두를 것), 토~일 10:00~16:30
요금 가이드 투어(월~토) 성인 $22, 60세 이상 및 학생증 소지자 $15, 어린이(5~12세) $12
위치 지하철 4 · 5 · 6 · 7 · S선 Grand Central-42nd St역

코리아타운 Korea Town

뉴욕의 최고 중심이라 할 수 있는 엠파이어 스테이트 빌딩과 한 블록 떨어진 곳에 코리아타운이 자리하고 있다. 다양한 한식당은 물론 한국식 빵집과 카페, 술집이 늘어서 있고, 부동산, 여행사, 슈퍼마켓, 은행 등도 찾아볼 수 있다. 최근 한류의 인기로 인해 수많은 뉴요커가 한국 음식을 찾아 이곳으로 모이는 모습을 보면 어깨가 으쓱해진다.

위치 지하철 B·D·F·M·N·Q·R선 34th St-Herald Sq역

매디슨 스퀘어 가든
Madison Square Garden

미국의 유명한 NBA 농구 팀 중 하나인 닉스Knicks와 프로 아이스하키 팀인 뉴욕 레인저스New York Rangers의 홈구장이자 공연장이다. 경기나 공연이 있는 날이면 이 주변은 사람들로 가득 차 걷기가 힘들 정도인데, 2만 명이 넘는 관객들이 모이기 때문. 로비에는 각종 기념품을 판매하는 숍이 있으며 명경기의 주요 장면을 스케치한 사진들도 관람할 수 있다. 스포츠 광팬이라면 사전에 예약하여 경기를 관람해 보자!

주소 4 Pennsylvania Plaza
전화 212-465-6741
홈피 www.thegarden.com
위치 지하철
　　 1·2·3·A·C·E선
　　 34th St-Penn Station역

모건 라이브러리 & 뮤지엄 The Morgan Library & Museum

미국에서 손꼽히는 대부호 중 한 명인 J.P. 모건이 1906년에 개인 박물관으로 45개의 방이 있는 대저택을 지었으나 1929년부터는 J.P. 모건 2세에 의해 공공 박물관이 되었다. 전 세계에 4권밖에 없다는, 구텐베르크 방식으로 인쇄된 성경책과 희귀 악보, 편지 등이 전시되어 있고, 이태리 르네상스 시대 미술품으로 가득한 서재와 멋진 그림이 있는 원형 천장이 특히 압권이다. 모던한 외관 또한 상당히 멋스럽다.

주소 225 Madison Ave
전화 212-685-0008
홈피 www.themorgan.org
운영 화~목, 토~일 10:30~17:00,
　　 금 10:30~19:00(월요일, 1월 1일,
　　 추수감사절, 크리스마스 휴무)
요금 성인 $22, 65세 이상 $14,
　　 학생증 소지자 $13, 12세 이하 무료,
　　 금요일(17:00~19:00) 무료
위치 지하철 6선 33rd St역,
　　 지하철 4·5·6·7·S선
　　 Grand Central-42nd St역

아트 & 디자인 박물관 Museum of Arts & Design

1956년 개관했다가 몇 차례 이름을 바꾸어 다시 오픈한 박물관으로 콜럼버스 서클 대각선에 위치해 있다. 20세기의 다양한 공예 관련 작품을 전시하는 곳으로 공예 재료들이 일상 속 건축이나 패션, 인테리어에 어떻게 접목되고 있는지를 설명해 준다. 2천여 점이 넘는 작품들을 소지하고 있고, 박물관 내 로버트^{Robert} 레스토랑은 창밖으로 센트럴 파크와 콜럼버스 서클이 보여 인기이다.

주소 2 Columbus Circle
전화 212-299-7777
홈피 madmuseum.org
운영 화~일 10:00~18:00
    (월요일, 공휴일 휴무)
요금 성인 $18, 65세 이상 $14,
    학생증 소지자 $12, 18세 이하 무료
위치 지하철 1·A·B·C·D선
    59th St-Columbus Circle역

인트레피드 해양 항공 우주 박물관
Intrepid Sea, Air and Space Museum

제2차 세계대전 중엔 일본에서, 그 후에는 베트남 전쟁에서 이름을 떨쳤던 'USS 인트레피드'라는 해군의 항공모함이다. 갑판에는 예전의 에어포스 원과 헬리콥터, 항공기 등이 전시되어 있고, 내부에는 당시의 조종실과 실제 해군들의 생활 거처 등이 있다. 세계 최초의 우주왕복선이었던 엔터프라이즈호^{Space Shuttle Enterprise}도 볼 수 있고 파일럿 체험 또한 가능한데, 맨해튼의 풍경까지 어우러지며 더욱 이국적인 분위기를 선사한다.

주소 Pier 86, W 46th St
전화 212-245-0072
홈피 www.intrepidmuseum.org
운영 10:00~17:00
요금 성인 $33, 65세 이상 $31,
    5~12세 $33
위치 지하철 A·C·E선 50th St역

카네기 홀 Carnegie Hall

1891년 '뮤직 홀'이란 이름으로 오픈했으나 크게 주목받지 못하다가 철강왕 카네기의 기부를 통해 이름이 바뀌었다. 세계 최고 수준의 유명 음악가나 가수만이 무대에 오를 수 있는 것으로 알려져 있으며 뉴욕 시 소유의 국립 역사 기념물이다. 가이드 투어를 통해 내부 관람이 가능하나 사진 촬영은 금지이다.

주소 154 W 57th St
전화 212-247-7800
홈피 www.carnegiehall.org
운영 **가이드 투어**
    월~금·일 11:30, 13:00, 14:30,
    토 11:30, 13:00
요금 **가이드 투어** 성인 $20,
    62세 이상 및 학생증 소지자 $16
위치 지하철 N·Q·R선
    57th St-7th Ave역

㉕

NBC 스튜디오 NBC Studios

미국의 대표 방송국 중 하나인 NBC의 스튜디오를 직접 체험할 수 있는 투어
와 기념품 숍 등의 공간으로 나뉘어져 있다. 투어는 사전 예약할 것을 권하며
투어에 참여하면 실제 방송이 만들어지는 과정을 배워볼 수 있다. 운이 좋다
면 생방송으로 진행되는 방송을 관람할 수도!

주소	30 Rockefeller Plaza
전화	212-664-2754
홈피	www.thetouratnbcstudios.com
운영	월~목 08:20~14:20,
	금 08:20~17:00,
	토·일 08:20~18:00
요금	**가이드 투어** 성인 $33,
	6~12세·55세 이상 $29
위치	지하철 D선 47-50th Sts
	-Rockefeller Ctr역

㉖

모이니한 트레인 홀 Moynihan train hall

1914년부터 우체국으로 운영되던 건물이 대변신했다. 펜 스테이션을 확장하
면서 이 빌딩을 사용하게 된 것. 2021년 1월 1일 오픈한 이곳은 기차역과 푸
드 코트로 구성되어 있다. 강철과 유리를 활용한 보 아트Beaux-Arts 건축 양식
이 특히 멋스럽다. 국립 사적지이자 뉴욕 시 지정 랜드 마크인 이 건물은 보
스턴도서관을 설계한 맥킴, 미드 & 화이트Mckim, Mead & White라는 건축 회사가
설계했다. 이 프로젝트를 처음 제안한 뉴욕 주 상원의원인 대니얼 패트릭 모
이니한Daniel Patrick Moynihan의 이름을 따서 지금의 명칭으로 불리게 되었다. 기
차역의 천장은 유리로 되어 있어 채광이 좋고 기차역 곳곳에는 다양한 예술
작품이 전시되어 있어 볼 것이 많다. 푸드 코트에는 바Bar를 비롯해 베수비오
베이커리, H&H 베이글, 블루 보틀, 스타벅스, 버거 조인트, 버치 커피, 매그
놀리아 베이커리 등이 있고, 뉴욕에선 찾기 어려운 깨끗한 화장실까지 갖추
고 있어 잠시 쉬어가기 좋다.

주소	350 W 33rd St
홈피	www.moynihantrainhall.nyc
운영	05:00~01:00
위치	지하철 1·2·3선 34th St-Penn
	Station역

①

사라베스 Sarabeth's

미국의 인기 드라마였던 〈섹스 앤 더 시티〉의 최대 수혜자라 할 수 있는 곳이
다. 드라마 출연 이후 엄청난 유명세 덕분에 언제 가도 긴 줄을 기다려야 입장
이 가능하니 홈페이지에서 미리 예약한 후 방문할 것을 권한다. 맨해튼 시내
에 여러 지점이 있으므로 방문하기 편리한 위치를 확인한 후 동선을 짜는 것이
좋다. 에그 베네딕트가 가장 유명하지만 맛있다는 평과 명성 대비 실망했다는
평이 반반이니 선택은 개인의 몫이다. 잼도 유명해 선물용으로 많이 구입한다.

주소 40 Central Park South
전화 212-826-5959
홈피 www.sarabeth.com
운영 월~토 08:00~22:00,
　　　일 08:00~21:00
요금 $40~
위치 지하철 N · Q · R선
　　　5th Ave/59th St역,
　　　지하철 F선 57th St역

②

보케리아 Boqueria

샹그리아와 타파스를 전문으로 하는 음식점으로 깔끔하면서 맛있는 음식과 멋
스러운 공간 디자인 덕분에 인기가 많다. 입구에 세워진 폭스바겐 차가 이곳의
상징! 식사를 즐기거나 혹은 식전이나 식후 간단한 안주와 함께 술 한잔 즐기기
좋다. 맨해튼 시내에 지점이 계속 늘어나는 중이다.

주소 260 W 40th St
전화 212-255-6047
홈피 boqueriarestaurant.com
운영 월~수 06:30~22:00,
　　　목~금 06:30~23:00,
　　　토 11:00~23:00, 일 07:00~22:00
요금 $30~
위치 지하철 A · C · E선 42nd St-
　　　Port Authority Bus Terminal역

③

버거 & 로브스터 Burger & Lobster

영국에서 시작해 어마어마한 인기를 끌고 있는 버거 & 로브스터가 뉴욕에서도 꾸준히 인기이다. 메뉴는 심플하게 햄버거, 로브스터, 로브스터 롤로 나뉘고 그 외에 에피타이저나 콤보 형태로도 주문이 가능하다. 저녁이면 술 한잔하면서 식사하는 뉴요커들로 인해 긴 줄이 늘어선다. 로브스터야 우리가 아는 그 맛이 지만 햄버거의 만족도가 특히 높은 편. 로브스터는 그릴에 구운 것을 더 추천한 다. 햄버거의 경우 패티 굽기 정도도 선택할 수 있다.

주소 132 W 43rd St
전화 917-565-9044
홈피 burgerandlobster.com
운영 일~목 11:30~22:00,
　　　금~토 11:30~23:00
요금 $25~
위치 지하철 B·D·F·M선
　　　42nd St-Bryant Park역,
　　　1·2·3·7·N·Q·R·
　　　S선 Times Sq-42nd St역

④

랄프스 커피 Ralph's Coffee

쇼핑 숍으로 번화한 5번가 한복판에 당당히 자리를 지키고 있는 캠핑카 콘셉트의 작은 노천카페다. 의류브랜드 랄프스 로렌에서 운영하는 카페로 뉴욕 시내에 매장이 몇 곳에 있다. 바로 코앞으로는 헤라클래스 상이, 맞은편에는 세인트 패트릭 성당이 있어 뷰도 좋다. 원두는 라 콜롬브 La Colombe 것을 사용해 커피 맛도 좋은 편이다. 특히 라떼류가 일품!

주소 630 5th Ave
홈피 www.ralphs-coffee.com
운영 월~목 08:00~18:00,
　　　금~토 10:00~19:00,
　　　일 12:00~18:00
요금 $5~
위치 지하철 B·D·F선
　　　47-50 Sts-Rockefeller Ctr역

❺

브라이언트 파크 그릴 Bryant Park Grill

우아하고도 클래식한 공원 내의 프렌치 스타일 레스토랑으로, 언제 가도 좌석이 꽉 차기 때문에 꼭 사전 예약 후 방문할 것을 권한다. 봄부터 가을까지는 루프톱 바를 오픈해 더욱 인기가 많으며, 실내의 분위기도 좋지만 가장 먼저 자리가 차는 건 야외 노천 테이블. 매일 바뀌는 오늘의 요리가 제공되고, 뭘 먹어도 기본 이상의 맛을 낸다. 공원을 한눈에 보면서 식사할 때의 기분은 꽤나 짜릿하다.

주소 25 W 40th St
전화 212-840-6500   홈피 bryantparkgrillnyc.com
운영 11:30~21:00   요금 $40~
위치 지하철 B · D · F · M선 42nd St-Bryant Park역

❻

턴테이블 치킨 재즈
Turntabel Chicken Jazz

치킨 윙과 재즈의 조합이 기가 막힌 곳. 나무로 장식된 벽면에는 음악 관련한 포스터와 축음기, LP 등이 가득해 작은 음악박물관을 연상케 한다. 음악에 취하고 치킨에 반해서 색다른 뉴욕의 맛을 느낄 수 있는 곳!

주소 20 W 33rd St
전화 212-714-9700
홈피 turntablenyc.com
운영 월~토 12:00~24:00
     (일요일 휴무)
요금 $40~
위치 지하철 B · C · F · M ·
     N · Q · R · W선
     34th St-Herald Sq역

❼

주니어스 베이커리 Junior's Bakery

1950년 브루클린의 레스토랑에서 디저트를 제공하며 시작했다가 별도의 독립 브랜드로 탄생했다. 크림 같은 치즈케이크가 아니라 딱딱하면서도 고소한 치즈케이크 스타일로 진한 커피와 함께하면 좋다. 매장 또한 타임스 스퀘어에 자리하고 있으니 뮤지컬 관람 후 방문해 야식으로 즐겨보자.

＊주니어스 베이커리 지점 소개

Times Square
주소 1626 Broadway
전화 212-365-5900

주소 1515 Broadway   전화 212-302-2000
홈피 www.juniorscheesecake.com
운영 일~월 07:00~23:00,
     화~목 07:00~24:00, 금~토 07:00~01:00
요금 $10~
위치 지하철 1 · 2 · 3 · 7 · N · Q · R · S선
     Times Sq-42nd St역

⑧ 할랄 가이즈 The Halal Guys

뉴욕에서 가격 대비 가장 푸짐하고 맛있게 먹을 수 있는 중동 스타일의 음식이다. 힐튼 호텔과 뉴욕 현대 미술관 사이에 위치해 있어 찾아가기 쉽고 줄은 길지만 음식이 빨리 나오므로 오래 기다리지 않아도 된다. 다만 테이블이 없으니 적당히 앉을 곳을 찾아 음식을 먹으면 된다. 양이 많아 플래터로 주문하면 혼자 다 못 먹을 정도이며 독특한 양념 덕분에 언제나 인기다.

주소	53rd St & 6th Ave
홈피	thehalalguys.com
운영	일~목 11:00~04:00,
	금~토 11:00~05:30
요금	$7~
위치	지하철 B · D · E선 7th Ave역,
	지하철 F선 57th St역,
	지하철 N · Q · R선
	57th St–7th Ave역

Food

⑨ 버거 조인트 Burger Joint

미드타운의 르 파커 메르디앙 호텔 1층에 자리한 버거 조인트는 가장 먼저 허름한 내부에 깜짝 놀라고, 그곳을 찾아오는 수많은 인파에 다시 놀라며, 신선하고 육즙 가득한 버거 맛에 또 한 번 놀라게 되는 곳이다. 현금 결제만 가능하다.

주소	119 W 56th St
전화	212–708–7414
홈피	www.burgerjointny.com
운영	11:00~23:00
요금	$15~
위치	지하철 F선 57th St역

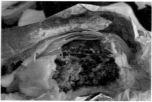

Food

⑩ 에스티아토리오 밀로스 Estiatorio Milos

허드슨 야드 쇼핑몰 내에 위치하고 있는 베슬 뷰가 압권인 곳으로, 그리스에서 매일 공수해 오는 해산물로 요리를 한다. 셰프와 소믈리에의 설명을 들은 후 자신이 먹을 해산물과 와인을 직접 선택하면 그 식재료로 조리를 해주는 고급 식당이다. 분위기 내기엔 최고!

주소	125 W 55th St
전화	212–245–7400
홈피	www.estiatoriomilos.com
운영	월~목 11:30~15:30, 17:00~24:00,
	금 11:30~24:00, 토 12:00~24:00,
	일 12:00~23:00
요금	$60~
위치	지하철 7선
	34th St–Hudson Yards역

⑪

에사 베이글 Ess-A-Bagel

미드타운에 위치한 에사 베이글은 1976년 오스트리아에서 이주해 온 베이커리
집안에 의해 시작되었다. 여러 종류의 베이글 외에도 10여 가지가 넘는 크림치
즈를 함께 판매하고 있고 커피 메뉴 또한 다양하다. 베이글의 두께보다 더 두껍
게 발라주는 크림치즈가 매력이다.

주소 Nail Plaza, 831 3rd Ave
전화 212-980-1010
홈피 www.ess-a-bagel.com
운영 06:00~17:00
요금 $3~
위치 지하철 E · M선
　　 Lexington Ave/53rd St역,
　　 지하철 6선 51st St역

⑫

토니 드래곤스 그릴 Tony Dragon's Grille

'백종원의 스트리트 푸드파이터2'에 소개돼 더욱 유명해진 곳. 1986년 안토
니오 드래곤스에 의해 길거리 푸드 트럭으로 시작했다. 그리스 음식을 다양
하게 판매하는데 점심시간 최고의 메뉴로는 언제나 햄버거다. 강한 불맛의
두꺼운 패티 맛이 일품! 신선하고 좋은 식재료만 엄선해 음식을 만들기 때문
에 긴 시간 변함없이 인기이다. 식사시간엔 주변 직장인들이 긴 줄을 서 있
으니 이 시간을 피해 방문할 것!

주소 200-298 E 47th St
홈피 www.tonydragonsgrille.com
운영 월~금 11:00~18:00,
　　 토 11:00~17:00(일요일 휴무)
요금 $15~
위치 지하철 E · M선
　　 Lexington Ave/53rd St역

⑬

블루 보틀 커피 Blue Bottle Coffee

미국을 대표하는 인기 커피 브랜드 중 하나인 파란 병의 주인공. 블루 보틀 커피는 캘리포니아 오클랜드의 한 클라리넷 연주자에 의해 시작되었다. 판매하는 메뉴는 총 8가지인데, 드립 커피, 에스프레소, 카푸치노, 라테, 모카, 마키아토, 뉴올리언스 아이스커피, 핫 초콜릿이다. 주문을 받으면 바로 핸드 드립으로 커피를 내려주는 방식으로 내린 지 48시간 내의 커피만 판매한다. 원두를 비롯하여 매장 내의 모든 제품은 유기농 제품만을 사용하고 있고 커피 맛은 깔끔하고 고소한 편이다.

주소 54 W 40th St
전화 510-653-3394
홈피 bluebottlecoffee.com
운영 월 06:30~17:30,
　　 화 06:30~19:00,
　　 수~일 07:00~19:00
요금 $4~
위치 지하철 B · D · F · M선
　　 42nd St-Bryant Park역,
　　 지하철 1 · 2 · 3 · 7 · N · Q · R ·
　　 S선 Times Sq-42nd St역

Tip **뉴욕에선 어디서든 블루 보틀!**
어마어마한 인기에 힘입어 현재 맨해튼 내에만 10개가 넘는 지점이 있으니 방문하기 편한 곳을 찾아가면 된다.

⑭

컬처 에스프레소 Culture Espresso

사실 미드타운에서 맛 좋은 커피를 찾기가 쉽지 않은데, 이곳에서는 어떤 메뉴를 선택하든 안심하고 마실 수 있다. 브라이언트 파크 아래쪽에 위치해 찾아가기 쉬우며, 매장이 작아 자리 잡기가 어렵긴 하지만 커피를 사려는 긴 줄은 금방 줄어드는 편이다. 2009년 처음 문을 열었으며, 미국 서부 포틀랜드에서 시작된 하트^{Heart}의 원두를 사용한다. 플랫 화이트와 콜드브루 메뉴까지 갖추고 있어 고르는 재미가 있고, 맛 좋은 쿠키는 단골들로부터 언제나 사랑받는 사이드 메뉴이다. 각각 다른 디자인이 프린팅된 종이컵을 받을 수 있는 것도 색다른 재미.

주소 72 W 38th St
전화 212-302-0200
홈피 Cultureespresso.com
운영 07:00~19:00
요금 $5~
위치 지하철 B · D · F · M선
　　 42nd St-Bryant Park역

Food

세렌디피티 3 Serendipity 3

로맨스 영화 〈세렌디피티〉에 등장해 수많은 로맨티스트들의 버킷 리스트에 오른 곳이다. 문을 열고 들어가면 다양한 종류의 기념품과 스테인드글라스, 유리로 만들어진 천장이 눈에 들어온다. 세로로 길게 이어진 내부 구조가 특이하며 2층의 좌석이 좀 더 여유롭고 로맨틱한 편이다. 맛으로 먹는다기보다 영화 속 장소를 찾았다는 데 의의를 두어야 할 만한 곳이다. 인기 메뉴인 프로즌 핫 초콜릿의 양이 상당하니 감안할 것. 끝까지 다 먹기 힘들지만 1인당 $8 이상을 주문해야 하므로 2인 방문 시 각각 다른 메뉴로 두 가지를 주문하는 것이 좋다.

주소 225 E 60th St
전화 212-838-3531
홈피 www.serendipity3.com
운영 월~금 11:00~23:00, 토~일 10:00~23:00
요금 $12.5~
위치 지하철 4·5·6선 59th St역, 지하철 N·Q·R선 Lexington Ave/59th St역

Food : 추천

포고 데 차오 브라질리안 스테이크하우스 Fogo De Chao Brazilian Steakhouse

현대 미술관 바로 앞에 위치해 미술관 관람 후 방문하기 좋다. 브라질식 바비큐를 무한 리필로 즐길 수 있는 곳으로 소, 닭, 돼지, 양고기를 부위별로 맛볼 수 있다. 테이블 위에 녹색 종이는 고기를 더 먹겠다는 뜻, 빨간 종이는 그만 먹겠다는 의미로 통용된다. 뉴욕 시내 그 어느 스테이크하우스보다도 맛있는 고기가 끊임없이 서빙된다. 샐러드 바 역시 훌륭한 퀄리티를 자랑하고, 매장은 고급스럽고도 우아해 가격 대비 최고의 식사를 즐길 수 있다. 홈페이지에서 할인쿠폰을 받을 수 있으니 방문 전 가입해 두자.

주소 40 W 53rd St
전화 212-969-9980
홈피 fogodechao.com
운영 월~목 11:30~22:30, 금~토 11:30~23:00, 일 11:30~22:00
요금 $66~
위치 지하철 E·F·M선 5th Ave/53rd St역

Food
⑰

도우 도넛 Dough Doughnuts

브루클린에서 시작해 뉴욕에서 가장 인기 있는 도넛으로
자리 잡았다. 히비스커스가 들어간 진한 핑크색 도넛이 가
장 유명하고 아몬드나 카페 모카, 다크초콜릿이 가미된 도
넛이 인기이다. 쫄깃하면서도 부드러워 씹는 맛이 좋지만
많이 단 편이니 달달한 게 땡기는 날 가면 좋다. 2023년
10월 기준 임시휴업 중이다.

주소	700 8th Ave	전화	917-338-1420
홈피	doughdoughnuts.com	운영	06:30~21:00
요금	$4~		
위치	지하철 A · C · E · F선 42nd St-Port authority Bus Terminal역, 지하철 N · R · W선 49th St역		

Food
⑱

비블 & 십 Bibble & Sip

언제 가도 좌석이 꽉 차 있어 테이블 잡기란 거의 불가능할
만큼 인기가 많은 곳이다. 이곳의 하이라이트는 슈크림이
잔뜩 들어간 퍼프 일명 '크림 퍼프'라고 불리는 빵이다. 슈
크림이 너무 많아 한입 베어 물면 손에 다 묻을 정도로 삐
져나온다. 녹차, 홍차 맛이 가장 인기 있으나 호불호는 갈
리는 편이다. 다양한 음료와 커피 또한 함께 판매 중이다.

주소	253 W 51st St	전화	646-649-5116
홈피	bibbleandsip.com	요금	$5~
운영	월~목 09:00~19:00, 금 09:00~20:00, 토~일 10:00~20:00		
위치	지하철 C · E · F선 50th St역		

Night Life : 추천
❶

디지스 클럽 코카콜라 Dizzy's Club Coca-Cola

센트럴 파크와 맨해튼의 야경이 내려다보이는 통유리를 배경으로 환상의 사운
드와 멋진 뮤지션들을 만날 수 있다. 아름다운 야경과 분위기에 취해 색다르게
재즈를 느낄 수 있는 멋스러운 공간이며 다른 공연장에 비해 입장료가 비싸지
만 그만큼의 가치가 있는 곳이다.

주소	Frederick P Rose, 5th Floor Hall, 10 Columbus Circle
전화	212-258-9595
홈피	www.jazz.org/dizzys
운영	18:00~23:00
요금	**입장료** 일~목 $20~40, 금~토 $40~45, 식사비 별도
위치	지하철 1 · A · B · C · D선 59th St-Columbus Circle역

② 톱 오브 더 스트랜드 Top of the Strand

최근 뉴욕에서 가장 인기 있는 루프톱으로 손꼽히고 있는 곳으로 엠파이어 스테이트 빌딩을 정면으로 보며 칵테일 한잔하기에 좋다. 적당히 어두운 조명과 맨해튼의 뷰, 분위기를 업 시켜주는 세련된 음악 등이 어우러져 아름다운 뉴욕의 밤을 기억하게 만들어준다. 미드타운의 더 스트랜드 호텔The Strand Hotel 21층에 자리하고 있어 방문하기도 쉽다.

주소	33 W 37th St
전화	646-368-6385
홈피	topofthestrand.com
운영	목~토 17:00~23:00
	(일~수요일 휴무)
요금	$30~
위치	지하철 B · D · F · M · N · Q · R선
	34th St-Herald Sq역

③ 리파이너리 루프톱 Refinery Rooftop

리파이너리 루프톱은 눈앞에 바로 보이는 엠파이어 스테이트 빌딩도 멋지지만 은은한 불빛의 전구들이 하늘 위를 장식하고 있어 로맨틱하면서도 낭만적이다. 크지 않지만 고급스럽고도 세련된 바와 테이블, 그리고 하늘과 엠파이어 스테이트 빌딩이 함께하는 공간이라 더욱 멋스럽다. 주로 퇴근 후 들르는 뉴요커들이 많으며 분위기도 좋다.

주소	63 W 38th St
전화	646-664-0310
홈피	refineryrooftop.com
운영	일~수 11:30~22:00,
	목~토 11:30~23:00
요금	$20~
위치	지하철 B · D · F · M선
	42nd St-Bryant Park역

❹
프레스 라운지 The Press Lounge

맨해튼의 수많은 루프톱 바 중 '아름다운 뷰'로는 최고인 곳으로 킴턴 잉크 48^{Kimpton} INK 48 호텔의 옥상에 위치하고 있다. 루프톱에 들어서면 얕은 물의 미니 풀장이 가장 먼저 눈에 띈다. 풀장의 조명시설로 인해 본래보다 더 깊어 보인다. 이 풀장을 기준으로 왼편에는 허드슨 강이, 오른편에는 타임스 스퀘어를 비롯한 맨해튼의 황홀한 빌딩숲이 펼쳐진다. 공간 또한 넓은 편이라 여유롭게 앉아 경치를 감상하기 좋다. 유아인 주연의 드라마 〈패션왕〉에서도 등장했다.

주소 653 11th Ave
전화 212-757-2224
홈피 www.thepresslounge.com
운영 월~화 17:00~01:00,
　　　수~토 17:00~02:00,
　　　일 17:00~24:00
요금 $20~
위치 지하철 C · E선 50th St역

Night Life
❺
업스테어 앳 킴벌리 호텔 Upstairs at Kimberly Hotel

크라이슬러 빌딩이 정면에 보이는 로맨틱한 루프톱 바다. 고풍스러우면서도 멋스러워 언제 가도 아름다운 사진을 촬영하기 좋다. 비가 오거나 날씨가 추워도 문제가 없다. 통유리로 된 천장이 있어 가림막이 되어주기 때문.

주소 145 E 50th St
전화 212-888-1220
홈피 upstairsnyc.com
운영 월 17:00~23:00,
　　　화~수 17:00~24:00,
　　　목 17:00~01:00, 금 17:00~02:00,
　　　토 12:00~02:00, 일 12:00~23:00
요금 $20~
위치 지하철 E · F · M선
　　　Lexington Ave/54th St역

Night Life
❻
세인트 클라우드 루프톱 바 St. Cloud Rooftop Bar

미드타운의 고급 호텔인 더 니코보코에 위치한 루프톱 바이다. 가장 큰 장점은 타임스 스퀘어를 한눈에 내려다보면서 맨해튼의 야경을 즐길 수 있다는 것. 정신없이 시간이 흘러가는 타임스 스퀘어를 잠시 벗어나 여유롭게 즐기는 뉴욕의 아름다운 밤은 두고두고 기억에 남을 것이다.

주소 6 Times Square, 17th Floor
전화 212-204-5787
홈피 theknickerbocker.com
운영 16:00~23:00
요금 $20~
위치 지하철 1 · 2 · 3 · 7 · N · Q · R · S선 Times Sq-42nd St역

❼
모나크 루프톱 바 Monarch Rooftop Bar

코리아타운 부근에 위치하고 있는 데다가 코트야드 메리엇 호텔 내에 있어 찾아가기가 상당히 쉽다. 이곳의 가장 큰 매력은 우뚝 선 엠파이어 스테이트 빌딩이 정면에 보인다는 것. 주말이면 데이트하는 수많은 뉴요커 커플로 인해 서 있을 공간조차 없을 정도이다.

주소	71 W 35th St
전화	212-630-9993
홈피	addisongroupnyc.com
운영	일~월 15:00~01:00,
	화~목 15:00~02:00,
	금~토 15:00~04:00
요금	$20~
위치	지하철 B·D·F·M·N·Q·R·
	W선 34th St-Herald Sq역

❽
스카이락 Skylark

고급스러운 내부, 환상적인 풍경. 정면으로 보이는 엠파이어 스테이트 빌딩이 완벽하게 조화를 이루는 멋진 곳이다. 뉴욕의 밤을 아름답게 멋진 곳에서 보내고 싶다면 강력히 추천한다. 다만 옷차림은 신경 쓰고 갈 것을 권한다. 직원들의 서비스 또한 좋은 편이다.

주소	200 W 39th St
전화	212-257-4577
홈피	theskylarknyc.com
운영	월~화 16:30~24:00,
	수 16:30~00:30,
	목~금 16:30~01:00
	(토~일요일 휴무)
요금	$20~
위치	지하철 1·2·3·7·N·Q·R·
	S선 Times Sq-42nd St역

①

제이크루 J.Crew

미국에서 시작된 캐주얼 브랜드이다. 베이직하면서도 클래식한 스타일이라 언제 어디서든 부담 없이 입고 즐길 수 있어 꾸준한 사랑을 받고 있다. 가격 대비 좋은 품질로 남성용, 여성용, 아동용 의류가 골고루 인기이다.

주소	30 Rockefeller Plaza
전화	212-765-4227
홈피	jcrew.com
운영	월·금~토 10:00~19:00,
	화~목 10:00~20:00,
	일 11:00~18:00
위치	지하철 B·D·F·M선
	47-50 Sts-Rockefeller Ctr역

②

버그도프 굿맨 Bergdorf Goodman

5번가를 대표하는 백화점으로 뉴욕의 상류층 사람들이 가장 아끼는 곳이다. 두 개의 건물이 마주보고 있으면서 남성관과 여성관 빌딩으로 나누어지는데, 대개 럭셔리한 브랜드들이 주를 이룬다. 매장 외관을 장식하는 쇼윈도 디스플레이가 매우 유명하며 특히 크리스마스의 디스플레이는 줄을 서서 볼 정도로 팬이 많다.

주소	754 5th Ave
전화	212-753-7300
홈피	www.bergdorfgoodman.com
운영	월~토 11:00~19:00,
	일 11:00~18:00
위치	지하철 F선 57th St역,
	지하철 N·Q·R선
	5th Ave/59th St역

③

애플 스토어 Apple Store

5번가의 초입에 자리한 애플 스토어는 거대한 투명 유리창으로 된 외관이 가장 먼저 눈에 띈다. 나선형의 투명 계단을 따라 내려가면 지하 1층에 거대한 규모로 펼쳐지는 애플의 다양한 신제품들은 그야말로 어마어마하다. 자유롭게 만져보고 체험해 볼 수 있도록 매장 내에는 물품과 함께 안내해 주는 직원들이 상시 대기 중이라 수많은 애플 마니아의 발걸음이 끊이지 않는다. 실제로 카페나 거리에서 뉴요커들의 노트북을 보고 있노라면 90% 이상이 애플 제품이다. 맨해튼 내에도 여러 매장이 있지만 5번가의 매장이 가장 멋스럽다.

주소	767 5th Ave
전화	212-336-1440
운영	24시간
위치	지하철 F선 57th St역,
	지하철 N · Q · R선
	5th Ave/59th St역

④

알로 요가 Alo Yoga

2007년 로스앤젤레스에서 시작된 요가 의상 브랜드로, 룰루레몬과 쌍벽을 이루며 인기이다. 편안하면서도 디테일한 핏이 살아 있어 우아하면서도 세련된 스포츠룩의 느낌이다. 매장 분위기 또한 트렌디하니 5번가를 간다면 반드시 들러볼 것!

주소	600 5th Ave
홈피	aloyoga.com
운영	10:00~20:00
위치	지하철 B · D · F · M선
	47-50th Sts-Rockefeller Ctr역

허드슨 야드 Hudson Yards

헬스 키친과 첼시 사이의 '허드슨 야드'라는 지역은 현재 대규모로 재개발 프로젝트가 진행 중인데 그중 허드슨 야드 쇼핑몰은 2019년 3월 오픈했다. 도시에서 6번째로 높은 건물인데 내부에는 전망대 '에지' 외에도 100여 개가 넘는 다양한 브랜드의 숍과 식당, 카페 등이 있어 인기이다. 1층은 스튜어트 와이츠만, 펜디, 겐조, 롤렉스, 디오르, 루이비통 등의 명품 브랜드가, 다른 층에는 메이드웰, 유니클로, 바나나 리퍼블릭, H&M, ZARA 등이 있다. 딜런스 캔디 바, 블루 보틀, 매그놀리아 베이커리, 셰이크 색 등도 있어 식사도 즐길 수 있고, 바로 앞의 탁 트인 뉴저지 뷰도 힐링이 된다. 베슬과 더 쉐드, 하이 라인 파크까지 함께 방문할 수 있어 단순한 쇼핑몰이 아닌 복합문화체험센터의 개념이라 할 수 있다.

주소 20 Hudson Yards
전화 646-954-3155
홈피 www.hudsonyardsnewyork.com
운영 월~토 10:00~20:00,
　　　일 11:00~19:00
위치 지하철 7선
　　　34th St-Hudson Yards역

엠 & 엠스 월드 M&M's World

초콜릿을 테마로 꾸며진 3층짜리 테마파크이다. 16개의 색으로 만들어진 초콜릿을 기본으로 옷, 모자, 주방용품, 텀블러, 양말 등 알록달록 예쁜 컬러의 초콜릿 관련 아이템들이 넘쳐난다. 엘리베이터와 화장실까지 갖추고 있어 쇼핑이 좀 더 쾌적하다.

주소 1600 Broadway
전화 212-295-3850
홈피 www.mms.com
운영 10:00~22:00
위치 지하철 N · Q · R · W선 49th St역

딜런스 캔디 바 Dylan's Candy Bar

유명 디자이너 랄프 로렌Ralph Lauren의 딸이 개발해 운영하는 브랜드로, 예쁜 포장의 다양한 캔디와 젤리, 초콜릿 등이 한가득이라 구경하다 보면 시간 가는 줄 모른다. 인증샷을 촬영하기에 좋고, 선물용 아이템도 많으니 잠시 동심의 세계를 즐기고 싶다면 방문해 보자.

주소	20 Hudson Yards, 4th floor
전화	646-661-6094
홈피	dylanscandybar.com
운영	월~토 10:00~20:00,
	일 11:00~19:00
위치	지하철 7선
	34th St-Hudson Yards역

NBA 스토어 NBA Store

미국의 프로농구 관련 용품을 판매하는 곳으로, 농구를 좋아하는 사람이라면 누구나 좋아할 곳이다. 다양한 종류의 캐릭터 용품과 모자 등의 기념품을 판매하고 있으며, 매장 내에는 NBA 경기를 관람할 수 있는 커다란 스크린과 농구 게임기까지 갖추고 있어 NBA에 관심 있는 팬들이라면 한참을 머물다 갈 만큼 인기가 있다. 가족이나 남자친구의 선물을 사기에도 적합하다.

주소	545 5th Ave
전화	212-457-3120
홈피	store.nba.com
운영	월~금 · 일 10:00~20:00,
	토 10:00~21:00
위치	지하철 B · D · F · M선
	42nd St-Bryant Park역

콜 한 Cole Haan

전 미국 대통령 오바마의 부인 미셸 여사가 사랑하는 것으로 알려진 브랜드. 가볍고도 실용적인 가죽 신발과 가방이 특히 유명한 미국 브랜드로, 오래 사용해도 질리지 않는 베이직한 스타일이라 늘 변함없는 인기이다.

주소	620 5th Ave
전화	212-765-9747
홈피	www.colehaan.com
운영	월~목 10:00~19:00,
	금~토 10:00~20:00,
	일 11:00~19:00
위치	지하철 B · D · F · M선
	47-50th Sts-Rockefeller Ctr역

세포라 Sephora

세계 여러 곳에 지점이 있는 종합 화장품 매장이다. 세계적으로 인기를 끌고 있는 뷰티 브랜드가 모두 입점해 있으며 마음껏 테스트를 해볼 수 있어 편리하다. 스킨케어, 메이크업, 향수 등으로 섹션이 나누어져 있고 각 매장마다 브랜드 제품이 조금씩 다른 것도 재미있다. 한국에는 없는 명품 브랜드의 여러 가지 라인까지 갖추고 있다.

주소	580 5th Ave
전화	212-278-0037
홈피	www.sephora.com
운영	월~토 09:00~21:00, 일 10:00~19:00
위치	지하철 B · D · F · M선 47-50th Sts-Rockefeller Ctr역

메이시 백화점 Macy's

1858년에 오픈한 역사적인 백화점으로 1902년에 만들어진 나무 에스컬레이터가 특히나 인상적이다. 중저가 브랜드가 많아 부담 없이 이용할 수 있으며 매년 봄과 가을이면 플라워 쇼를, 추수감사절에는 퍼레이드를 진행하는 것으로도 유명하다. 블록 하나가 통째로 백화점이기 때문에 그 규모가 엄청난데, 쇼핑하기 편리하도록 아이템별로 브랜드를 모아 두었다. 세일이나 특가 등의 행사가 잦고, 여행자에게는 할인 쿠폰도 증정한다. 고객이 직접 상품 가격을 바코드로 찍어 확인할 수 있는 기계가 있어 더욱 편리하다.

주소	151 W 34th St
전화	212-695-4400
홈피	www.macys.com
운영	일~목 10:00~21:00, 금~토 10:00~22:00
위치	지하철 B · D · F · M · N · Q · R선 34th St-Herald Sq역, 지하철 1 · 2 · 3선 34th St-Penn Station역

⑫

삭스 피프스 애비뉴 Saks 5th Avenue

메이시와 버그도프 굿맨의 중간 정도 레벨의 백화점으로, 록펠러 센터 맞은편
에 위치하고 있다. 무난하면서도 세련된 백화점 내부로 들어가면 여성들을 위
한 다양한 브랜드가 많아 쇼핑하기 즐겁다. 물건의 회전이 빠른 편으로 신상품
을 공략하기에 좋다.

주소 611 5th Ave
전화 212-753-4000
홈피 www.saksfifthavenue.com
운영 월~토 11:00~19:00,
　　 일 12:00~18:00
위치 지하철 E·M선 5th Ave/53rd St역

⑬

티파니 Tiffany & Co.

1837년 창립 이래 전 세계 모든 여성의 로망이 된 그 이름, 티파니. 뉴욕 5번
가의 매장은 영화 〈티파니에서 아침을〉의 배경이 되기도 했고, 티파니 매장
중 가장 많은 아이템을 보유하고 있기도 해 다른 어느 매장보다 특별하다. 프
러포즈나 결혼식용 예물부터 홈 데코 제품까지 모두 갖추고 있다.

주소 6 E 57th St
전화 212-755-8000
홈피 www.tiffany.com
운영 월~토 10:00~20:00,
　　 일 11:00~19:00
위치 지하철 N·Q·R선
　　 5th Ave/59th St역,
　　 지하철 F선 57th St역

Tiffany
Blue Box

⑭

디즈니 스토어 Disney Store

디즈니의 다양한 캐릭터들을 모두 만날 수 있는 종합 쇼핑몰로 선물을 주고 싶
은 아이가 있다면 꼭 들를 것! 캐릭터 용품부터 일상생활에 필요한 소품들까지
모두 갖추고 있다. 가격이 저렴한 편은 아니지만 특별한 기념품 하나쯤 구매하
는 것도 좋은 기억이 될 것이다.

주소 1540 Broadway
전화 212-626-2910
홈피 www.disneystore.com
운영 09:00~21:00
위치 지하철 N·Q·R선 49th St역,
　　 지하철 1·2·3·7·N·Q·R·
　　 S선 Times Sq-42nd St역

마이클 코어스 Michael Kors

마이클 코어스는 미국을 대표하는 패션 디자이너 중 한 명으로, 스웨덴계 출신이며 1959년 뉴욕에서 태어나 활동 중이다. 뉴욕의 FIT(뉴욕 패션기술대학교)를 졸업했으며, 프랑스 명품 브랜드 셀린느의 수석 디자이너로 활동하다가 독립했다. 럭셔리하면서도 모던한 스타일을 지향하며 세계에서 가장 영향력 있는 디자이너 중 한 명이다. 기네스 펠트로, 마돈나 등의 셀러브리티들이 사랑하는 브랜드로 알려져 있다.

주소 610 5th Ave
전화 212-582-2444
홈피 www.michaelkors.com
운영 월~토 09:00~21:00,
일 11:00~19:00
위치 지하철 B · D · F · M선
Rockefeller Ctr역

아디다스 플래그십 뉴욕 Adidas Flagship New York

2018년 12월, 세계에서 가장 큰 아디다스 매장이 5번가에 문을 열어 인기를 누리고 있다. 미국의 고등학교 운동장과 운동 시설을 모티브로 만들어 더욱 생동감 있는 스포츠 브랜드의 느낌이 물씬 난다. 내부는 각 층별로 트렌디하게 꾸며져 있다.

주소 565 5th Ave
전화 212-883-5606
홈피 adidas.com
운영 10:00~20:00
위치 지하철 B · D · F선 47-50th
Sts/Rockefeller Ctr역,
지하철 7선
5th Ave-Bryant Park역

크루더 핸드크래프트 초콜릿
Kreuther Handcrafted Chocolate

프렌치 미슐랭 레스토랑의 셰프인 가브리엘 크루더^{Gabriel} 가 자신의 레스토랑 바로 옆에 오픈한 고급 수제 초콜릿 숍으로 다양한 디저트 종류와 차를 판매 중이다. 실제 초콜릿을 만드는 과정을 볼 수 있으며, 선물용 패키지 또한 포장이 고급스러워 인기가 많다.

주소	1114 6th Ave
전화	212-201-1985
홈피	kreutherchocolate.com
운영	월~금 10:00~18:00 (토~일요일 휴무)
위치	지하철 B · D · F · M선 42nd St-Bryant Park역

더 레고 스토어
The Lego Store

2개의 층에 펼쳐지는 화려한 레고왕국이다. 어른, 아이 할 것 없이 누구나 이곳에서는 즐겁고 흥미로운 시간을 보내게 된다. 레고로 할 수 있는 다양한 체험과 학습, 구매 등이 가능하다.

주소	636 5th Ave
전화	212-245-3248
홈피	www.lego.com
운영	일~목 11:00~19:00, 금~토 11:00~20:00
위치	지하철 B · D · F · M선 47-50th Sts-Rockefeller Ctr역

Stay : 4성급

브라이언트 파크 호텔 The Bryant Park Hotel

뉴욕의 인기 명소인 브라이언트 파크와 맞닿은 호텔로 럭셔리하면서도 고풍스럽다. 지하에 있는 더 셀러 바^{The Celler Bar}가 유명하며 룸은 뉴욕의 다른 미드타운 호텔에 비해 넓고 모던한 편이다.

주소	40 W 40th St
전화	212-869-0100
홈피	bryantparkhotel.com
요금	$350~
위치	지하철 7선 5th Ave역, 지하철 B · D · F · M선 42nd St-Bryant Park역

©The Bryant Park Hotel

Stay : 4성급

②

라이브러리 호텔 The Library Hotel

약 1만여 권의 책이 비치되어 있는 도서관 콘셉트의 부티크 호텔이다. 각각의 룸은 물론 호텔 내 어느 장소에서든 다양한 종류의 책을 만날 수 있다. 룸 내부는 고풍스럽고도 깔끔한 편이며, 미드타운을 내려다볼 수 있는 루프톱 바가 인기이다. 그랜드 센트럴 터미널 주변에 위치하고 있다.

주소 299 Madison Ave
전화 212-983-4500
홈피 www.libraryhotel.com
요금 $350~
위치 지하철 4 · 5 · 6 · 7 · S선
　　 Grand Central-42nd St역

Stay : 4성급

③

힐튼 뉴욕 미드타운 Hilton New York Midtown

뉴욕 현대 미술관 근처에 자리하고 있어 위치가 좋고, 객실만 2천여 개가 있을 만큼 거대한 규모이다. 룸이 넓고 깔끔한 데다가 방음도 잘 되어 있으며 큰 창이 있어 뉴욕 시내를 구경하기에도 좋다. 또한 공항과 뉴저지의 힐튼 호텔을 오가는 셔틀버스를 운영해 편리한데, 이러한 여러 장점 덕분에 맨해튼 내에 있는 힐튼 계열 호텔 중 가장 인기가 좋다. 애완동물 출입이 가능한 것 또한 장점이지만 냉장고와 커피포트, 비누 외의 세면도구가 없다는 것이 단점이다.

주소 1335 6th Ave
전화 212-586-7000
홈피 www.hilton.com
요금 $400~
위치 지하철 B · D · E선 7th Ave역,
　　 지하철 F선 57th St역

Stay : 4성급

④

캔들우드 스위트 뉴욕 시티 타임스 스퀘어
Candlewood Suites New York City—Times Square

타임스 스퀘어에 위치해 있어 주요 관광지를 도보로 걸어 다닐 수 있다는 장점이 있다. 늦은 밤 뮤지컬 관람 후 호텔까지 도보로 쉽게 이동이 가능하단 것도 장점. 청소 상태도 깔끔한데다가 룸에는 전자레인지와 냉장고까지 있어 간단한 식사를 해결하기에도 좋다. 슬리퍼와 칫솔은 제공되지 않지만 전망 좋은 뷰와 헬스클럽, 욕조, 세탁실이 있어 편리하다.

주소	339 W 39th St
전화	212-967-2254
홈피	www.ihg.com
요금	$350~
위치	지하철 A · C · E선 42nd St—Port Authority Bus Terminal역

Stay : 3성급

⑤

더 포드 호텔 39 The Pod Hotel 39

룸은 상당히 작지만 깨끗하고 스타일리시한 최신식 호텔이다. 그랜드 센트럴 터미널 주변에 위치하고 있어 이동이 편리하며 룸 가격 역시 경제적이다. 맨해튼 내에 두 곳이 있는데, 230 E 51st St에 위치한 더 포드 호텔 51The Pod Hotel 51 역시 인기이다.

주소	145 E 39th St
전화	212-865-5700
홈피	www.thepodhotel.com
요금	$219~
위치	지하철 4 · 5 · 6 · 7 · S선 Grand Central-42nd St역

Stay : 5성급

⑥

리파이너리 호텔 Refinery Hotel

2013년 오픈한 호텔로 엠파이어 스테이트 빌딩 근처에 위치하고 있어 루프톱 바에서 환상적인 뉴욕 풍경을 즐길 수 있다. 호텔은 총 12개의 층에 197개 룸으로 이루어져 있으며 모던하면서도 세련된 분위기이다. 또한 룸에는 무료 와이파이와 IPOD 도킹 시스템이 설치되어 있어 편리하다.

주소	63 W 38th St
전화	646-664-0310
홈피	www.refineryhotelnewyork.com
요금	$300~
위치	지하철 B · D · F · M선 42nd St-Bryant Park역

홀리데이 인 익스프레스 타임스 스퀘어
Holiday Inn Express Times Square South

뉴욕 최고의 중심가인 미드타운에서도 코리아타운, 펜 스테이션 등이 주변에 있어 위치가 편리하고 웬만한 유명 관광지는 걸어다닐 수 있다. 맛있는 조식과 깨끗한 룸, 부대시설 대비 경제적인 가격 때문에 언제나 인기가 많다.

주소　60 W 36th St
전화　212-897-3388
홈피　www.ihg.com/holidayinnexpress
요금　$190~
위치　지하철 B · D · F · M · N · Q · R선 34th St-Herald Sq역,
　　　지하철 1 · 2 · 3선 34th St-Penn Station역

파크 하얏트　Park Hyatt

2014년 오픈한 하얏트의 야심작으로 미드타운의 중심인 카네기 홀 맞은편에 자리하고 있다. 호텔 내부는 고급스럽고 모던한 예술 작품과 가구들로 이루어져 있고, 룸은 총 210개이다. 아이패드로 룸서비스 및 각종 문의를 할 수 있으며 르 라보Le Labo 어메니티를 제공한다. 또한 룸에는 에스프레소 머신과 욕조가 설치되어 있다.

주소　153 W 57th St
전화　646-774-1234　　홈피　newyork.park.hyatt.com
위치　지하철 N · Q · R선 57th St-7th Ave역,
　　　지하철 F선 57th St역

만다린 오리엔탈　Mandarin Oriental

2003년 오픈한 뉴욕의 최고급 베스트 호텔 중 하나로 객실의 통유리를 통해 보이는 센트럴 파크와 뉴욕 시티의 뷰가 환상인 곳이다. 호텔의 로비는 35층이며 객실은 38~54층에 자리하고 있다. 동서양이 믹스된 묘한 분위기가 럭셔리함을 한껏 고조시킨다. 타임 워너 센터 내에 위치하고 있다.

주소　80 Columbus Circle
전화　212-805-8800
홈피　www.mandarin-oriental.com
요금　$900~
위치　지하철 1 · A · B · C · D선 59th St-Columbus Circle역

그랜드 하얏트 뉴욕　Grand Hyatt New York

그랜드 센트럴 터미널과 연결되어 있으며 국제연합으로 가는 길목에 위치하고 있다. 로비에 있는 거대한 분수가 오래된 상징이며 룸은 심플하고 좁은 편이다. 욕조와 냉장고가 없기 때문에 불편할 수 있지만 좋은 위치 덕분에 늘 인기이다.

주소　109 E 42nd St
전화　212-883-1234
홈피　grandnewyork.hyatt.com
요금　$350~
위치　지하철 4 · 5 · 6 · 7 · S선 Grand Central-42nd St역

베스트 웨스턴 프리미어 헤럴드 스퀘어
Best Western Premier Herald Square

룸은 작고 모던한 편이지만 위치와 시설 대비 저렴한 편이라 늘 인기가 많다. 엠파이어 스테이트 빌딩 근처에 위치하고 있어 찾기도 쉽다.

주소　48 W 36th St
전화　212-776-1024
홈피　www.bestwestern.com
요금　$220~
위치　지하철 B · D · F · M · N · Q · R선 34th St-Herald Sq역,
　　　지하철 1 · 2 · 3선 34th St-Penn Station역

햄프턴 인 타임스 스퀘어 노스
Hampton Inn Times Square North

미드타운에 자리한 좋은 위치와 비교적 넓은 룸에 다양한 부대시설을 갖추고 있어 특히 가족 여행자에게 사랑받고 있다. 특가도 자주 나오는 편이므로 홈페이지를 주시하고 있으면 좋은 가격에 투숙할 수 있다.

주소　851 8th Ave
전화　212-581-4100
홈피　hamptoninn3.hilton.com
요금　$250~
위치　지하철 1 · C · E선 50th St역

가을의 뉴욕 즐기기, 베어 마운틴!
Bear Mountain State Park

03
Special
★

매년 요청받는 칼럼 주제 중 언제나 빠지지 않고 등장하는 최고의 인기는 '뉴욕의 가을'이다. 그만큼 뉴욕은 누구에게나 가을의 이미지가 가장 강렬한 듯하다. 뉴욕이 속해 있는 미국 동부는 단풍이 아름답기로 유명하다. 사계절이 뚜렷하기 때문에 미국 서부와는 전혀 다른 느낌이다. 뉴욕 이외에도 버몬트, 뉴 햄프셔 주 등이 이름난 단풍의 성지이기도 하다. 뉴욕에서 가장 아름다운 단풍을 볼 수 있는 곳을 단 한 곳 고르라고 한다면 필자는 주저 없이 베어 마운틴 주립 공원Bear Mountain State Park을 손꼽을 것이다.

허드슨 강의 서쪽에 자리하고 있는데 거대한 숲과 호수 외에도 바비큐 시설을 갖춘 피크닉 장소, 낚시터, 수영장, 하이킹 코스 등을 갖추고 있어 언제 방문해도 아름답지만 가을이야말로 최고의 모습을 체험해 볼 수 있다. 가장 높은 봉우리는 391m이고 차로 정상까지 가기 때문에 등산의 부담도 없다. 늘 인기가 많아 주차하기가 어렵다는 게 단점. 정상의 중심엔 퍼킨스 기념 타워Perkins Memorial Tower가 자리를 하고 있다. 이곳에서 내려다보는 뉴욕은 끝이 보이지 않는 숲의 파노라마와도 같다. 특히 가을이면 더욱 다채로운 강렬한 컬러가 빛을 발하니 한번 본 그 모습은 절대 잊을 수 없게 만든다.

공원 내에서 꼭 들러야 할 곳은 '7개의 호수Seven Lakes'이다. 이름에서 알 수 있듯 해리먼 스테이트 파크Harriman State Park 내에 있는 7개의 호수로 이루어진 이곳은 과거 아메리카 대륙이 발견되기 전 인디언들이 붙인 이름이 그대로 유지되고 있다(Lake Sebago, Lake Kanawauke, Lake Skanatati, Lake Askoti, Lake Tiorati, Silver Mine Lake, Queensboro Lake). 28마일(=45km) 길이의 드라이브 코스가 호수를 끼고 굽이굽이 펼쳐지는데 그 모습이 말 그대로 장관이다. 혹시 가을에 뉴욕을 방문할 행운이 기다리고 있다면, 절대 이곳을 놓치지 말기를 바란다. 차를 렌트해서라도 가야 할 만큼의 값어치가 충분하기 때문이다. 아마 인생 최고의 잊을 수 없는 단풍을 경험하게 될 것이다.

주소	Palisades Parkway or Route 9W North, Bear Mountain, NY 10911
편의시설	자전거, 보트, 숙박 시설(캠핑장, 캐빈, 리조트 등), 낚시, 하이킹 코스, 아이스 스케이팅 장소, 놀이터, 스노우 슈잉, 수영장, 방문자 센터 등

화려하고 흥겨운 뉴욕의 거리 공연
NYC Street Performance

04 Special ★

뉴욕만큼 거리 공연이 활발하고 다채로운 도시가 또 있을까? 한
겨울에는 조금 덜한 편이지만 날씨가 좋은 봄, 여름, 가을에는 지
하철 안, 공원, 길거리, 상점 앞 등 어디서나 쉽게 거리 공연을 즐
길 수 있다. 햇볕 좋은 날 공원을 걷다가 어디선가 들리는 바이올
린, 첼로, 기타 소리에 나도 모르게 발걸음을 옮긴 적이 한두 번
이 아니다. 그들은 대부분 자신들이 녹음한 CD를 판매하는데 완
벽한 분장과 연기, 퍼포먼스에 절로 감탄이 나오기도 한다. 센트

거리 공연을 즐기는 방법!
뉴요커들은 거리의 연주자에게 팁을 주
는 것을 당연하게 생각한다. 사실 팁이라
기보다 공연 관람료라 하는 게 맞다. 여
름은 물론 한겨울에도 땀을 뻘뻘 흘리며
최고의 공연을 선보이는 그들의 정성에
쉽게 자리를 뜰 수 없기 때문이다. 그러
니 만약 길거리 공연을 보게 되면 $1~2
라도 건네주면 어떨까?

럴 파크의 베데스다 분수대 앞에서는 언제나 흑인들의 쇼(?)가 펼쳐진다. 마이클 잭슨을 흉내 내기도 하고, TV에서나 보던 차력 쇼까지 볼 수 있다. 공연을 할 때마다 수많은 사람들이 모여드는데, 공연 중간에 자리라도 뜰라치면 대놓고 소리를 지르기도 한다. '어이, 거기 당신! 지금부터 재미있으니까 절대 자리를 뜨면 안 돼요!'

 첼시 & 미트패킹 디스트릭트
Chelsea & Meatpacking District

첼시는 허드슨 강변을 따라 이어지는 지역이다. 가장 트렌디한 거리로 알려진 미트패킹 디스트릭트, 웨스트 빌리지, 그리니치 빌리지와 연결되어 있으며 유니크한 디자인 부티크와 세련된 레스토랑이 많아 할리우드 스타들의 파파라치 사진에 자주 등장하는 곳이기도 하다. 한껏 멋을 낸 뉴요커들 틈에서 먹고, 마시고, 쇼핑하며 산책해 보자. 특별한 목적이 없더라도 발길이 닿는 대로 걷다 보면 예상치 못한 멋진 공간들을 발견할 수 있는 뉴욕의 보물과도 같은 거리이다.

To Do List
- 첼시 갤러리에서 무료 그림 감상
- 하이 라인 파크 끝까지 걸어보기
- 휘트니 미술관의 앤디 워홀 만나기
- 브루클린 베이글의 베이글 맛보기
- 리틀 아일랜드에서 색다른 뉴욕 전망 즐기기
- 르 뱅 루프톱 바에서 야경 즐기기

첼시 & 미트패킹 디스트릭트
Chelsea
& Meatpacking District

메디슨 스퀘어 가든
Madison Square Garden

펜 스테이션
Penn Station

230 피프스
230 Fifth

홀푸드 마켓
Whole Foods Market

파트너스 커피
Pathers Coffee

트레이더 조
Trader Joe's

그리말디 피자
Grinaldi's Pizzeria

조 커피
Joe the Art of Coffee

르 팽 쿼티디엥
Le Pain Quotidien

브루클린 베이글 &
Brooklyn Bagel &
Coffee Company

머레이 베이글
Murray's Bagels

머레이 베이글
Murray's Bagels

첼시 인터내셔널 호스텔
Chelsea Intermatonal Hostel

조 커피
Joe the Art of Coffee

잭스 와이프 프레다
Jack's Wife Freda

스타벅스 리저브 로스터리
Starbucks Reserve Roastery

셀리나 첼시 뉴욕 시티
Selina Chelsea New York City

베슬
Vessel

사커 필드 옛 첼시 파크
Soccer Field at Chelsea Park

첼시 워터사이드 파크
Chelsea Waterside Park

하이 라인 파크 High Line Park

첼시 피어 스포츠 앤
엔터테인먼트 콤플렉스
Chelsea Piers Sports and
Entertainment Complex

애플 스토어
Apple Store

더 스탠다드
The Standard

세포라
Sephora

휘트니 미술관
Whitney Museum
of American Art

르 팽 쿼티디엥
Le Pain Quotidien

RH New York

RH New York

첼시 마켓
Chelsea Market

블루 보틀 커피
Blue Bottle Coffee

14 스트리트 파크
14th Street Park

로브스터 플레이스 The Lobster Place
팻 위치 베이커리 Fat Witch Bakery
에이미 브레드 Amy's Bread
부다칸 Buddakan
사라베스 Sarabeth's

리틀 아일랜드
Little Island

르 뱅 Le Bain

더 탑 오브 더 스탠다드
The Top of the Standard

하이 라인 파크 High Line Park

버려진 철로를 개조하기 위해 10여 년의 공사 계획과 어마어마한 예산을 들인 끝에 2009년 6월 첫 개방을 시작으로 2014년 9월 총 2.34km의 전 구간이 오픈했다. 철로길 사이사이에 아름다운 꽃과 풀을 잔뜩 심어 놓아 특별한 분위기를 연출하는데, 봄과 여름엔 꽃이 만발하고 가을이면 갈대로 가득해 낭만적이다. 비치 의자에 누워 여정에 지친 몸을 쉬어가도 좋고 하이 라인에서 내려다보이는 잡지 속 풍경 같은 미트패킹을 감상하며 걸어도 좋다. 공원 한쪽으로는 허드슨 강이, 또 다른 한쪽에는 미트패킹이 이어지며 멀리 엠파이어 스테이트 빌딩도 보여 멋스럽다.

주소 W 12~34th Sts & 9~11th Ave
전화 212-206-9922
홈피 www.thehighline.org
운영 07:00~22:00
위치 지하철 A · C · E · L선
　　8th Ave-14th St역,
　　지하철 1 · C · E선 23rd St역,
　　지하철 1 · 2 · 3선 14th St역, ·
　　지하철 1선 18th St역

베슬 Vessel

뉴욕의 새로운 랜드 마크가 된 베슬은 토마스 헤더윅과 헤더윅 스튜디오에서 작업했다. 여러 사람이 각기 다른 높이와 각도, 기준에서 뉴욕의 새로운 관점을 즐길 수 있도록 구현되었다. 멀리서 보면 벌집 모양과도 같은 이곳은 2,500개의 계단과 154개의 공간으로 이루어졌는데 이곳에서 바라보는 주변의 전망은 압권이다.

주소 20 Hudson Yards
전화 332-204-8500
홈피 www.hudsonyardsnewyork.com/
　　discover/vessel
운영 월~토 10:00~20:00,
　　일 11:00~19:00
위치 지하철 7선
　　34th St-Hudson Yards역

③

첼시 마켓 Chelsea Market

유명 쿠키 브랜드인 오레오를 만든 회사 나비스코^{Nabisco}가 1900년 경 공장을 세웠다가 뉴저지로 이동하면서 기존의 건물을 재활용해 지금의 첼시 마켓이 되었다. 식사를 하러 오는 뉴요커와 여행자들로 언제 가도 북적이는데, 내부에는 과거 공장에서 쓰던 벽돌과 파이프, 테이블 등이 그대로 남아 있어 더욱 운치가 있다. 뉴욕의 유명 맛집을 한 곳에서 즐길 수 있어 더욱 효율적인 관광이 가능하다.

주소 75 9th Ave
전화 212-652-2110　　홈피 www.chelseamarket.com
운영 월~토 07:00~02:00, 일 08:00~22:00
위치 지하철 A · C · E · L선 8th Ave-14th St역

④

휘트니 미술관
Whitney Museum of American Art

조각가 G.V. 휘트니가 1930년 설립해 지금껏 그 명성을 이어오고 있는 휘트니 미술관. 미국 현대 미술의 발전을 위해 설립되었으며, 미국 신예 작가들의 작품 전시를 통해 그들을 돕고 있다. 2015년 5월 새로 개관해 넓은 공간과 아름다운 허드슨 강의 뷰를 자랑하는데, 층마다 테라스가 설치되어 있어 운치를 더한다. 1층에서는 대니 마이어^{Danny Meyer}가 운영하는 레스토랑 언타이틀^{Untitled}에서 점심과 저녁 식사가 가능하고, 6층 역시 대니 마이어가 운영하는 스튜디오 카페^{Studio Cafe}에서 간단한 샐러드와 토스트, 커피 등을 판매한다. 이곳 역시 야외 테라스가 있어 뷰가 좋다.

주소 99 Gansevoort St
전화 212-570-3600　　홈피 whitney.org
운영 월 · 수~목 · 토~일 10:30~18:00, 금 10:30~22:00
　　(화요일 휴무)
요금 성인 $25, 65세 이상 및 학생 $18, 18세 이하 무료
　　금 19:00~22:00 기부 입장 가능
위치 지하철 A · C · E · L선 8th Ave-14th St역

⑤

리틀 아일랜드 Little Island

자연과 예술을 모두 체험할 수 있도록 허드슨 강가의 공원에 세운 인공 섬의 복합문화공간이다. 오르락내리락하면서 걷다 보면 뉴욕과 뉴저지가 색다른 느낌으로 보인다. 모든 연령대가 소화할 수 있도록 다양한 음악, 춤, 연극, 코미디 등의 공연이 있으니 방문 전 정보 체크는 필수!

주소 Pier 55 at Hudson River Park
　　Hudson River Greenway
홈피 littleisland.org
운영 06:00~23:00
위치 지하철 A · C · E · L선 14th St역

1

스타벅스 리저브 로스터리
Starbucks Reserve Roastery

스타벅스 리저브 로스터리가 2018년 12월 23일 세계에서 네 번째로 하이 라인 파크 바로 위에 오픈했다. 3개의 층으로 꾸며졌는데 알코올과 커피를 모두 제공하는 2층의 Arriviamo Bar가 인상적이다. 원두를 직접 볶는 기계와 여러 식물로 장식한 내부는 언제나 사진을 촬영하는 사람들로 북적이며 다양한 디저트와 간단한 식사류까지 판매하고 있어 늘 인기이다.

주소 61 9th Ave
홈피 starbucksreserve.com
운영 월~목 07:00~22:00, 금~토 07:00~23:00
요금 $5~
위치 지하철 A · C · E · L선 8th Ave-14th St역

2

브루클린 베이글
Brooklyn Bagel & Coffee Company

뉴요커들이 사랑하는 브랜드인 브루클린 베이글은 고소하고 파삭하면서도 속은 부드러워 베이글을 싫어하는 사람이라 할지라도 한 번 맛보면 그 생각이 달라질 정도이다. 다양한 종류의 신선한 크림치즈 또한 이곳만의 장점인데 블루베리, 시나몬, 두부 등이 섞인 크림치즈가 특히 인기 있다. 커피 또한 유명하니 베이글과 함께 맛볼 것을 추천한다.

주소 286 8th Ave   전화 212-924-2824
홈피 bkbagel.com
운영 월~금 06:30~15:00, 토~일 07:00~15:00
요금 $5~   위치 지하철 C · E선 23rd St역

3

잭스 와이프 프레다 Jack's Wife Freda

남아프리카공화국, 이스라엘, 그리고 뉴욕식 요리가 합쳐진 지중해 스타일의 음식점이다. 무엇을 주문해도 맛있을 만큼 신선한 재료로 음식을 만들기에 맛이 좋다. 지점이 여러 곳에 있고 오랜 시간 같은 자리에서 운영되고 있을 만큼 맛이 보장된 곳. 식당 이름 속 '잭'은 요하네스버그에서 결혼한 오너의 할아버지, '프레다'는 그의 할머니 이름에서 따왔다.

주소 116 8th Ave
전화 646-454-9045
홈피 jackswifefreda.com
운영 월~수 08:30~22:00,
　　　목~토 08:30~23:00
　　　일 08:30~21:00
요금 $40~
위치 지하철 1 · 2선 18th St역,
　　　A · C · E · L선 14th St역

❶
부다칸 Buddakan

세계적인 디자이너 크리스찬 디올 콘셉트의 실내 디자인으로 유명한 부다칸은 영화 〈섹스 앤 더 시티〉에서 주인공 캐리와 빅의 웨딩 리허설 디너 촬영지였다. 음료를 마시면서 대기하는 리셉션을 지나 메인 홀로 들어서면 마치 오래된 고성에 온 듯한 착각에 빠지는데, 높은 천장의 거대한 샹들리에와 긴 테이블이 시선을 끈다. 동서양의 느낌이 혼합된 여러 섹션의 공간들은 지루할 틈이 없으며 모던 아시안 요리를 지향하는 곳답게 음식 또한 맛있다. 고급스럽고도 로맨틱한 분위기를 원한다면 추천한다.

주소	75 9th Ave
전화	212-989-6699
홈피	www.buddakannyc.com
운영	월~목 17:30~22:30,
	금 17:00~24:00, 토 16:00~24:00,
	일 16:00~23:00
요금	$17~
위치	지하철 A · C · E · L선
	8th Ave-14th St역

Night Life
❷
르 뱅 Le Bain

허드슨 강과 월 스트리트, 뉴저지의 야경이 한눈에 들어오는 스펙터클한 곳이다. 더 스탠더드 호텔의 루프톱에 위치하고 있으며 한 층에는 DJ 부스와 개인 파티용 풀장이, 그 위층으로는 야외 옥상의 바가 펼쳐진다.

주소	444 W 13th St
전화	212-645-7600
홈피	www.standardhotels.com/
	new-york/features/le-bain
운영	수 22:00~04:00,
	목~금 16:00~21:00, 22:00~04:00,
	토 14:00~21:00, 22:00~04:00,
	14:00~24:00(월~화요일 휴무)
요금	1인 $30~
위치	지하철 A · C · E · L선
	8th Ave-14th St역

Night Life

③

더 톱 오브 더 스탠더드 The Top of the Standard

더 스탠더드 호텔의 루프톱에 위치하고 있는 바이다. 분위기도 고급스럽고 일
하는 직원들의 매너 또한 좋으나 복장을 신경 써야 하며 안주와 술 모두 가격
이 비싼 편이다. 저녁이면 라이브 음악이 연주되고 뉴저지와 미드타운이 한눈
에 보이는 멋진 곳이라 뉴요커들의 파티 장소로 인기가 많다.

주소 444 W 13th St
전화 212-645-4646
홈피 www.standardhotels.com/
　　 new-york/features/top-of-
　　 the-standard
운영 월 · 금 16:00~24:00,
　　 토~일 16:00~02:00
요금 $60~
위치 지하철 A · C · E · L선
　　 8th Ave-14th St역

Night Life : 추천

④

230 피프스 230 Fifth

230 피프스는 미드타운과 매디슨 스퀘어 파크 사이에 위치하는데, 건물 옥상
에 자리하고 있어서 다른 호텔 바에 비해 넓다. 뉴욕의 상징 빌딩이라 할 수
있는 메트라이프 빌딩과 크라이슬러 빌딩을 가까이서 볼 수 있어 신선하고,
특히 엠파이어 스테이트 빌딩은 정면이 바로 보인다. 실외에는 테이블 사이
사이에 야자수가 놓여 있어 이국적인 정취까지 느낄 수 있다. 겨울철이면 찬
바람이 불어도 실외 테이블에 앉을 수 있도록 두툼한 빨간 코트를 준비해 놓
아 1년 내내 방문이 가능하다.

주소 230 5th Ave
전화 212-725-4300
홈피 www.230-fifth.com
운영 월~목 14:00~02:00,
　　 금 14:00~04:00, 토 11:00~04:00,
　　 일 11:00~02:00
요금 $20~
위치 지하철 N · R선 28th St역

RH New York

건물 하나에 통째로 럭셔리와 우아함을 담아 전시해 둔 곳이다. 지하 1층부터 4층까지는 가구와 소품을 판매하고, 5층은 루프톱 레스토랑을 운영 중이다. 각 공간이 주는 멋스러움과 화려한 인테리어에 반하게 되는 곳. 3층에는 커피와 와인을 즐길 수 있는 바가 있는데 실제 판매 중인 소파 아무 곳에서나 앉아 먹을 수 있어 즐겁다. 꼭 무얼 사지 않더라도 눈호강 하기 좋은 곳.

주소 9 9th Ave
전화 212-217-2210
홈피 rh.com/NewYork
운영 10:00~21:00
위치 지하철 A · C · E · L선 14th St역

룰루레몬 Lululemon

캐나다 브랜드지만 미국에서도 언제나 인기인 요가 운동복 브랜드이다. 러닝을 즐기는 뉴요커의 절반 정도는 이 브랜드를 입고 있을 만큼 많은 이들이 즐겨 찾는다. 옷감 소재별, 길이별로 나누어져 있고, 아시안과 글로벌핏 등으로 세분화되어 있으니 매장에서 직접 입어보고 만져본 후 구매할 것을 권한다. 그 어떤 옷보다 탄성이 오래 가고 보풀이 나지 않는 최고의 운동복이다.

주소 408 W 14th St
전화 212-255-2978
홈피 shop.lululemon.com
운영 10:00~19:00
위치 지하철 1 · 2 · 3선 14th St역

①

첼시 인터내셔널 호스텔 Chelsea International Hostel

투숙 가능한 침대 수만 400여 개가 있는 거대한 호스텔로, 지은 지 오래되어 내부는 좁고 시설도 낡았지만 경제적으로 머물 수 있어 인기가 좋다. 공동욕실과 키친이 있으며 조식은 포함이다.

주소	251 W 20th St
전화	212-647-0010
홈피	www.chelseahostel.com
요금	$70~
위치	지하철 1 · C · E선 23rd St역

 ②

셀리나 첼시 뉴욕 시티 Selina Chelsea New York City

멕시코 호텔 그룹 Grupo Habita가 뉴욕에 오픈한 디자인 부티크 호텔로, 작은 수영장이 운치를 더하는 루프톱이 유명하다. 전체적으로 룸과 욕실은 작은 편이고, 룸의 침대는 나무로 이루어진 테두리 기둥에 매트리스만 있는 구조라 독특하다. 아이패드를 통해 룸서비스를 주문할 수 있어 편리하며, 이솝Aesop 어메니티를 사용한다.

주소	518 W 27th St
전화	212-216-0000
홈피	www.selina.com/usa/chelsea-new-york-city
요금	$300~
위치	지하철 C · E선 23rd St역

©Selina Chelsea New York City ©Selina Chelsea New York City

 ③

더 스탠더드 The Standard

하이 라인 파크와 연결되어 있는 유명 부티크 호텔로, 벽 한 면 전체가 통유리로 되어 있는 것이 유명하다. 룸과 욕실은 작은 편이지만 옥상에 자리한 바인 르 뱅과 더 톱 오브 더 스탠더드가 유명하니 투숙하는 기간에 꼭 한 번 들러볼 것을 추천한다.

주소	848 Washington St
전화	212-645-4646
홈피	www.standardhotels.com
요금	$330~
위치	지하철 A · C · E · L선 8th Ave-14th St역

06 유니언 스퀘어 & 그래머시
Union Square & Gramercy

유니언 스퀘어와 그 주변은 광장을 중심으로 여러 개의 지하철 노선과 대형 슈퍼마켓, 쇼핑 숍 등이 줄줄이 늘어서 있는 젊음의 거리이다. 뉴요커들의 약속 장소로 유명하며, 그로 인해 언제 가도 늘 북적인다. '다리미 빌딩'이라는 별칭으로 유명한 플랫아이언 빌딩Flatiron Building이 이 지역의 이정표 역할을 해 건물을 보며 현재 자신의 위치와 앞으로 갈 곳을 가늠해볼 수 있다.

Writer's Story ㅣ 유니언 스퀘어는 언제 가도 사람들이 많다. 주변에 뉴욕 대학교가 있어서인지 기본 연령은 10~20대이다. 이들의 틈에서 나는 안 힘든 척 열심히 걸어 다니곤 한다. 이곳은 특히 쇼핑할 것이 많아 즐거운데, 그중에서도 내가 가장 아끼는 곳은 노드스트롬 랙이다. 미국의 고급 백화점 노드스트롬의 이월상품을 판매하며 아이템이 많진 않으나 일단 고르면 무조건 대박이다. 워낙 저렴하게 판매하니 말이다. 이곳에서 쇼핑을 하다가 눈앞에 아른거리는 친구들을 위해 얼마나 많은 구매 대행을 해주었던가. 친구들은 정말 이 가격에 살 수 있냐며 놀라워했고 나는 저렴한 가격으로 인심을 쓸 수 있어 즐거웠다. 사실 고백하자면 지금도 뉴욕에 가면 가장 먼저, 그리고 가장 많이 방문하는 스폿 1순위이다. 혹시라도 이곳을 지나다가 필자와 만난다면, 우리 서로 반갑게 웃으며 아는 척하기로 해요! :)

To Do List
☐ 잇탈리에서 이태리식 식사하기
☐ 스트랜드 북스토어에서 쇼핑
☐ 유니언 스퀘어에서 신선한 과일 사기
☐ 셰이크 색 본점에서 햄버거 즐기기
☐ 노드스트롬 랙에서 쇼핑하기

1

유니언 스퀘어 그린 마켓 Union Square Green Market

19세기까지는 고급 주택가였으나 현재는 각종 집회 및 행사로 유명한 광장이다. 광장 안 작은 공원에는 조지 워싱턴의 기마상과 자유의 여신상을 만든 라파예트의 조각이 있다. 뉴요커들의 약속 장소이자 거리 퍼포먼스의 현장이며 현지 예술가들의 작품을 직접 판매하는 곳이기도 하다. 광장에서는 매주 4회 그린 마켓을 오픈하는데, 뉴욕 주변의 농장에서 직접 재배하고 키운 신선한 야채와 빵, 고기, 잼, 치즈 등을 판매한다. 가격이 저렴하지는 않으나 믿고 살 수 있는 품질이라 뉴요커들은 흔쾌히 지갑을 연다.

주소	E 17th St & Union Sq W
전화	212-788-7476
홈피	www.grownyc.org
운영	월·수·금·토 08:00~18:00
	(화·목·일요일 휴무)
위치	지하철 4·5·6·L·N·Q·R선
	14th St-Union Sq역

2

스트랜드 북스토어 Strand Bookstore

1927년부터 지금껏 뉴욕 최고의 서점으로 군림하고 있다. 맨해튼 시내를 걷다 보면 스트랜드의 에코 백이나 각종 기념품을 쉽게 볼 수 있을 만큼 대중적인 곳이다. 지하 1층에서 지상 3층까지 총 4개의 층으로 구성되어 있는데, 중고 서적부터 신규 서적까지 2,500만 권의 책들이 총망라되어 있다. 2층은 예술 관련, 3층은 희귀본 위주이며 신규 서적은 정가보다 저렴하게 판매해 인기가 많다. 또한 가장 뉴욕스럽고도 가격 부담 없는 기념품을 구매하기 좋은 곳이기도 하다.

주소	828 Broadway
전화	212-473-1452
홈피	www.strandbooks.com
운영	10:00~20:00
위치	지하철 4·5·6·L·N·Q·R선
	14th St-Union Sq역

③ 잇탤리 Eataly

뉴욕의 유명 셰프 마리오 바탈리^{Mario Batali}가 적극 후원한 잇탤리는 이태리식 식재료와 식음료, 꽃, 책, 커피, 아이스크림, 와인, 그리고 각종 주방용품 등 이태리와 관련된 고급문화를 판매하고 요리 강습까지 진행하는 종합 식료품점이다. 식재료를 파는 공간 사이에서 음식을 직접 만들어 파는 덕에 식사 해결도 가능하다. 꾸준한 인기에 힘입어 현재는 다운타운에도 매장이 추가 운영 중이다.

주소	200 5th Ave
전화	212-229-2560
홈피	www.eataly.com
운영	09:00~22:00
	(추수감사절, 크리스마스 휴무)
위치	지하철 N·R선 23rd St역

＊잇탤리 지점 소개

Downtown
주소 4, World Trade Center,
   101 Liberty St, 3rd Floor
전화 212-897-2895
운영 08:00~21:00

④ 그래머시 파크 Gramercy Park

고급스러운 주거지 그래머시의 거주민들을 위한 전용 공원이다. 실제 거주하고 있는 사람들과 그래머시 파크 호텔 투숙객에 한해서만 입장이 가능해 여행객은 공원의 겉모습만 확인할 수 있다. 특별한 곳이긴 하나 들어갈 수 없으니 만약 근방을 지나칠 일이 있다면 고개를 들어 공원의 모습을 살짝 엿보고 지나가도록 하자.

주소 Lexington Ave &
   E 21st St
위치 지하철 L선
   3rd Ave역,
   지하철 6선 23rd St역

⑤ 매디슨 스퀘어 파크 Madison Square Park

1845년 최초의 야구 경기가 개최되었던 역사를 가지고 있는 특별한 공원이다. 과거에는 조용한 주택가였던 공간이지만 지금은 높은 빌딩숲 사이에 자리하고 있어 도심 속 오아시스와 같은 역할을 한다. 공원 내에는 셰이크 섁의 본점이 있어 늘 붐빈다.

주소 11 Madison Ave	전화 212-520-7600
홈피 www.madisonsquarepark.org	
운영 06:00~23:00	
위치 지하철 N·R선 23rd St역	

⑥ 플랫아이언 빌딩 Flatiron Building

매디슨 스퀘어 파크의 아래쪽에 위치한 빌딩으로 다니엘 번햄Daniel Burnham이 1902년 완공했다. 당시에는 세계 최초로 철제 골조를 이용한 보자르 양식의 건물이어서 더욱 주목을 받았다. 높이 870m의 22개 층이 현재 사용 중이고, 오피스용 건물이기 때문에 관광객은 로비까지만 입장이 가능하다.

주소	175 5th Ave
위치	지하철 N · R선 23rd St역

⑦ 리졸리 Rizzoli

고풍스럽고 아름다운 서점이다. 특히 예술 관련 서적이 다양한 걸로 유명하다. 서점에 들어서는 순간 느껴지는 편안함은 직원들의 미소에까지 스며 있어 부담 없이 책을 뒤적이며 시간을 보낼 수 있다. 클래식 관련 음악 CD 또한 판매하고 있고, 천장의 우아한 샹들리에가 눈요기가 되어주는 고마운 서점이다.

주소	1133 Broadway		
전화	212-759-2424	홈피	www.rizzoliusa.com
운영	월~토 11:30~20:00, 일 11:00~19:00		

Food : 추천

① 비트닉 Beatnic

맨해튼 내에 매장이 하나둘 늘어나고 있는 인기 채식 레스토랑 체인점이다. 매장에서 메뉴를 직접 주문하고 음식을 받아오는 방식이라 매장에서 먹을 것인지 가지고 나갈 것인지를 선택할 수 있다. 팁을 내지 않아도 되니 뉴욕 내의 다른 레스토랑에 비하면 저렴하게 음식을 맛볼 수 있는 편이다. 햄버거와 토스트, 샐러드, 맥앤치즈 등이 주로 인기가 많고, 특히 건강과 다이어트에 관심 많은 여성들이 좋아하는 장소다. 매장 외부는 클래식하면서도 우아해 사진 촬영하기에도 좋다.

주소	60 W 22nd St
전화	347-620-9622
홈피	eatbeatnic.com
운영	11:00~22:00
요금	$9.95~
위치	지하철 1 · R · W선 23rd St역

❷ 세라 바이 비레리아 SERRA by Birreria

뉴욕의 유명 셰프 마리오 바탈리가 투자한 것으로 큰 화제가 되었던 이태리 종합 식료품점 잇탤리의 14층에 위치한 운치 있는 레스토랑이다. 천장이 뚫려 있고 벽 또한 통유리로 되어 있어 뉴욕의 아름다운 스카이라인 감상이 가능하다. 음식 또한 훌륭한데, 이태리 스타일 음식에 생맥주나 커피를 곁들여 즐길 수 있어 언제 가도 인기이다. 낮과 밤의 느낌이 모두 다르므로 기회가 된다면 두 번 모두 방문해볼 것을 추천한다.

주소	200 5th Ave
전화	212-937-8910
홈피	www.eataly.com/us_en/ nyc-la-birreria
운영	11:30~22:00
요금	$35~
위치	지하철 N · R선 23rd St역

Food

❸ 카페 그럼피 Cafe Grumpy

오로지 좋은 커피만을 제공하겠다는 일념 하나로 2006년 브루클린의 그린포인트에서 처음 시작한 카페 그럼피는 직접 로스팅해 맨해튼 여러 매장에 원두를 제공한다. 인기 있는 커피로는 Espresso, Pour Over, Drip Coffee가 있으며 깊고도 풍부한 커피 맛이 일품이라 동네 주민들이 많이 찾아 언제 가도 동네 사랑방 같은 분위기가 매력이 있다. 귀여운 표정을 한 카페의 로고가 재치 만점.

주소	63 Madison Ave
전화	646-779-2848
홈피	cafegrumpy.com
운영	07:00~19:30
요금	$5~
위치	지하철 4 · 6선 28th St역

셰이크 색 Shake Shack

유니언 스퀘어 외식 산업 그룹Union Square Hospitality Group의 대표인 대니 마이어
가 출시한 여러 브랜드 중 하나이다. 그의 모토는 '사람을 기쁘게 할 것, 식음료
에 몰두할 것, 경쟁을 즐길 것'이며 그의 경영 철학은 음식에 그대로 녹아 있다.
셰이크 색의 첫 번째 매장은 매디슨 스퀘어 파크 내에 있는데, 2004년 뉴욕 시
가 공모한 공원 입점 식당에 낙찰된 후 지금은 전 세계에 70개 이상의 매장을
낸 유명 브랜드가 되었다. 신선한 재료와 항생제를 맞지 않은 소고기를 사용해
맛이 좋으며 햄버거만큼이나 유명한 셰이크도 잊지 말 것. 매디슨 스퀘어 파크
의 지점이 본 매장이면서도 가장 운치가 있다.

주소 Madison Square Park
전화 646-747-2606
홈피 www.shakeshack.com
운영 11:00~23:00
요금 $10~
위치 지하철 6 · N · R선 23rd St역

도스 토로스 타퀘리아 Dos toros Taqueria

빠르고 간편하면서도, 맛있게 먹을 수 있는 멕시칸 음식 패
스트푸드점이다. 신선한 재료로 타코와 부리토를 바로 만
들어주니 가볍게 식사하기 좋다. 가격도 경제적! 맨해튼 내
에 엄청난 속도로 지점이 늘고 있는 중이다.

주소 668 6th Ave
전화 917-810-2544   홈피 dostoros.com
운영 월~목 10:30~20:00, 금~일 11:00~20:00
요금 $5~
위치 지하철 Q선 East 23rd St역

포리너 NYC Foreigner NYC

스페셜티 커피 회사인 Panther의 원두로 맛있는 커피를
만들어 판매하는 카페이다. 내부는 모던하고 쿨한 느낌으
로 꾸며져 있으나 공간이 작아 안타깝게도 앉을 좌석은 야
외의 의자 몇 개가 전부. 베이커리류도 함께 판매 중이다.

주소 64 W 21st St
홈피 www.foreigner.nyc
운영 월~금 08:00~17:00, 토~일 09:00~17:00
요금 $5~
위치 지하철 4 · 6선 28th St역

고담 바 & 그릴 Gotham Bar & Grill

1984년 오픈해 현재까지 많은 뉴요커에게 사랑받고 있는 고담 바 & 그릴은 미슐랭 1 스타를 꾸준히 유지하고 있다. 내부가 특히 우아하고 넓은데, 탁 트인 높은 천장의 거대한 조명과 큰 창을 통해 보이는 풍경, 고급스러운 서비스 등이 더해져 더욱 품격 있는 레스토랑으로 느껴진다. 프리 픽스Prix Fixe 이용 시 품질 대비 저렴한 점심 식사를 즐길 수 있으며, 와인 리스트 또한 훌륭하다.

주소	12 E 12th St
전화	212-380-8660
홈피	www.gothambarandgrill.com
운영	월~금 12:00~14:00, 16:00~21:30, 토 16:00~21:30(일요일 휴무)
요금	$50~
위치	지하철 4·5·6·L·N·Q·R선 14th St-Union Sq역

그래머시 태번 Gramercy Tavern

미슐랭 1 스타 레스토랑 그래머시 태번은 대니 마이어의 레스토랑 중 하나로 언제 가도 사람들이 가득하다. 입구의 캐주얼한 분위기의 바는 다양한 꽃 장식이 되어 있어 방문하는 계절마다 다른 느낌을 갖게 한다. 바를 지나 안쪽으로 이어지는 메인 다이닝 룸은 고풍스러우며 그에 맞는 음식 또한 서비스되는 곳이니 멋스럽게 차려입고 한 번쯤 제대로 된 미국 음식을 즐겨보자.

주소	42 E 20th St
전화	212-477-0777
홈피	www.gramercytavern.com
운영	11:30~22:30
요금	디너 $140~
위치	지하철 6선 23rd St역

아니타 마마 델 젤라또 Anita Mamma del Galato

20여 년 전 지중해의 한 가정집에서 시작된 브랜드. 막내아들 니르와 친구들을 위해 만든 것이 유명해져 시장에서 카트에 아이스크림을 팔기 시작한 후 형인 아디와 함께 브랜드화에 성공했다. 현재 호주, 영국, 푸에르토리코 등으로 확장 중이며, 150여 가지 이상의 맛 중 골라 먹을 수 있다. 새로운 맛이 추가될 때마다 원조 오너인 아니타의 허락을 받아야 한다고. 매장 인테리어도 예쁘다. 늘 긴 줄이 있지만 한번 맛보면 잊을 수 없는 맛!

주소	1141 Broadway
홈피	www.anita-gelato.com
운영	08:00~24:00
요금	$5~
위치	지하철 4·6선 28th St역

Food
⑩

조 커피 Joe the Art of Coffee

조 더 아트 오브 커피(줄여서 조 커피라고 불림)는 2003년 웨스트 빌리지에서 시작한 뉴욕 커피 브랜드이다. 커피의 맛이 깊고도 강한데, 쓰거나 시지 않고 거부감 없이 입맛을 자꾸만 끌어당기는 매력을 지녔다. 커피와 함께 판매하는 쿠키 또한 인기가 많다.

주소 9 E 13th St
전화 212-924-3300
홈피 www.joenewyork.com
운영 월~토 07:00~18:30,
　　　일 07:00~18:00
요금 $4~
위치 지하철 4·5·6·L·N·Q·R선
　　　14th St-Union Sq역

Food
⑪

에브리맨 에스프레소 Everyman Espresso

2007년 8월 맨해튼에 첫 오픈을 한 이래 지금껏 인기가 많은 곳이다. 30대의 오너 샘 피닉스$^{Sam Penix}$가 직접 운영하는데, 그는 미국 동부 바리스타 대회에서 우승한 경력도 있어 맛에 더욱 신뢰가 간다. 신맛과 고소한 맛이 어우러진 카페 라테가 특히 일품이다. 원두는 카운터 컬처 커피를 사용한다. 운이 좋다면 매장에서 오너를 만날 수도!

주소 136 E 13th St
전화 212-533-0524
홈피 everymanespresso.com
운영 08:00~17:00
요금 $4~
위치 지하철 L선 3rd Ave역

오너를 만난다면 반갑게 아는 척 하자!

Food
⑫

스텀프타운 커피 로스터스 Stumptown Coffee Roasters

에이스 호텔 1층에 위치한 스텀프타운 커피 로스터스는 1999년 미서부의 포틀랜드에서 시작되었다. 깊고 풍부한 맛이 특징이며 공정무역을 통해 유기농 원두만을 취급하는데, 언제 가도 긴 줄이 늘어서 있을 만큼 인기이다. 커피를 만드는 직원들의 빈티지한 복장 또한 보는 재미가 있어 지루하지 않다. 쫀쫀한 거품이 올려진 카페 라테를 꼭 마셔보자!

주소 18 W 29th St
전화 347-414-7805
홈피 www.stumptowncoffee.com
운영 월~금 07:00~15:00,
　　　토~일 08:00~16:00
요금 $4~
위치 지하철 N·R선 28th St역

＊ 스텀프타운 커피 로스터스 지점 소개

Greenwich Village
주소 30 W 8th St
전화 347-414-7802

❶ 더 플래티론 룸 The Flatiron Room

전 세계에서 온 다양한 위스키와 맛있는 음식을 함께 하면서 라이브 재즈 연주를 들을 수 있는 공간이다. 다른 곳과 달리 공연비를 별도로 받지 않고, 칵테일까지 맛있으니 그야말로 완벽하고도 특별한 밤을 보낼 수 있는 곳. 인기가 많으니 사전 예약 필수!

주소 37 W 26th St
전화 212-725-3860
홈피 www.theflatironroom.com
운영 일~목 17:00~24:00,
　　 금~토 17:00~02:00
요금 $40~
위치 지하철 4 · 6선 28th St역

❶ 260 샘플 세일, 노매드
260 Sample Sale, NoMad

정해진 기간에 특정 브랜드의 샘플 세일 제품을 전문적으로 판매하는 곳이다. 맨해튼 시내에 3곳의 매장이 있고 홈페이지나 인스타그램을 통해 브랜드 세일 일정을 공유하고 있으니 미리 체크 후 방문할 것. 입장을 위해 긴 줄을 대기하는 경우도 있다.

주소 260 5th Ave　　　전화 212-725-5400
홈피 www.260samplesale.com
운영 화~토 10:00~19:00, 일 10:00~17:00(월요일 휴무)
위치 지하철 N · Q · R · W선 28th St역

❷ 호카 HOKA

미국 족부 의학회APMA에서 발 건강에 도움을 주는 것으로 승인이 난 제품. 쿠션이 좋아서 트레일 러닝화, 등산화 등으로 인기인 프리미엄 스포츠 러닝 브랜드이다. 발바닥의 앞부분까지 충격이 흡수되어 오래 걷거나 뛰어도 편하다는 장점이 있다.

주소 115 5th Ave　　　전화 347-983-5020
홈피 www.hoka.com
운영 월~토 10:00~19:00, 일 11:00~19:00
위치 지하철 4 · 6선 23rd St역

노드스트롬 랙 Nordstrom Rack

고급 백화점 노드스트롬의 품질 좋은 이월 상품을 저렴하게 판매해 무얼 사도 후회가 없다. 우리나라 직장 여성들이 선호하는 띠어리Theory, 연예인들이 TV에 자주 입고 등장하는 빈스Vince 제품이 많은 편이며 마크 제이콥스, 폴로, 케이트 스페이드, 나이키, 세포라 제품 등도 있다. 코리아타운 근처 대로변에도 지점이 있다.

주소 60 E 14th St
전화 212-220-2080
홈피 www.stores.nordstromrack.com
운영 월~토 10:00~21:00, 일 11:00~19:00
위치 지하철 4·5·6·L·N·Q·R선 14th St-Union Sq역

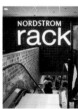

DSW

고급 하이힐 브랜드 마놀로 블라닉부터 해변에서 신는 플립플랍과 스니커즈, 샌들, 장화까지 갖가지 종류의 슈즈를 한 번에 살 수 있는 곳이다. 사이즈별로, 품목별로 구매자가 직접 골라 신어볼 수 있게 진열되어 있어 쇼핑하기 편리하다. 매장 입구에는 가방과 액세서리 등도 판매하니 여유를 갖고 쇼핑할 것을 권한다.

주소 40 E 14th St   전화 212-674-2146
홈피 stores.dsw.com
운영 월~토 09:00~21:00, 일 10:00~20:00
위치 지하철 4·5·6·L·N·Q·R선 14th St-Union Sq역

＊DSW 지점 소개

Penn Station
주소 213 W 34th St   전화 212-967-9703

비콘스 클로짓 Beacon's Closet

뉴욕에서 가장 인기 있는 빈티지 숍이다. 남이 사용했던 중고 물건들이지만 잘만 고르면 대박 아이템을 건질 수 있다. 일반적이지 않은 신선하고 독특한 아이템도 많아 구경하는 재미가 있으니 시간 여유가 있을 때 방문하는 것이 좋다. 옷은 색깔별로 진열되어 있고 그 사이에 가방, 스카프, 구두 등이 전시되어 있다.

주소 10 W 13rd St
전화 917-261-4863
홈피 www.beaconscloset.com
운영 11:00~20:00
위치 지하철 4·5·6·
   L·N·Q·R선
   14th St-Union Sq역,
   지하철 F·M선 14th St역

아크테릭스 Arcteryx

캐나다에서 시작된 아웃도어 브랜드로 가볍고도 실용적인 것이 최고의 장점이다. 모두 핸드메이드로 제작되기 때문에 제품의 마무리가 꼼꼼해 일상복으로도 많은 사랑을 받고 있다. 소호, 어퍼 웨스트 등 지점이 늘어나고 있다.

주소 139 5th Ave   전화 646-861-3507
홈피 www.arcteryx.com
운영 월~토 11:00~19:00, 일 11:00~17:00
위치 지하철 4·6선 23rd St역

⑦

피시스 에디 Fishs Eddy

클래식한 미국식 그릇, 컵, 액자, 엽서, 그림 등의 생활용품을 파는 곳으로, 옛날 미국 영화 속 장면을 보는듯한 느낌. 선물용 아이템을 고르기엔 좋으나 한국으로의 배송은 안 되니 적당한 무게의 것으로 골라보자!

주소 889 Broadway 전화 212-420-9020
홈피 www.fishseddy.com
운영 월~토 10:00~18:00, 일 11:00~18:00
위치 지하철 4 · 6선 23rd St역

⑧

해리 포터 뉴욕 Harry Potter New York

요즘 뉴욕에서 가장 인기 있는 쇼핑 숍으로, 해리 포터 콘셉트의 각종 소품과 아이템들이 모두 있어 마니아들의 열렬한 지지를 받고 있다. 내부는 1층과 지하 1층으로 구성되어 있고 버터맥주를 마실 수 있는 바까지 마련되어 있어 아이들이 선물을 고르는 동안 다른 가족은 맥주를 즐길 수 있어 좋다.

주소 935 Broadway 전화 www.harrypotterstore.com
운영 월~토 09:00~21:00, 일 09:00~19:00
위치 지하철 N · Q · R · W선 23rd St역

⑨

메이드웰 Madewell

1937년 시작된 데님 브랜드. 품질 좋기로 유명한 제이크루 ^{J.CREW} 측이 인수해 현재의 브랜드로 재탄생했다. 재활용되지 않는 플라스틱 관련 제품은 사용하지 않고, 매장 내에서 수선을 해줘 인기가 많다. 유행을 거의 타지 않는 베이직한 디자인과 좋은 품질, 그리고 환경을 생각하는 브랜드의 이념 덕분에 전 세계적으로 인기를 얻는 중이다.

주소 115 5th Ave
전화 212-228-5172
홈피 www.madewell.com
운영 월~토 10:00~20:00, 일 11:00~19:00
위치 지하철 4 · 6선 23rd St역

⑩

플라이트 클럽 Flight Club

나이키, 아디다스, 푸마 등의 인기 브랜드를 모은 운동화 편집숍. 희귀템이나 컬래버 제품이 많아 마니아들의 열렬한 지지를 받고 있다. 매장 자체가 멋스러워 충분한 구경거리가 된다는 것도 또 다른 재미.

주소 812 Broadway
전화 800-778-7879
홈피 www.flightclub.com
운영 11:00~19:00
위치 지하철 4 · 5 · 6 · L · N · Q · R · W선 14st-Union Sq역

①

에이스 호텔 Ace Hotel New York

빈티지하고 스타일리시한 인테리어 덕분에 패션 피플들이 특히 열광한다. 객실은 LP판과 스메그SMEG 냉장고 등으로 장식되어 있고 룸마다 다른 콘셉트로 꾸며져 있다. 예능 프로그램 〈무한도전〉 멤버들이 묵었던 호텔로도 유명하며 호텔 1층에 자리한 스텀프타운 커피 로스터스는 언제 가도 긴 줄이 늘어서 있을 만큼 인기이다.

주소 20 W 29th St
전화 212-679-2222
홈피 www.acehotel.com/newyork
요금 $250~
위치 지하철 N · R선 28th St역

②

프리핸드 호텔 Freehand Hotel

밝고 모던한 분위기의 트렌디한 호텔이다. 유니언 스퀘어 주변에 위치하고 있어 이동하기 편리하며 룸과 냉장고는 작은 편이지만 옥상에 루프톱 바가 있어 뉴욕의 야경을 즐길 수 있다는 장점이 있다. 일부 룸에서는 엠파이어 스테이트 빌딩이 보여 인기가 많다.

주소 23 Lexington Ave
전화 212-475-1920
홈피 freehandhotels.com
요금 $350~
위치 지하철 4 · 6선 23rd St역

건강하지만 맛있게! 유기농 마트 추천
NYC Grocery Store

 추천 **트레이더 조** Trader Joe's

이곳을 처음 발견한 건 정말 우연이었다. 많은 사람들이 이곳 쇼핑백을 두세 개
씩 들고 다니는 것을 보고 그들을 거슬러 따라갔더니 매장 입구에서부터 사람
들로 북적이고 있었다. 호기심에 곧바로 들어가자 그곳은 정말로 천국이었다.
가장 먼저 '바나나 한 개 19센트'라는 매혹적인 문구가 나를 반겼고 다양한 채소,
빵, 육류, 치즈, 우유, 시리얼, 냉동식품, 크래커 등이 진열대 위에서 기다리고 있
었다. 모든 물건은 유기농이지만 가격은 다른 일반 마트와 비슷하거나 더 저렴
하다. 직접 자체 제작해 판매하는 시스템이기 때문. 매장 한쪽에는 시식 코너가
있어 허기질 때 들어가 쇼핑을 해도 짜증이 나지 않는다. 단점이라면 늘 사람이
많아 계산하는 줄이 너무 길다는 것. 그러니 두 명 이상 갈 경우 2인 1조로 짝을
이뤄 한 명은 들어가자마자 줄을 서고 나머지 한 명이 물건을 골라오면 그나마
시간을 단축할 수 있다. 알뜰살뜰하게 생필품을 사고 싶다면 강력 추천한다. 와
인 리스트 또한 가격 대비 훌륭하다. 주요 지점만 소개한다.

주소	142 E 14th St
전화	212-529-4612
운영	08:00~21:00
홈피	www.traderjoes.com
위치	지하철 L선 3rd Ave역,
	지하철 4·5·6·L·N·Q·R선
	14th St-Union Sq역

*
트레이더 조 지점 소개

Upper West Side
주소 2073 Broadway
전화 212-799-0028

Midtown
주소 675 6th Ave
전화 212-255-2106

추천 🏅 홀 푸드 마켓 Whole Foods Market

뉴요커는 먹는 것에 신경을 많이 쓴다. 작은 것 하나를 살 때도 일일이 성분을 따지는 것은 물론이고 인공첨가물이 얼마나 들어 있는지, 소금이나 설탕의 양은 어느 정도인지 꼼꼼하게 체크해서 안내되어 있는 레시피대로 요리한다. 이렇게 음식과 웰빙에 관심이 많다 보니 모든 제품이 유기농인 홀 푸드 마켓은 언제나 대성황이다. 계산대에서 최소한 10분을 기다리는 건 기본인데 유기농 제품은 아니지만 여러 가지 뷰티제품과 생활용품, 욕실제품, 상비약 등도 구비되어 있어 구경하기 좋다. 모든 품질은 최상이고 이러한 것이 오랜 시간 뉴요커들의 인정을 받아 상당히 신뢰받는 브랜드이다. 내부에는 푸드 코트도 있어 간단히 한 끼를 해결할 수 있는데, 유니언 스퀘어의 지점이 특히 인기가 많다. 통유리를 통해 광장을 한눈에 내려다볼 수 있는 멋진 뷰 때문이다.

주소 4 Union Square South
전화 212-673-5388
운영 07:00~23:00
홈피 www.wholefoodsmarket.com
위치 지하철 4·5·6·L·N·Q·R선
14th St–Union Sq역

✱
홀 푸드 마켓 지점 소개
지점마다 운영시간 체크는 필수!

Upper West Side
주소 808 Columbus Ave
전화 212-222-6160

Upper East Side
주소 1551 3rd Ave
전화 646-891-3888

Columbus Circle
주소 10 Columbus Circle
전화 212-823-9600

Midtown East
주소 226 E 57th St
전화 646-497-1222

Chelsea
주소 250 7th Ave
전화 212-924-5969

Bowery
주소 95 East Houston St
전화 212-420-1320

Tribeca
주소 270 Greenwich St
전화 212-349-6555

Brooklyn
주소 214 3rd St, Brooklyn
전화 718-907-3622

Tip 편의점 멤버십 활용하기
뉴욕 시내 블록마다 보이는 CVS, 듀안 리드 Duane Read 에서는 주소와 전화번호만으로 회원가입을 해(체류 중인 곳의 주소를 적으면 됨) 멤버십 카드를 받을 수 있다. 1+1, 추가 할인 등 혜택이 많으니 여행 중 생필품은 이곳에서 구매하여 할인혜택을 받자!

To Do List

☐ 블리커 스트리트 무작정 걷기
☐ 뉴욕 대학교 캠퍼스 즐기기
☐ 북마크에서 쇼핑하기
☐ 매그놀리아 베이커리 컵케이크 먹기
☐ 블루 노트에서 재즈 관람하기
☐ 카페 레지오의 미국 최초 카푸치노
    맛보기

 07 ## 그리니치 빌리지 & 웨스트 빌리지
Greenwich Village & West Village

뉴요커들이 가장 살고 싶어 하는 동네 1순위로 언제나 손꼽히는 곳이다. 미국 드라마나 영화에 나오는 전형적인 뉴욕 거리의 모습을 하고 있으며 미드타운에 비해 상대적으로 관광객이 덜한 편이다. 인기 미국 드라마 〈섹스 앤 더 시티〉의 캐리 브래드쇼가 살던 집의 촬영 장소가 있는 곳이기도 해서 그 집 앞은 늘 열혈 팬들의 방문으로 북적거린다. 산책하듯 걷기 좋은 아름다운 동네이며 '진짜 뉴요커'를 가장 많이 만나 볼 수 있다. 숨겨진 맛집과 쇼핑 숍이 많아 하나하나 찾아내는 재미가 있고, 길을 돌아설 때마다 마주치는 아름답고 소박한 골목에 감동받게 되는, 사랑스러운 거리이다.

❶ 워싱턴 스퀘어 파크 Washington Square Park

조지 워싱턴 대통령의 취임 100주년을 기념하며 만들어진 거대한 아치는 워싱턴 스퀘어 파크는 물론 그리니치 빌리지의 상징이 된 지 오래다. 과거에는 공동묘지였다는 사실이 이색적인데, 지금은 분위기가 완전히 바뀌어 활기찬 기운이 넘쳐난다. 다양한 거리 공연과 퍼포먼스를 펼치는 젊은 뉴요커들을 만날 수 있으며 알차게 꾸며진 화단 덕분에 갖가지 종류의 꽃들도 언제든지 볼 수 있다. 영화 〈어거스트 러쉬〉, 〈해리가 샐리를 만났을 때〉, 〈나는 전설이다〉 속 배경으로도 등장했다.

주소	1 Washington Square East
전화	212-408-0297
홈피	www.nycgovparks.org/parks/ washington-square-park
운영	06:00~24:00
위치	지하철 A·B·C·D·E·F·M선 W 4th Washington Sq역

❷ 뉴욕 대학교 New York University

1832년 개교한 사립 종합대학으로 NYU라고 불린다. 워싱턴 스퀘어 캠퍼스를 중심으로 전 세계 25개 도시의 교육시설, 8개 도서관, 연구 센터를 갖추고 있다. 36명의 노벨상 수상자를 배출한 명문 학교. 아름다운 그리니치 빌리지에 위치해 있어 매년 미국 학생들이 가장 입학하고 싶어 하는 대학으로 뽑힌다. 보라색 깃발이 뉴욕대의 상징!

주소 44 W 4th St
전화 212-998-1212　　　　　홈피 www.nyu.edu
위치 지하철 N·R선 8th St-NYU역, 지하철 4·6선 Bleecker
　　 St역, 지하철 B·D·F·M선 Broadway-Lafayette St역

❸ 〈섹스 앤 더 시티〉 캐리네 집
Carrie Bradshaw's Apartment

미국 인기 드라마 〈섹스 앤 더 시티〉의 주인공인 캐리가 살았던 집으로 여전히 팬들로 문전성시를 이루는 곳. 사유지이고, 실제로 주민이 거주하는 공간이라 입장은 불가하나 문 앞에서 기념 촬영은 가능하다. 드라마 속 장소를 실제로 보고 싶은 마니아라면 추천!

주소 66 Perry St
위치 지하철 1선 Christopher St역,
　　 지하철 D·F선 West 4th St-Washington Sq역

①

매그놀리아 베이커리 Magnolia Bakery

미국 드라마 〈섹스 앤 더 시티〉에 등장한 이후 엄청난 인기를 자랑하는 곳으로, 레드 벨벳 컵케이크와 바나나 푸딩이 가장 대표적인 인기 메뉴. 너무 달아 한 개를 다 먹기도 힘드니 맛을 보지 않고 컵케이크를 많이 사지는 말 것. Bleecker St의 매장이 본점이다.

주소 401 Bleecker St
전화 212-462-2572
홈피 www.magnoliabakery.com
운영 일~목 10:00~21:00,
　　 금~토 10:00~22:00
요금 $5~
위치 지하철 1선
　　 Christopher St-Sheridan Sq역

＊매그놀리아 베이커리 지점 소개

Upper West Side
주소 200 Columbus Ave at
　　 69th St
전화 212-724-8101

Bloomingdale's
주소 1000 3rd Ave
전화 212-265-5320

Rockefeller Center
주소 1240 Ave of the
　　 Americas at 49th St
전화 212-767-1123

Grand Central Terminal
주소 Grand Central Terminal,
　　 Lower Dining Concourse
전화 212-682-3588

②

마문스 팔라펠 Mamoun's Falafel

팔라펠은 아랍의 유명한 거리 음식으로 병아리콩으로 만든 완자 튀김이다. 이 팔라펠과 토마토, 양배추, 당근 등의 채소를 피타 빵에 넣어 파는 샌드위치가 마문스의 대표 메뉴이다. 1971년 영업을 시작해 지금까지 뉴요커들의 사랑을 받고 있으며 내부에는 테이블이 두 개밖에 없지만 금방 먹고 일어나는 분위기라서 오래 기다리지 않아도 된다.

주소 119 Macdougal St
전화 212-674-8685
홈피 mamouns.com
운영 월~수 11:00~02:00,
　　 목 11:00~03:00,
　　 금~토 11:00~04:00,
　　 일 11:00~01:00
요금 $7~
위치 지하철 A·B·C·D·E·F·M선
　　 W 4th St역

＊마문스 팔라펠 지점 소개

East Village
주소 22nd St, Marks Place
전화 212-387-7747

타임 Taim

이스라엘 출신 변호사 부인과 프랑스 셰프 남편이 차린 캐주얼한 카페이다. 히 브리어로 '맛있다'는 뜻의 Taim은 현재 뉴요커들에게 엄청난 인기를 자랑하고 있는데, 주문받는 즉시 음식을 만들며 밀가루를 사용하지 않기 때문이다. 진한 맛을 자랑하는 스무디 또한 팔라펠만큼이나 인기가 많다. 음식을 주문하고 직 접 찾아오는 시스템이라 팁을 주지 않아도 된다. 간단히 먹고 싶다면 팔라펠 샌드위치를, 여러 가지 메뉴를 먹어보고 싶다면 믹스드 플래터를 시키자.

주소 222 Waverly Place
전화 212-691-1287
홈피 www.taimfalafel.com
운영 11:00~22:00
요금 $10~
위치 지하철 1·2·3선 14th St역

＊타임 지점 소개

Nolita
주소 45 Spring St
전화 212-219-0600

더 리틀 아울 The Little Owl

1990년대 미국을 대표했던 인기 시트콤 〈프렌즈〉에서 주인공들이 거주했던 아 파트의 1층에 자리한 이곳은 폭 찹Pork Chap과 미트볼Meatball이 유명하다. 내부 는 좁아 예약하지 않으면 좌석을 잡기 힘들 정도. 내부 한쪽에 계단으로 만들어 진 작은 공간에서 와인을 마시는 뉴요커들의 모습이 인상적인, 로맨틱한 곳이 다. 통유리로 되어 있어 거리를 감상하며 식사를 즐길 수 있다는 것도 매력적.

주소 90 Bedford St
전화 212-741-4695
홈피 thelittleowlnyc.com
운영 월~금 11:00~22:00,
토~일 16:00~22:00
요금 $30~
위치 지하철 1선
Christopher St-Sheridan Sq역,
지하철 A·B·C·D·E·F·M선
W 4th St-Washington Sq역

부벳 Bevette

이 작은 프렌치 레스토랑은 언제 가도 빈 테이블 하나 없을 만큼 인기가 많다. 고풍스러우면서도 로맨틱한 내부의 인테리어가 멋스럽고, 창밖을 통해 비치는 작은 정원과 테이블은 상당히 사랑스럽다. 브런치로 먹기 좋은 다양한 오픈식 샌드위치와 샐러드, 오렌지 주스 등이 인기이나 무엇을 시켜도 후회되지 않을 만큼 만족스러울 것이다.

주소 42 Grove St
홈피 ilovebuvette.com
전화 212-255-3590
운영 08:00~23:00
요금 $35~
위치 지하철 1선 Christopher St역

⑥
머레이 베이글 Murray's Bagels

뉴욕의 베스트 베이글을 논할 때 늘 최상위에 손꼽히는 곳으로 수많은 종류의 베이글과 크림치즈를 고르는 즐거움이 있다. 씹을수록 쫄깃한 머레이 베이글은 모닝 메뉴 세트(베이글과 크림치즈, 커피)로 아침식사를 대신해도 좋다. 함께 판매하는 커피는 뉴욕의 인기 브랜드인 라 콜롬브La Colombe를 이용해 더욱 만족도가 높다. 베이글 12개 구입 시 1개가 공짜이다.

주소	500 Ave of the Americas
전화	212-462-2830
홈피	www.murraysbagels.com
운영	07:00~15:30
요금	$2~
위치	지하철 1 · 2 · 3 · F · M선 14th St역

*머레이 베이글 지점 소개

Chelsea
주소 242 8th Ave
전화 646-638-1335

⑦
존스 피자리아 John's Pizzeria

1929년부터 운영되고 있어 그 오랜 역사만으로도 이미 신뢰를 얻고 있는 화덕 피자 브랜드이다. 진한 토마토 페이스트와 신선한 야채들이 어우러져 언제 먹어도 질리지 않는다. 늦은 밤에 들러도 술을 마신 후 피자를 먹기 위해 줄을 선 뉴요커들로 언제나 문전성시를 이룬다.

주소	278 Bleecker St
전화	212-243-1680
운영	일~목 11:30~22:00, 금~토 11:30~23:00
요금	$20~
위치	지하철 A · B · C · D · E · F · M선 W 4th St역, 지하철 1선 Christopher St-Sheridan Sq역

*존스 피자리아 지점 소개

Midtown
주소 260 W 44th St
전화 212-391-7560

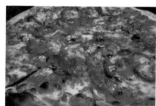

⑧
더 부처스 도터 The Butcher's Daughter

'정육점 주인의 딸'이라는 재미난 이름과 어울리지 않게 채식주의자를 위한 레스토랑이다. 통밀 식빵 위에 으깨서 올린 아보카도 토스트와 이름만 들어도 건강에 좋을 듯한 야채 주스가 인기이고, 콩으로 만든 햄버거 또한 맛있다. 매장은 흰색의 타일과 나무, 식물로 장식이 되어 있어 고급스러운 빈티지함이 느껴진다. 건강을 생각하는 뉴요커들의 인기 맛집이다.

주소	581 Hudson St
전화	917-388-2132
홈피	thebutchersdaughter.com
운영	일~목 08:00~21:00, 금~토 08:00~22:00
요금	$25~
위치	지하철 1선 Christopher St역

Food

⑨

카페 키츠네 Cafe Kitsune

불어의 '집'과 일본어의 '여우'가 합쳐진 뜻의 메종 키츠네^{Maison Kitsune}는 프랑스의 뮤지션 '다프트 펑크'의 매니저였던 '길다 로에크'와 일본인 건축가 '마사야 구로키'가 2002년 음반 레이블로 공동 창업한 브랜드다. 패션, 음악, 카페 등을 합친 문화공간을 제공하고 있고 파리, 도쿄, 홍콩, 서울 등에도 매장이 있다. 감성이 가득한 이 공간에서 꼭 맛봐야 할 것은 '뉴욕 시그니처'. 다크 초콜릿 커피 맛이 환상이다.

주소	550 Hudson St
전화	646-755-8158
홈피	www.cafekitsune.com
운영	일~수 08:00~20:00,
	목 08:00~21:00,
	금~토 08:00~22:00
요금	$6~
위치	지하철 A · C · E · L선 14th St역

Food :추천

⑩

타르탱 Tartine

타르탱은 전형적인 프렌치에 미국식이 가미된 브런치 레스토랑이다. 에그 베네딕트, 연어 샌드위치, 프랑스식 토스트 등이 특히 유명하며 언제 가도 수많은 사람이 대기 중이다. 타르탱에서 판매하는 각종 페이스트리^{Pastry} 또한 황홀할 만큼 맛있으니 잊지 말고 후식까지 챙겨 먹도록 하자.

주소	253 W 11th St
전화	212-229-2611
홈피	tartine.nyc
운영	화 17:00~22:30, 목 11:30~16:00,
	17:00~22:30, 금 11:30~16:00,
	토 11:00~16:00, 17:00~22:30,
	일 11:00~16:00(월, 수요일 휴무)
요금	$30~
위치	지하철 A · B · C · D · E · F · M선
	W 4th St-Washington Sq역

⑪

카페 레지오 Caffe Reggio

1927년 미국 최초의 카푸치노를 시작한 곳으로 역사적인 의미가 깊다. 1902
년 만들어진 에스프레소 머신을 현재까지 사용하기 때문이다. 커피 맛이 좋
다기보다는 운치 있는 내부의 분위기와 역사, 과거 유럽 스타일을 느껴볼 수
있어 지금도 많은 뉴요커들이 즐겨 찾는다. 영화 〈대부 2〉, 〈인사이드 르윈〉에
도 등장했다.

주소	119 Macdougal St
전화	212-475-9557
홈피	www.caffereggio.com
운영	일~목 09:00~03:00, 금~토 09:00~04:30 (월요일 휴무)
요금	$5~
위치	지하철 A·B·C·D·E·F·M선 W 4th St-Washington Sq역

Night Life

❶

블루 노트 Blue Note

뉴욕의 대표 라이브 재즈 클럽으로 그랜드 피아노 모형의 외관이 상징이다.
1981년 오픈한 이래 칙 코리아, 크리스 보티, 케니 G 등의 유명 뮤지션들이 연
주를 했던 곳이며 매일 밤 8시, 10시 반에 2회의 공연이 진행된다. 현장에서는
좌석이 없는 경우가 많으므로 미리 홈페이지에서 스케줄을 확인한 후 예약하는
것이 좋다. 명성에 비해 내부는 좁은 편이지만 사운드는 훌륭하다.

주소	131 W 3rd St
전화	212-475-8592
홈피	www.bluenotejazz.com/nyc
운영	월~토 18:00~24:00, 일 11:00~24:00
요금	$20~
위치	지하철 A·B·C·D·E·F·M선 W 4th St-Washington Sq역

❷
빌리지 뱅가드 Village Vanguard

1935년 오픈해 긴 역사를 자랑한다. 미국 재즈계의 거장인 빌 에반스, 키스 자렛 등의 유명 재즈 뮤지션들이 일찍이 연주를 한 곳으로, 사전에 예약하지 않으면 공연을 관람하기가 어려울 정도이다. 내부는 좁지만 과거 수많은 뮤지션들이 녹음했을 만큼 최고의 사운드를 자랑하며 오래된 뉴욕 재즈의 역사를 느낄 수 있어 감동스럽다. 입장료와 음료수 한 잔의 주문이 필수이다.

주소 178 7th Ave South
전화 212-255-4037
홈피 www.villagevanguard.com
운영 19:00~24:00
요금 입장료 $40+음료 값
위치 지하철 1 · 2 · 3선 14th St역,
　　　지하철 A · B · C · D · E · F · M선
　　　W 4th St-Washington Sq역

❸
카페 와 Cafe Wha

1966년 시작해 지미 헨드릭스나 밥 딜런 등의 뮤지션들이 공연을 했던 곳으로 유명하다. 이곳은 일주일 내내 다른 콘셉트로 공연이 이어지는데 브라질 음악과 삼바, 스탠딩 코미디 등으로 구성되어 있다. 공연 중간 즈음부터 분위기가 한층 무르익으면 모두 자리에서 일어나 함께 어깨동무를 하고 춤을 추며 노래를 부르는 유쾌한 분위기가 된다.

주소 115 Macdougal St
전화 212-254-3706
홈피 cafewha.com
운영 화 19:30~23:00,
　　　수 20:00~24:00,
　　　목 00:00~12:30, 20:00~24:00
　　　금~토 20:00~02:00,
　　　일 20:00~01:30(월요일 휴무)
요금 $15~30
위치 지하철 A · B · C · D · E · F · M선
　　　W 4th St-Washington Sq역

❹ 아줄 온 더 루프톱 Azul on the Rooftop

호텔 휴고^{Hotel Hugo} 내에 위치한 루프톱 바이다. 실내에 있는 휴고 바^{Bar Hugo}
에서 한 층 위로 올라가면 옥상의 근사한 바가 등장하는데, 그곳이 아줄이다.
선남선녀가 많아 언제 가도 들뜨는 분위기이며 엠파이어 스테이트 빌딩부터
뉴저지, 첼시가 다 보이는 전망 때문에 더욱 분위기가 좋다.

주소	525 Greenwich St
전화	212-608-4848
홈피	azulrooftop.com
운영	월~금 17:00~24:00, 토~일 15:00~24:00
요금	$15~
위치	지하철 C · E선 Spring St역

❺ 이어 인 Ear Inn

원래 이름은 'BAR'였는데 간판 일부의 불이 나가면서 보이는 그대로 EAR라
는 이름이 새로 붙은 재미난 곳이다. 1817년부터 영업을 시작한 곳으로 당시
에는 근처가 항구인 덕분에 배가 정착하면 선원들이 내려와 술을 마시는 곳
이었다고. 바 내부는 예전 장식 그대로 닻과 그 당시의 소품으로 꾸며져 있
어 마치 살아 있는 박물관 같다.

주소	326 Spring St
전화	212-226-9060
홈피	theearinn.com
운영	11:30~04:00
요금	$10~
위치	지하철 C · E선 Spring St역

북마크 Bookmarc

브랜드 마크 제이콥스의 디자인으로 만들어진 소품들을 판매하는 곳이다. 그리니치 빌리지의 터줏대감으로 자리한 지 오래라, 매그놀리아 베이커리와 함께 여행객들이 반드시 들르는 곳 중 하나이다. $10~20 정도의 가격으로 기발하고도 재미난 아이디어 제품들을 구매할 수 있어 늘 인기 있는 이곳은 특히 특색 있는 선물을 구입하려는 여행자에게는 필수 코스!

주소	400 Bleecker St
전화	212-620-4021
홈피	marcjacobs.com
운영	11:00~17:00
위치	지하철 1선 Christopher St-Sheridan Sq역

그리니치 레터프레스 Greenwich Letterpress

2006년 오픈한 이곳은 각종 편지지와 봉투, 카드, 소품 등을 판매하는 곳이다. 좋은 품질과 종이를 사용해(그들은 재활용에도 관심이 많고 지구 살리기에도 앞장선다) 보고 만지는 것만으로도 기분이 좋아진다. 빈티지 느낌의 다양한 문구 소품 또한 예뻐서 보는 것마다 사고 싶게 만든다. 친구에게 줄 선물 구입을 위해 혹은 내 눈요기를 위해 얼마든지 즐길 수 있는 기분 좋은 공간이며 체인으로 운영되는 곳이 아니기 때문에 더욱 기억에 남을 것이다. 홈페이지를 통한 온라인 주문 또한 가능하다.

주소	15 Christopher St
전화	212-989-7464
홈피	greenwichletterpress.com
운영	화~토 11:00~19:00, 일~월 12:00~18:00
위치	지하철 1선 Christopher St-Sheridan Sq역

그리니치 빌리지의 동쪽인 휴스턴 스트리트 Houston St에서부터 14th St로 이어지는 지역이며 주로 이민자들이 거주하는 동네이다. 인도, 우크라이나, 러시아, 이스라엘, 일본 이민자들이 특히나 많아 그들만의 문화와 음식을 쉽게 즐길 수 있다. 이곳을 기점으로 주변에는 뉴욕 대학교가 있어 늘 젊은 뉴요커들이 거리를 메운다. 다른 지역에 비해 물가가 저렴하기 때문에 학생들의 방문이 잦은 젊음의 거리이다.

To Do List
☐ 맥솔리 올드 에일 하우스에서
  신선한 생맥주 마시기
☐ 일본, 인도, 우크라이나 거리 걷기
☐ 카페 머드의 진한 뉴욕식 커피!
☐ 베니에로스의 카놀리 맛보기

이스트 빌리지
East Village

피터 쿠퍼 빌리지
스테이브센트 타운
Peter Cooper Village
Stuyvesant Town

톰킨스 스퀘어 파크
Tompkins Square Park

ⓡ 빅 게이 아이스크림
Big Gay Ice Cream Shop

Avenue A

E. 9th St

ⓡ 베니에로스
Veniero's

1st Ave

ⓡ 할랄 가이즈
The Halal Guys

ⓡ 아브라코 에스프레소
Abraco Espresso

1st Ave

스테이브센트 스퀘어
Stuyvesant Square

ⓡ 카페 머드
Cafe Mud

St. Marks Place

E. 7th St

ⓡ 반 리우엔
Van Leeuwen

E. 6th St

ⓡ 라쿠
Raku

E. 5th St

E. 4th St

E. 3rd St

ⓢ 키엘 Kiehl's

E. 14th St

E. 13th St

E. 12th St

E. 11th St

ⓡ 베셀카
Veselka

E. 10th St

E. 9th St

ⓡ 마문스 팔라펠
Mamoun's Falafel

ⓝ 맥솔리스 올드
에일 하우스
McSorley's
Old Ale House

2nd Ave

ⓡ 선대 앤 콘 Sundaes and Cones

3rd Ave

3rd Ave

ⓜⓛ 3rd Ave

Bowery

ⓜ⑥ Astor Place

루퍼 유니언 빌딩
The Cooper Union

Lafayette St

ⓜ ⓝⓡ 8th St-NYU

4th Ave

ⓡ 라 콜롬브
La Colombe

뉴욕 대학교
New York University

ⓜ④⑤⑥ⓛ ⓝⓠⓡ
14th St-Union Sq

유니언 스퀘어 파크
Union Square Park

Broadway

ⓡ 르 팽 쿼티디엥
Le Pain Quotidien

University Place

워싱턴 스퀘어 파크
Washington Square Park

N

①

카페 머드 Cafe Mud

거리의 트럭 카페로 시작했으나 뉴요커들로부터 탄탄한 인기와 명성을 얻은 덕분에 이스트 빌리지에 매장을 낸 유명 커피 브랜드이다. 거리에서 주황색 트럭을 발견한다면 바로 달려가 커피 한 잔을 맛보자. 저렴한 가격으로 즐길 수 있는 좋은 커피이다. 매장의 입구에서 커피를 판매하고 안쪽으로 들어가면 레스토랑이 꾸려져 있다. 브런치로 인기가 많으니 시간이 된다면 두 가지를 모두 체험해 볼 것.

주소	307 E 9th St
전화	212-228-9074
홈피	www.mudnyc.com
운영	월~금 07:30~22:00,
	토~일 08:00~22:00
요금	$4~
위치	지하철 6선 Astor Pl역

②

베셀카 Veselka

1954년 처음 오픈한 우크라이나 레스토랑 베셀카는 우크라이나 이민자에 의해 문을 열었다. 소박하게 홈 메이드 가정식을 판매하다가 입소문이 났는데, 현재까지 그 명성이 이어져 내려와 이스트 빌리지의 터줏대감으로 자리 잡았다. 쉽게 맛볼 수 없는 우크라이나식 만두와 수프를 즐겨보자. 음식에 사용되는 치즈, 소스, 빵을 매일 직접 만들어 더욱 맛이 좋다.

주소	144 2nd Ave
전화	212-228-9682
홈피	www.veselka.com
운영	일~목 08:00~23:00,
	금~토 08:00~24:00
요금	$20~
위치	지하철 6선 Astor Pl역

③

라꾸 Raku

전형적인 사누키 우동을 추구하며 쫄깃한 면발이 일품이다. 판매하는 우동 종류만 16가지인데, 카레 우동과 갈비탕 맛이 나는 우동이 특히 인기. 애피타이저로는 교자와 치킨을 추천한다. 늘 긴 줄이 늘어서 있을 만큼 인기이니 소호에 있는 2호점 방문을 추천한다(소호점은 예약 가능).

주소 342 E 6th St 전화 212-228-1324
홈피 rakunyc.com
운영 화~일 12:00~21:30(월요일 휴무)
요금 $25~
위치 지하철 F선 2nd Ave역, 지하철 L선 1st Ave역

④

반 리우엔 Van Leeuwen

2008년 브루클린의 트럭에서 출발해 지금은 맨해튼 내에 계속 매장을 늘려가고 있는 인기 유기농 아이스크림 브랜드로, 채식 메뉴를 별도로 구비하고 있어 눈길을 끈다. 얼그레이 맛이 가장 인기이고, 원두에 아이스크림을 섞어먹는 아포가토 또한 맛이 좋다.

주소 48 E 7th St
전화 646-476-3865
운영 일~목
11:00~24:00
금~토
11:00~01:00
요금 파인트 1통
$12~
위치 지하철 6선
Astor Pl역

⑤

아브라소 에스프레소 Abraco Espresso

뉴욕 최고의 10대 커피 중 하나로 선정된 곳으로, 기존의 작은 매장에서 넓은 매장으로 확장 이전을 했다. 드립 커피와 에스프레소도 맛있지만 가장 유명한 메뉴는 스페인 스타일의 Cortado. 에스프레소 더블샷에 우유를 더해 깊은 풍미가 일품이다.

주소 81 E 7th St
전화 212-388-9731
홈피 abraconyc.com
운영 수~토 08:00~18:00,
일 09:00~18:00(월~화요일 휴무)
요금 $5~
위치 지하철 6선 Astor Pl역

⑥
베니에로스 Veniero's

4대째 그 명성을 이어오고 있는 이태리 스타일의 베이커리이다. 1894년 지금의 자리에 오픈해 다양한 디저트와 베이커리류를 판매하고 있는데 특히 인기가 많은 건 부드러운 치즈케이크와 이태리 시칠리아 지방의 디저트인 카놀리Cannoli, 풍부한 식감의 티라미수이다.

주소 342 E 11th St
전화 212-674-7070
홈피 venierospastry.com
운영 일~목 08:00~22:00,
     금~토 08:00~23:00
요금 $7~
위치 지하철 L선 1st Ave역

⑦
선데 앤 콘 Sundaes and Cones

1991년 브루클린에서 시작해 현재 이스트 빌리지를 지키고 있는 이곳은 집에서 만든 맛의 고급 아이스크림을 선보인다. 와사비, 생강, 옥수수 등이 들어간 아이스크림이 특히 눈에 띄지만 가장 맛있는 건 검은 깨 맛. 한번 맛보면 절대 못 잊을 만큼 매력적이다. 지방이나 설탕이 들어가지 않은 아이스크림도 있으니 건강을 생각한다면 도전해 보자.

주소 95 E 10th St
전화 212-979-9398
홈피 sundaescones.com
운영 일~목 11:00~22:30,
     금~토 11:00~23:30
요금 $5~
위치 지하철 4 · 6선 Astor Pl역

①
맥솔리 올드 에일 하우스 McSorley's Old Ale House

뉴욕에서 가장 오래된 아이리시 스타일 펍으로 1854년에 오픈했으며 링컨 대통령과 케네디 대통령, 존 레논까지 방문한 곳이라 더욱 의미가 깊다. 벽에는 이곳의 오랜 역사에 대해 알 수 있는 기사들이 스크랩되어 있어 구경하는 재미가 있다. 자리가 좁아 모르는 이들과 합석을 해야 하고 시끌벅적한 정신이 없으나 신선한 생맥주(다크와 라이트 중 선택)와 저렴한 안주 덕분에 늘 인기이다.

주소 15 E 7th St
전화 212-473-9148
홈피 mcsorleysoldalehouse.nyc
운영 월~토 11:00~01:00,
　　 일 12:00~01:00
요금 $10~
위치 지하철 4 · 6선 Astor Pl역,
　　 지하철 N · R선 8th St-NYU역,
　　 지하철 L선 3rd Ave역

①
키엘 Kiehl's

한국 여성들이 아끼는 화장품 브랜드 중 하나인 키엘은 1851년 약국으로 시작해 오늘에 이르렀는데 컬럼비아의 약대 출신 존 키엘이 창시자이다. 지금도 매장에는 약사 가운을 입은 직원들이 친절하게 고객 상담을 해준다. 의약품을 기초로 만든 제품인 데다 자극적이지 않아 어떤 피부 타입에도 잘 맞는 편이다. 특히 우리나라에서는 '울트라 페이셜 크림Ultra Facial Cream'이라는 수분 크림이 대세이지만 두피를 케어하는 헤어 제품 라인 또한 추천한다.

주소 109 3rd Ave
전화 212-677-3171
홈피 www.kiehls.com
운영 월~토 10:00~20:00,
　　 일 11:00~18:00
위치 지하철 L선 3rd Ave역

＊키엘 지점 소개

Upper West Side
주소 154 Columbus Ave
전화 212-799-3438

Upper East Side
주소 841 Lexington Ave
전화 917-432-2511

뉴욕의 숨겨진 이색 서점 탐방
NYC Bookstore

뉴욕에는 다양한 분야의 독립서점이 있어 책을 좋아한다면 가볼 만한 곳이 많다. 그중에서도 시간을
내 방문하면 좋을 개성 만점의 독립서점들을 소개한다. 유니크한 선물용 제품들이 많으니 지갑 두둑
하게 채우고 방문할 것! 또한 방문 전 홈페이지를 통해 이벤트, 행사도 체크하자.

01
알베르틴
Albertine

프랑스어로 된 원본과 영어로 번역된 프랑스어책을 판매하는 서점. 일하는 직원들도
프랑스어를 사용한다. 1층과 2층으로 구성되어 있고 중정처럼 가운데가 뚫려 있어 궁
전에 온 듯한 느낌이 든다. 2층 아동 서적 코너의 별자리로 꾸며진 파란 천장과 거대
한 노란 조명의 조화는 완벽하게 아름답다.

주소 972 5th Ave   전화 332-228-2238
홈피 www.albertine.com   운영 월~토 10:00~18:00(일요일 휴무)
위치 지하철 4 · 6선 77th St역

02
북스 오브 원더
Books of Wonder

어린이를 위한 서점으로, 입구에서부터 귀여운 캐릭터가 주인공인 동화책과 오래된
고서 등 다양한 종류의 책이 진열되어 있어 어른이 가도 구경할 것이 많다. 편히 앉아
책을 볼 수 있는 공간까지 마련되어 있어 아이와 함께라면 더욱 유익한 시간을 보낼
수 있는 곳이다. 학군 좋기로 유명한(?) 어퍼 웨스트에도 지점이 있다.

주소 42 W 17th St   전화 212-989-3270
운영 11:00~18:00
위치 지하철 F · M · L선 14th St역

03
워드
Word

그린포인트에 위치한 작고 예쁜 동네 책방으로 주로 현지 주민들이 애용하는 서점이
다. 알차게 꾸며진 내부에는 연령대별, 장르별 다양한 책과 그에 관련된 제품이 꽤 많
이 전시되어 있어 둘러보기 좋다. 책을 사랑하는 이웃들과 함께 즐기는 다양한 행사
가 매월 진행되고 있는 따스한 공간이다.

주소 126 Franklin St   전화 718-383-0096
운영 10:00~19:00
위치 지하철 G선 Greenpoint Ave역

09 소호 & 노리타 & 노호
SoHo & Norita & NoHo

소호는 'South of Houston Street'의 약자로 휴스턴 스트리트 남쪽에 위치한 뉴욕의 패션 & 쇼핑 1번지이다. 소호를 중심으로 차이나타운과 그리니치 빌리지, 트라이베카가 주변에 위치해 있으며 소호 최고의 중심가는 남북으로 이어지는 스프링 스트리트Spring St와 웨스트 브로드웨이West Broadway다. 유명 브랜드의 최신 상품을 가장 먼저 만나볼 수 있고 로컬 예술가들의 작품도 여기저기서 쉽게 즐길 수 있다. 소호의 북쪽과 리틀 이태리의 북쪽을 뜻하는 노호와 노리타는 세련되고도 멋진 상점과 레스토랑이 많아 언제나 인기가 많다. 뉴욕이 얼마나 트렌디한 도시인지를 가장 빠르고 확실하게 느낄 수 있는 지역이다.

Writer's Story | 소호에서 내가 가장 사랑하는 곳은 '맥널리 잭슨 북스'이다. 작은 서점이지만 감각적인 내부 인테리어 덕분에 갈 때마다 기분이 좋아진다. 전구와 책들이 가득 매달려 있는 멋스러운 천장 장식도 시선을 잡아끌고, 도서관에 있는 1인용 의자로 좌석을 배치한 센스 또한 기가 막히다. 이곳을 아끼는 또 다른 이유는 바로 서점 입구의 카페 때문이다. 뉴욕에서 맛보기 어려운(워낙 줄이 길어서!) 스텀프타운 커피가 있다는 사실. 다른 매장에선 한참을 줄 서야 맛볼 수 있는 커피를 이 아름다운 카페에선 편하게 마실 수 있다는 것이 몹시 매력적이다. 그래서 이곳에 갔다 하면 책도 구경할 겸 카페에서 커피도 마실 겸 늘 오랜 시간을 머물게 된다. 소호의 숨겨진 나의 아지트이다! 자, 이제 특별히 여러분들께만 공개했으니 저처럼 잘 즐겨보시기를!

To Do List
□ 소호 거리의 로컬 브랜드 쇼핑하기
□ 맥널리 잭슨 북스 구경하기
□ 도미니크 앙셀 베이커리 크로넛 체험
□ 카페 하바나에서 '마약 옥수수' 먹기
□ 라 콜롬브 카페에서 여유 즐기기

소호 & 노리타 & 노호
SoHo & Norita & NoHo

N

Houston St
뉴욕 대학교
New York University

파더 페이건 파크
Father Fagan Park

6th St

⚏ 라 콜롬브
La Colombe

Houston St

⚏ 보워리 호텔
The Bowery Hotel

⚏ 모모후쿠 코
Momofuku Ko

사라 D. 루스벨트 파크
Sara D. Roosevelt Park

Ⓜ Ⓑ Ⓓ
Grand St

Ⓜ Ⓙ Ⓩ
Bowery

Bowery

⚏ 카페 하바나
Cafe Habana

⚏ 키스 Kith
Ⓜ Ⓑ Ⓓ Ⓕ Ⓜ
Broadway-Lafayette St

Bleecker St

E. Houston St

⚏ 어번 아웃피터스
Urban Outfitters

Ⓢ 하우징 웍스 북스토어 카페
Housing Works
Bookstore Cafe

Ⓢ 앤 아더 스토리즈
& Other Stories

⚏ 맥널리 잭슨 북스
McNally Jackson Books

⚏ 라 콜롬브
La Colombe

⚏ 크로스비 스트리트 호텔
Crosby Street Hotel

⚏ 루비스 카페
Ruby's Cafe

⚏ 타임 Taim

⚏ 롬바르디스 피자
Lombardi's Pizza

⚏ 에일린스 스페셜 치즈케이크
Eileen's Special Cheesecake

Broome St

Grand St

⚏ 르 쿠쿠
Le Coucou

⚏ 이솔라
Isola

Ⓝ Ⓡ
Prince St

Ⓢ 모마 디자인 스토어
MoMA Design Store

Ⓢ 올버즈
Allbirds

Ⓢ 발타자르
Balthazar

Spring St
Ⓜ Ⓖ

아리치아 Aritzia

Ⓢ 블루밍데일 백화점
Bloomingdale's

W. Huston St

마크 제이콥스 Ⓢ
Marc Jacobs

머서 키친 ⚏
The Mercer Kitchen

The
Mercer
Hotel

세포라 Ⓢ
Sephora

나이키 소호 Ⓢ
Nike Soho

브랜디 멜빌 Ⓢ
Brandy Melville

마이클 코어스 Ⓢ
Michael Kors

Crosby St

Mercer St

CB2 Ⓢ

Greene St

The Broome Hotel
더 브룸 호텔

Ⓜ Ⓝ Ⓠ Ⓡ

Broadway

Prince St

촤바니 소호 ⚏
Chobani SoHo

애플 스토어 Ⓢ
Apple Store

더 리얼리얼 Ⓢ
The RealReal

도미니크 앙셀 베이커리 ⚏
Dominique Ansel Bakery

Spring St

Wooster St

르 팽 쿼티디엥 ⚏
Le Pain Quotidien

W. Broadway

Thompson St

Sullivan St

Ⓜ Ⓒ Ⓔ
Spring St

Ⓜ Ⓐ Ⓒ Ⓔ
Canal St

Canal St

Ⓜ Ⓐ Ⓒ Ⓔ
Canal St

Ⓜ ➀
Canal St

Ⓜ ➀
Houston St

르 팽 쿼티디엥 ⚏
Le Pain Quotidien

⚏ 라 콜롬브
La Colombe

맥널리 잭슨 북스 McNally Jackson Books

소설에서부터 디자인과 관련된 책들까지 구비하고 있는 노리타의 독립 서점 맥널리 잭슨 북스. 천장에는 책을 이용한 조명이 있고, 벽에는 자전거가 매달려 있는 내부 인테리어가 특히 멋있다. 서점 내부의 카페 벽면은 도서관 의자로 꾸며져 있어 책 구경 외에도 매장을 둘러보는 재미가 있다. 서점 특유의 세련되고도 따뜻한 분위기 덕분에 늘 인기이다. 이러한 이유로 지금도 뉴욕 시내 곳곳에 지점이 늘어나고 있는 중이다.

주소 52 Prince St
전화 212-274-1160
홈피 www.mcnallyjackson.com
운영 10:00~20:00
위치 지하철 6선 Spring St역,
　　지하철 N · R선 Prince St역

Food

르 쿠쿠 Le Coucou

프랑스에서 레스토랑 2개를 차린 후 미국으로 돌아온 다니엘 로즈가 유명 레스토랑 경영자 스테판 스타와 협업해 만든 미국 내 첫 식당. 우아하고도 클래식한 분위기가 아름다워 데이트 장소로 인기이다. 최근 넷플릭스 드라마 〈애나 만들기〉에도 등장해 더욱 유명세를 타고 있다.

주소 138 Lafayette St
전화 212-271-4252
홈피 lecoucou.com
운영 월·토 11:30~14:00, 17:00~23:00
　　일 11:30~14:00, 17:00~22:00
위치 지하철 4 · 6선 Lafayette St역

Food

초바니 Chobani

2005년 튀르키예 이민자에 의해 만들어진 브랜드로, 현재 미국 요거트 시장의 58%를 점령한 거대기업이다. 신선하고 품질 좋은 요거트가 입소문을 타고 인기를 얻었다. 슈퍼마켓에서 요거트만 구매할 수도 있지만, 요거트 위에 토핑을 얹은 볼이나 샐러드, 드링크 등을 선택할 수 있어 더욱 사랑받는다. 저렴하지 않은 가격이 유일한 흠.

주소 152 Prince St
전화 212-364-3970
홈피 chobani.com
운영 08:00~17:00
요금 $5~
위치 지하철 C · E · F선 Spring St역,
　　Q · R · W선 Prince St역

카페 하바나 Cafe Habana

1998년 오픈해 지금껏 그 자리를 지켜오고 있는 카페 하바나는 쿠바 레스토랑이다. 쿠바식 샌드위치와 멕시칸 요리 등이 주메뉴지만 가장 대표적인 것은 구운 옥수수이다. 매장의 테이블을 둘러보면 누구나 이 구운 옥수수를 먹고 있을 만큼 인기가 많은 탓에 구운 옥수수를 포장 판매하는 매장이 별도로 마련되어 있다. 칠리 가루와 코티지 치즈Cottage Cheese를 얹은 구운 옥수수는 한번 맛보면 마법에 빠진 것처럼 누구나 중독이 된다고 해서 '마약 옥수수'로 불린다.

주소	17 Prince St
전화	212-625-2001
홈피	www.cafehabana.com
운영	일~목 10:00~22:00,
	금~토 10:00~24:00
요금	$20~
위치	지하철 6선 Spring St역,
	지하철 J · Z선 Bowery역,
	지하철 B · D · F · M선
	Broadway-Lafayette St역

Food

롬바르디스 피자 Lombardi's Pizza

1905년 오픈해 깊은 역사를 자랑하는 곳으로 지구상에서 가장 맛있는 피자집이라는 슬로건이 재미있다. 노리타의 가장 중심가에 위치하고 있어 찾아가기가 쉽다. 언제 가도 수많은 관광객들로 넘쳐나지만 직원들도 친절한 편이다. 기름기라고는 한 방울도 찾아볼 수 없을 만큼 담백하며 토핑 또한 푸짐하게 올려나 더욱 맛이 좋다. 원하는 토핑을 주문한 후 화이트와 레드 소스를 선택한다.

주소	32 Spring St
전화	212-941-7994
홈피	www.firstpizza.com
운영	일~목 12:00~22:00,
	금~토 12:00~24:00
요금	$30~
위치	지하철 6선 Spring St역,
	지하철 J · Z선 Bowery역

Food

루비스 카페 Ruby's Cafe

호주식 레스토랑이지만 한국인들의 입맛에 잘 맞는 파스타 덕분에 언제 가도 대기 줄이 기니 식사 시간은 피해 방문할 것을 권한다. 우리나라 연예인들도 많이 다녀간 것으로 알려졌으며 대표 메뉴는 슈림프 파스타와 브론테 버거지만 무얼 시켜도 맛이 좋아 실망할 일은 없다.

주소	6219 Mulberry St
전화	212-925-5755
홈피	rubyscafe.com
운영	09:00~22:30
요금	$20~
위치	지하철 B · D선 Gand St역,
	지하철 4 · 6 · J · Z선 Canal St역

＊루비스 카페 지점 소개

Gramercy
주소 442 3rd Ave
전화 212-300-4245

에일린스 스페셜 치즈케이크 Eileen's Special Cheesecake

1976년 오픈한 작은 매장이지만 그 명성은 위대하다. 여러 가지 디저트류와 커피를 판매하고 있으며 치즈케이크가 가장 인기 있다. 부드럽고 고소한 맛이라 느끼한 음식 혹은 딱딱한 치즈케이크를 싫어하는 사람이라면 이곳의 치즈케이크가 정답이다. 하루에 하나씩 옆에 두고 먹고 싶은 귀여운 케이크다.

주소 17 Cleveland Place
전화 212-966-5585
홈피 www.eileenscheesecake.com
운영 일~목 11:00~19:00,
　　　금~토 11:00~20:00
요금 $10~
위치 지하철 6선 Spring St역

도미니크 앙셀 베이커리 Dominique Ansel Bakery

2013년 5월 도미니크 앙셀 베이커리에서 시작된 크로넛은 크루아상과 도넛이 합쳐진 말로써 현재 뉴욕에서 가장 인기 있는 빵 중 하나다. 페이스트리 반죽으로 도넛 형태를 만들고 그 안에 초콜릿 시럽과 딸기 잼을 넣어 튀긴 빵이며 겉은 바삭하고 안은 여러 겹의 페이스트리와 크림 덕분에 폭신폭신하다. 이른 새

주소 189 Spring St
전화 212-219-2773
홈피 dominiqueansel.com
온라인 예약
cronutpreorder.com
운영 08:00~19:00
요금 $10~
위치 지하철 C·E선 Spring St역,
　　　지하철 N·R선 Prince St역

벽부터 사람들이 줄을 서는 진풍경이 벌어지는데, 1인당 2개까지 구매가 가능하며 매장은 15명씩 입장할 수 있다. DKA라는 빵과 쿠키도 인기 있다. 온라인 사이트에서는 2주 전, 1인당 최대 6개까지만 주문이 가능하다.

발타자르 Balthazar

보조 웨이터와 벨보이를 거쳐 인기 셰프로 거듭난 키스 맥널리^{Keith Mcnally}의 대표 레스토랑인 발타자르는 여행자들은 물론이고 현지의 유명 셀러브리티들에게도 인기가 많다. 이곳은 프렌치 스타일의 음식을 추구하며 특히 베이커리가 유명해 다른 뉴욕 시내 레스토랑에서도 쉽게 만날 수 있을 정도이다.

주소 80 spring St
전화 212-965-1414
홈피 www.balthazarny.com
운영 월~금 08:00~11:00,
　　　11:30~16:30, 17:00~24:00,
　　　토~일 09:00~16:00, 17:00~24:00
요금 $30~
위치 지하철 6선 Spring St역

⑨ 라 콜롬브 La Colombe

1994년 필라델피아에서 시작하여 성공적인 뉴욕 입성을 거둔 브랜드로 노호의 매장 분위기가 가장 멋지고 커피 맛도 좋은 편이며, 특히 라테가 인기이다. 공정무역 원두만을 사용하고 병에 든 액상 커피도 판매 중이며 매장 내에 자동판매기가 있어 더욱 재미있다. 고급스럽고도 아름다운 찻잔이 유명하고, 함께 판매하는 쿠키와 크루아상 또한 인기가 많다. 뉴욕 거리를 걷다 보면 매장 입구에 "우리는 라 콜롬브 커피를 판매합니다."라고 쓰여 있는 카페를 자주 보게 될 만큼 실력을 인정받고 있다.

주소 400 Lafayette St
전화 212-677-5834
홈피 www.lacolombe.com
운영 07:00~18:30
요금 $5~
위치 지하철 N · R선 8th St-NYU역,
　　　지하철 6선 Astor Pl역

＊라 콜롬브 지점 소개

SoHo
주소 270 Lafayette St
전화 212-625-1717

Hudson Square
주소 75 Vandam St
전화 212-929-9699

Tribeca
주소 319 Church St
전화 212-343-1515

⑩ 하우징 웍스 북스토어 카페 Housing Works Bookstore Cafe

뉴욕에서 유명한 비영리단체로 시민들에게 기부받은 중고 서적과 CD, LP와 함께 커피를 판매하는 카페다. 이곳의 모든 수익금은 에이즈 환자와 노숙자에게 기부되며 일하는 사람들은 모두 자원봉사자이다. 사람들로 늘 북적이지만 차분하면서도 깔끔한 분위기가 좋아 커피 한잔 즐기기 좋다. 저렴한 가격에 책도 사고 내가 지불하는 비용이 좋은 일에 쓰이니 뿌듯하기까지 하다.

주소 126 Crosby St
전화 212-334-3324
홈피 www.housingworks.org/bookstore
운영 월~토 12:00~19:00,
　　　일 12:00~17:00
요금 $5~
위치 지하철 B · D · F · M선
　　　Broadway-Lafayette St역,
　　　지하철 N · R선 Prince St역

나이키 소호 Nike Soho

나이키 브랜드의 마케팅을 대표하는 5층짜리 크고 넓은 공간이다. 온라인 사이트에 회원가입이 되어 있다면 1층의 멤버십 서비스 데스크에서 생수 등을 제공받을 수 있다. 2~4층에는 남녀별 스포츠웨어와 운동화가 진열되어 있고, 5층에는 마이클 조던의 이름이 붙여진 다양한 제품이 판매 중이다. 이 매장의 최고 장점은 맞춤형 옷이나 신발 구매가 가능하다는 것! 체험해 보고 싶다면 방문해 보자.

주소 529 Broadway
전화 646-850-9682
홈피 www.nike.com
운영 11:00~19:00
위치 지하철 N · R선 Prince St역

앤 아더 스토리즈 & Other Stories

스웨덴의 H&M 사에서 만든 합리적인 모던 컨템퍼러리 브랜드로 최근 인기 급부상 중이다. 기본적인 의류 외에도 속옷, 화장품, 캔들이나 액자, 액세서리 등 라이프 스타일에 필요한 모든 제품을 갖추고 있다. 세련된 매장 분위기에 취해 한참을 봐도 시간 가는 줄 모를 만큼 구경하는 재미가 있다. 특히 액세서리 라인이 훌륭한 편.

주소 575 Broadway
전화 546-767-3063
홈피 stories.com
운영 11:00~20:00
위치 지하철 Q · R · W선 Prince St역

더 리얼리얼 The RealReal

중고 명품 위주 제품을 사고파는 매장이다. 다양한 브랜드가 많아 언제 가도 많은 사람들로 북적인다. 1층엔 여성, 지하 1층엔 남성용 제품이 진열되어 있다. 가격은 저렴하지 않은 편이나 잘 고르면 득템(?)할 수 있는 기회가 많으니, 쇼핑 마니아라면 강추!

주소 80 Wooster St.
전화 212-203-8386
홈피 www.therealreal.com
운영 월~토 10:00~19:00, 일 11:00~18:00
위치 지하철 N · Q · R · W선 Prince St역

아리찌아 Aritzia

캐나다 밴쿠버에서 시작된 편집숍으로, 오랜 시간 소호를 굳건히 지키며 인기 몰이 중이다. 거리를 걷다 보면 수많은 사람들이 이곳의 쇼핑백을 들고 다니는 걸 쉽게 볼 수 있을 정도. 편안하면서도 트렌디한 아이템이 많은 편. 액세서리도 다양하게 판매 중!

주소	524 Broadway
전화	212-965-2188
홈피	www.aritzia.com
운영	10:00~21:30
위치	지하철 N · Q · R · W선 Prince St역

올버즈 Allbirds

뉴질랜드에서 시작된 브랜드로, 환경을 오염시키지 않으면서 지속 가능한 재료로 신발을 만들기 위해 양모를 소재로 제품을 만드는 데 성공했다. 편안하고 폭신한 착용감 때문에 전 세계적으로 인기를 얻고 있다.

주소	73 Spring St Frnt B	전화	917-985-6646
홈피	www.allbirds.com	운영	10:00~20:00
위치	지하철 4 · 5 · 6선 Sping St역		

브랜디 멜빌 Brandy Melville

영국, 프랑스, 그리고 뉴욕에 매장이 있는 이탈리아 브랜드로, 10대 후반의 하이틴들이 좋아하는 취향의 옷이 많은 편이다. 사이즈가 한정적이라는 단점이 있지만 편안한 톤에 핏한 느낌의 옷이 대부분이라 인기가 좋다. 기념품이나 선물 구입 시 방문하기에 적당하다.

주소	519 Broadway	전화	646-767-0344
홈피	us.brandymelville.com		
운영	일~목 11:00~20:00, 금~토 11:00~21:00		
위치	지하철 4 · 6선 Spring St역		

⑦

블루밍데일 백화점 Bloomingdale's

1872년 오픈한 후 여러 드라마와 영화에 등장했을 만큼 뉴욕을 상징하는 곳으로, 검증된 인기 브랜드만 포진해 있어 쇼핑이 편리하다. 메이시 백화점과 마찬가지로 이곳 또한 물건 가격을 알고 싶으면 직접 바코드를 찍어 확인할 수 있는 머신이 있다. 미국의 대표적인 중가 브랜드 랄프 로렌Ralph Lauren과 DKNY는 블루밍데일에 가장 많은 제품이 진열되어 있는 걸로 유명하다. 신규 방문자 쿠폰 외에도 $100 이상 구매 시 선물 증정 등의 프로모션을 다양하게 진행한다.

주소 504 Broadway
전화 212-729-59004
홈피 www.bloomingdales.com
운영 월~토 11:00~20:00,
　　　일 11:00~19:00
위치 지하철 6선 Spring St역

＊블루밍데일 백화점 지점 소개

Midtown
주소 1000 3rd Ave
전화 212-705-2000

⑧

어번 아웃피터스 Urban Outfitters

앤트로폴로지와 같은 계열사라 분위기가 비슷해 보이지만 아이템 자체는 어번 아웃피터스가 좀 더 도시적이고 도발적이면서 젊은 느낌이다. 가격 또한 앤트로폴로지에 비해 저렴한 편이며 옷과 백, 구두 외에도 일상생활에 필요한 온갖 제품을 판매한다. 또한 매장 디스플레이가 신제품으로 자주 교체되어 보는 즐거움까지 선사한다. 매장 한쪽에는 항상 세일 품목이 있어 발걸음을 잡아당기고 알뜰 쇼핑이 가능하다.

주소 628 Broadway
전화 212-475-00094
홈피 www.urbanoutfitters.com
운영 11:00~20:00
위치 지하철 6선 Bleecker St역,
　　　지하철 B · D · F · M선
　　　Broadway-Lafayette St역

⑨

모마 디자인 스토어 MoMA Design Store

현대미술관을 직접 가지 않아도 유니크한 기념품이 가득한 소호의 숍에서 쇼핑할 수 있다. 1층과 지하로 구성되어 있고 가구에서부터 조명, 텀블러, 그릇, 스카프, 책, 지갑 등 다양하고도 재미난 소품들이 많아 한참을 머물게 되는 곳이니 여유 있게 방문할 것!

주소	81 Spring St
홈피	646-613-1367
홈피	store.moma.org
운영	월~토 10:00~19:00, 일 11:00~19:00
위치	지하철 4 · 6선 Spring St역

⑩

키스 Kith

소호에서 가장 잘나가는 편집 숍으로 아디다스, 나이키 등의 한정판 제품을 판매한다. 인기가 많은 한정판은 추첨을 통해 판매하고 있으며, 원하는 프린팅을 골라 맞춤제작이 가능한 티셔츠나 후드 티셔츠 또한 구매할 수 있다. 매장 내에서 판매하는 아이스크림은 비싸지만 맛이 좋은 편. 고급스러운 매장 구경만으로도 충분히 방문 가치가 있으니 소호에 간다면 반드시 들러볼 것을 권한다.

주소	337 Lafayette St
전화	646-648-6285
홈피	kith.com
운영	월~토 10:00~21:00, 일 11:00~20:00
위치	지하철 Q · R · W선 Prince St역

Stay : 5성급

1

크로스비 스트리트 호텔 Crosby Street Hotel

소호에서 로어 맨해튼으로 가는 길에 위치하고 있는 호텔로, 영국 출신 호텔리어가 오픈한 곳이라 더욱 주목을 받고 있다. 총 86개의 객실이 11개 층에 고급스럽게 꾸며져 있으며 1층 로비의 조각은 하우메 플렌사^{Jaume Plensa}의 작품이다. 로비에 자리한 정원이 있는 바와 애프터눈 티가 특히 유명하다.

주소	79 Crosby St
전화	212-226-6400
홈피	www.firmdalehotels.com
요금	$600~
위치	지하철 6선 Spring St역,
	지하철 N · R선 Prince St역

©Crosby Street Hotel ©Crosby Street Hotel

Stay : 4성급

2

더 브룸 호텔 The Broome Hotel

이태리 스타일의 부티크 호텔로 1825년 지어진 건물을 7년간 리노베이션한 후 오픈했다. 방음창을 설계해 쾌적한 숙면을 취할 수 있도록 했고, 4개의 층에 총 14개의 객실로 이루어져 있다. 조식은 발타자르의 베이커리와 오렌지 주스, 커피 등이 제공된다. 룸에는 무료 와이파이가 제공되며 MGBW 가구와 퀸 앤 실리의 매트리스로 구성되어 있다. 호텔 내에 작은 정원이 있어 더욱 멋스럽다.

주소	431 Broome St
전화	212-431-2929
홈피	www.broomestreethotel.com
요금	$380~
위치	지하철 6선 Spring St역,
	지하철 N · R선 Prince St역

©The Broome Hotel ©The Broome Hotel

그 밖의 숙소들

머서 호텔 The Mercer Hotel

총 6개의 층에 객실 수 75개로 아담하게 자리한 머서 호텔은 유명 셀러브리티가 많이 방문하는 것으로 알려져 있고, 소호의 최고 중심가에 위치하고 있어 편리하다. 룸은 작고 모던한 편이며 1층의 머서 키친^{The Mercer Kitchen} 레스토랑 또한 유명하다.

주소 147 Mercer St
전화 212-966-6060
홈피 www.mercerhotel.com
요금 $650~
위치 지하철 N · R선 Prince St역,
　　 지하철 B · D · F · M선 Broadway-Lafayette St역

보워리 호텔 The Bowery Hotel

2007년 오픈한 호텔로 135개의 객실이 있으며 호텔 내부는 고풍스러우면서도 클래식한 분위기이다. 노호에 위치하고 있어 다운타운과 미드타운을 걸어서 오가기 편하고, 룸의 큰 창문과 흰 타일의 욕실이 매력적이며 무료 와이파이도 제공된다. 유명 셀러브리티들의 파파라치 사진이 자주 찍히는 호텔로도 유명하며 1층의 레스토랑 젬마^{Gemma}가 특히 널리 알려져 있다.

주소 335 Bowery St
전화 212-505-9100
홈피 www.theboweryhotel.com
요금 $400~
위치 지하철 6선 Bleecker St역

10 차이나타운 & 리틀 이태리
China Town & Little Italy

소호에서 노호와 노리타 지역을 거쳐 다운 타운 방향으로 가다 보면 이태리어와 중국어가 가득한 간판들이 있는 거리를 걷게 될 것이다. 이곳이 바로 차이나타운과 리틀 이태리인데, 차이나타운은 과거 19세기에 대륙을 횡단하는 철도 공사 때 미국으로 일하러 온 중국인들이 거주하기 시작하면서 형성되었다. 실제 이곳에 거주하는 이태리 인과 매장 등이 많이 줄긴 했지만 리틀 이태리는 지금도 여전히 이태리 음식과 디저트를 즐기기 좋은 곳이다.

Writer's Story | 뉴욕에서 지내는 동안 내가 늘 장을 보러 갔던 동네이다. 특히 차이나타운 초입에 자리한 홍콩 슈퍼마켓! 야채와 과일은 물론이고 각종 아시안 음식 재료들까지, 맨해튼 내 그 어디와 비교를 해도 이곳보다 저렴한 곳이 없었기에 배낭 하나 짊어지고 가서 이곳에서 생필품을 샀던 기억이 난다.

한국 음식이 그리울 때면 오징어와 돼지고기를 사 오고, 돌아오는 길에는 꼭 한 손에 버블티를 쥐고 나오면서 행복한 미소를 짓게 해주었던 차이나타운. 뉴욕에서 절대 빼놓을 수 없는 소중한 공간임이 분명하다.

To Do List
- ☐ 여행 기념품 저렴하게 구매하기
- ☐ 이태리식 젤라또 맛보기
- ☐ 중국식 딤섬 즐기기

차이나타운 & 리틀 이태리
China Town & Little Italy

수어드 파크
Seward Park

East Broadway

카페 그럼피
Cafe Grumpy

Grand St

Orchard St

Allen St

Allen St

Allen St

Canal St

엘드리지 스트리트 교회 박물관
Museum at Eldridge Street

E. Broadway

Division St

맨해튼 브리지 방향
Manhattan Bridge

Henry St

Bowery

Grand St

사라 D. 루스벨트 파크
Sara D. Roosevelt Park

윈담 가든 차이나타운
Wyndham Garden Chinatown

공자 광장
Confucius Plaza

공자 동상

소호텔
Sohotel

Bowery

Grand St

Elizabeth St

홍콩 수퍼마켓
Hong Kong Supermarket

Mott St

조스 상하이
Joe's Shanghai

차이나타운 아이스크림 팩토리
The Original Chinatown
Ice Cream Factory

Pell St

Bayard St

이탈리안 모던 아트 센터
Center for Italian Modern Art

페라라 베이커리 & 카페
Ferrara Bakery & Cafe

Mulberry St

Most Precious
Blood Church

Mott St

Mulberry St

홉 키
Hop Kee

콜럼버스 파크
Columbus Park

Broome St

미국 중국인 박물관
Museum Of
Chinese In America

Grand St

Canal St

Canal St

Canal St

Canal St

Criminal Court

Civil Court

Lafayette St

Broadway

Canal St

Family Court

Food
①

조스 상하이 Joe's Shanghai

차이나타운의 대표 음식점이다. 가장 인기 있는 메뉴는 새우나 돼지고기 등 다양한 재료가 들어간 딤섬이며, 메뉴판엔 'Soup Dumplings'으로 표기되어 있고 샤오롱바오라고도 불린다. 그 외 여러 중국 대표 인기 음식도 맛볼 수 있다. 줄 서서 기다려야 할 때가 많을 만큼 저렴한 가격은 물론 훌륭한 맛과 푸짐한 양으로 늘 북적인다.

주소 46 Bowery
전화 212-233-8888
홈피 joeshanghairestaurants.com
운영 11:00~23:00
요금 $30~
위치 지하철 B · D선 Grand St역

＊조스 상하이 지점 소개

Midtown
주소 24 W 56th St
전화 212-333-3868

Food
②

페라라 베이커리 & 카페 Ferrara Bakery & Cafe

1892년에 오픈한 이태리식 디저트 전문 베이커리로 다양한 빵과 디저트류, 그리고 젤라또를 판매한다. 부드러운 젤라또와 이태리식 빵이 맛있어 늘 많은 이들로 붐빈다. 테이블에 앉아서 먹는 줄과 포장해서 가는 줄이 다른데, 테이블에 앉아 먹는 경우 팁을 줘야 하니 참고할 것.

주소 195 Grand St
전화 212-226-6150
홈피 ferraranyc.com
운영 일~목 09:30~22:00,
　　금~토 09:00~23:00
요금 $5~
위치 지하철 6 · J · Z · N · Q · R선
　　Canal St역,
　　지하철 B · D선 Grand St역

Food
③

홉 키 Hop Kee

붐비는 시간에는 번호표를 뽑고 대기해야 할 만큼, 오랜 역사와 전통을 자랑하는 뉴욕 차이나타운의 대표 맛집이다. 지하 1층에 위치해 있고, 음식 나오는 데 시간은 좀 걸리는 편. 한국인에게 인기 있는 음식은 꾸덕한 국물의 해산물국수, 새콤달콤한 돼지갈비, 볶음밥, 밥 비벼 먹기 좋은 튀긴 게 요리 등이 있다. 한국 예능 프로그램에서 이서진과 나 PD가 방문하기도 했다. 현금 결제만 가능, 팁 18%가 포함되어 계산된다.

주소 21 Mott St
전화 212-964-8365
홈피 www.hop-kee-nyc.com
운영 일~목 11:00~01:00,
　　금~토 11:00~04:00
위치 지하철 J선 Canal St역

영화 & 드라마 속 뉴욕
Movie & Drama in NYC

뉴욕에서 1년을 지내다가 한국에 왔을 때, 한참을 '뉴욕병'에 걸려 고생을 했더랬다(남이 들으면 몇십 년 살다 온 거냐고 하겠지만). 뉴욕을 떠올리다가 그리움이 물밀듯이 밀려와 우울해질 때면 나는 영화관으로 향하곤 했다. 우리가 즐겨 보는 할리우드 영화의 반 이상이 뉴욕을 배경으로 하고 있기 때문이다.

영화를 보면 나도 모르게 '저긴 어디다!', '저긴 어디쯤에서 촬영했네~'를 중얼거리기 일쑤였다. 마치 내가 뉴욕의 거리에 있는 듯 영화 속 주인공과 혼연일체가 되기도 했다. 필자처럼 여행을 다녀와 영화를 봐도 좋겠지만 뉴욕 여행을 떠나기 전 미리 봐둔다면 현지에서 무척 반갑지 않을까? 그래서 준비했다. 뉴욕 여행을 떠나기 전 봐야 할 영화들!

뉴욕 배경 영화

〈나 홀로 집에 2 – 뉴욕을 헤매다〉, 〈인디펜던스 데이〉, 〈딥 임팩트〉, 〈고질라〉, 〈레옹〉, 〈아마겟돈〉, 〈투모로우〉, 〈우주 전쟁〉, 〈킹콩〉, 〈배트맨〉, 〈어메이징 스파이더 맨〉, 〈수퍼맨 리턴즈〉, 〈티파니에서 아침을〉, 〈웨스트 사이드 스토리〉, 〈대부〉, 〈택시 드라이버〉, 〈빅〉, 〈페임〉, 〈에브리원 세즈 아이 러브 유〉, 〈다이하드 3〉, 〈당신이 잠든 사이에〉, 〈악마는 프라다를 입는다〉, 〈뉴욕, 아이 러브 유〉, 〈어느 멋진 날〉, 〈러브 인 맨해튼〉, 〈나는 전설이다〉, 〈프렌즈 위드 베네핏〉, 〈뉴욕의 연인들〉, 〈사랑은 언제나 진행 중〉, 〈쇼퍼홀릭〉, 〈29번가의 기적〉, 〈박물관이 살아있다〉, 〈비긴 어게인〉, 〈아더 우먼〉, 〈내니 다이어리〉, 〈인턴〉, 〈설리: 허드슨강의 기적〉, 〈버드맨〉, 〈맨해튼〉, 〈여인의 향기〉, 〈원스 어폰 어 타임〉, 〈브루클린〉, 〈사랑과 영혼〉, 〈완벽한 그녀에게 딱 한 가지 없는 것〉, 〈섹스 앤 더 시티 2〉, 〈프란시스 하〉, 〈러브 앤 프렌즈〉, 〈레인 오버 미〉, 〈행운을 돌려줘〉, 〈우리 사랑일까요〉, 〈뉴욕은 언제나 사랑 중〉, 〈갱스 오브 뉴욕〉, 〈아더 우먼〉, 〈리틀 이태리〉, 〈세컨드 액트〉, 〈머니 트레인〉 등

영화 속 뉴욕의 명소

01 센트럴 파크 Central Park
우디 앨런 감독의 영화 〈맨해튼〉, 리차드 기어와 위노나 라이더 주연의 아름다운 가을을 담은 〈뉴욕의 가을〉, 멕 라이언 주연의 〈해리가 샐리를 만났을 때〉, 1970년대 최고의 러브 스토리 〈러브 스토리〉, 미국의 인기 드라마 〈섹스 앤 더 시티〉 등에 등장했다.

02 브루클린 브리지 Brooklyn Bridge
영화 〈원스 어폰 어 타임 인 아메리카〉는 포스터에서부터 등장하는 브루클린 브리지의 아름다운 풍경으로 1920년대의 뉴욕을 완벽하게 재현했다. 영화음악계의 거장인 엔니오 모리꼬네의 음악까지 들을 수 있어 기억에 남는다.

03 세렌디피티 3 Serendipity 3
뉴욕을 배경으로 인연과 운명을 주제로 한 영화 〈세렌디피티〉에서 주인공이 핫 초콜릿을 마신 장소가 바로 세렌디피티 3이다. 지금도 여전히 인기가 많아 줄을 서서 기다려야 입장할 수 있을 정도, 내부 인테리어가 우아하고 아름답지만 음료 값은 비싼 편이다.

04 자연사 박물관
American Museum of Natural History
박물관의 모든 유물들이 실제 살아있다는 상상하에 만들어진 영화 〈박물관이 살아있다〉는 벤 스틸러, 로빈 윌리엄스 주연의 인기 영화로 3편까지 시리즈가 제작되었는데, 이 영화의 실제 배경은 뉴욕의 자연사 박물관이다. 영화 속 장면을 떠올리며 박물관을 보는 것도 꽤나 흥미롭다.

05 카페 랄로 Cafe Lalo
톰 행크스와 멕 라이언 주연의 영화 〈유브 갓 메일〉에서 두 주인공이 만나기로 약속했던 장소가 바로 카페 랄로이다. 카페는 아담한 편이고, 바깥 건물이 근사해 많은 이들이 카메라에 담아가곤 한다.

06 호텔 첼시 Hotel Chelsea
나탈리 포트만과 장 르노 주연의 걸작 영화 〈레옹〉에 나오는 아파트는 뉴욕의 호텔 첼시이다.

07 카츠 델리카트슨 Katz's Delicatessen
영화 〈해리가 샐리를 만났을 때〉에서 여주인공 샐리 역의 멕 라이언이 '여자는 오르가슴을 연기할 수 있다'면서 직접 시범을 보이던 그 식당이 바로 이곳이다.

08 리버사이드 파크 Riverside Park
톰 행크스 주연의 영화 〈유브 갓 메일〉의 마지막 장면이 이 공원에서 촬영됐다.

09 카네기 홀 Carnegie Hall
맥컬리 컬킨 주연의 영화 〈나 홀로 집에 2 – 뉴욕을 헤매다〉에서 주인공 케빈이 센트럴 파크에서 알게 된 비둘기 아주머니와 음악을 듣던 곳이 바로 카네기 홀이다.

10 노모 키친 NOMO Kitchen
카메론 디아즈 주연의 영화 〈아더 우먼〉의 마지막 장면에 등장한 레스토랑이다. 아름다운 샹들리에와 통유리 벽, 천장, 나무들이 어우러져 영화 속에서도 실제만큼 멋스럽다.

11 뉴욕 공립 도서관 New York Public Library
영화 〈섹스 앤 더 시티〉에서 캐리의 결혼식 장소로 등장했고, 영화 〈투모로우〉에선 마지막 남은 생존자들이 책을 태우면서 살아남았던 곳이다.

12 워싱턴 스퀘어 파크 Washington Square Park
영화 〈어거스트 러쉬〉, 〈해리가 샐리를 만났을 때〉, 〈나는 전설이다〉 등에 등장했으며 공원 내 곳곳이 영화 속에서 낭만적으로 등장한다.

 로어 이스트 사이드
Lower East Side

주로 이민자들이 정착해 살던 곳으로 유대인의 음식과 그들만의 문화를 쉽게 엿볼 수 있으며 다양한 나라의 풍습 또한 느껴볼 수 있는 이국적인 동네이다. 다른 맨해튼 지역에 비해 물가가 저렴해 여행자가 즐기기에 부담이 없다. 거리는 소박하고 초라해 보일 수도 있지만 하나하나 들여다볼수록 숨겨진 매력이 드러나는, 양파와 같은 거리이다.

To Do List
□ 신 현대 미술관 관람하기
□ 러스 & 도터스의 연어 베이글 먹기
□ 카츠 델리카트슨의 샌드위치 맛보기
□ 블루스타킹에서 책 구경하기

Writer's Story | 그라피티의 매력을 처음 느끼게 해준 곳이 로어 이스트 사이드였다. 골목길을 돌 때마다 나타나는 벽면의 예술 세계에 감탄을 했던 적이 한두 번이 아니었는데, 그 덕분에 여행을 하면서 그라피티 사진을 촬영하는 취미가 생기기도!

로어 이스트 사이드
Lower East Side

해밀턴 피시 파크
Hamilton Fish Park

윌리엄스버그 브리지 Williamsburg Bridge

Delancey St South

Grand St

클린턴 스트리트 베이킹
Clinton Street Baking

Rivington St

블루스타킹
Bluestockings

Clinton St

에식스 시장
Essex Market

Broom St

수머문 베이크하우스
Supermoon Bakehouse

Stanton St

Essex St

카페 비타
Cafe Vita Vita

바리오 치노
Barrio Chino

카츠 델리카테슨
Katz's Delicatessen

Delancey St·Essex St

Delancey St

Orchard St

E. 2nd St

E. 3rd St

E. 6th St

E. 7th St

E. Houston St

Allen St

Allen St

러스 & 도터스
Russ & Daughters

굿 땡스 카페
Good Thanks Cafe

소프트 스위트 아이스크림
Soft Swerve Ice Cream

Delancey St

Grand St

2nd Ave

홀 푸드 마켓
Whole Foods Market

프리맨즈
Freemans

사라 D. 루스벨트 파크
Sara D. Roosevelt Park

Bowery

Grand St

E. 1st St

E. 2nd St

E. 3rd St

E. 4th St

E. 5th St

신 현대 미술관
New Museum

모겐스턴스 파이니스트 아이스크림
Morgenstern's Finest Ice Cream

Bowery

Bleecker St

Broadway-Lafayette St

Spring St

신 현대 미술관 New Museum

1967년부터 약 10여 년 동안 큐레이터를 했던 마샤 터커 Marcia Tucker에 의해 설립되어 2007년 12월에 개관한 미술관이다. 실험적인 스타일의 미술관 건물은 일본인 건축가가 설계했다. 현존하는 작가들의 실험적이고도 독창적인 전시들이 주를 이루는데, 5층 높이의 건물에는 층별로 다양한 전시가 이뤄져 새로운 세대들의 주목을 받고 있다. 독특한 빌딩의 외관 때문에 보워리 Bowery 지역의 명물로 자리 잡았다.

주소 235 Bowery
전화 212-219-1222
홈피 www.newmuseum.org
운영 화~수 · 금~일 11:00~18:00,
　　목 12:00~21:00(월요일 휴무)
요금 성인 $18, 65세 이상 $15,
　　학생 $12, 18세 이하 무료,
　　목요일(19:00~21:00) 기부 입장
　　가능
위치 지하철 J · Z선 Bowery역

블루스타킹 Bluestockings

소박하지만 조용한 서점을 구경하고 싶다면 추천하고픈 곳이다. 진보주의나 페미니즘, 환경이나 인종, 동성애 등 인권과 관련된 다양한 책들을 취급하고 있으며 이곳에서 일하는 직원들은 모두 자원봉사자로 구성되어 있다. 공정무역을 통해 수입한 커피만을 판매하며 작가와의 만남이나 토론, 공연 등이 자주 열리니 홈페이지를 통해 사전에 확인한 후 방문해 보자. 큰 유리로 들어오는 따뜻한 햇살을 맞으며 책 구경에 흠뻑 빠져보고 싶을 때 가면 좋다. 책 외에도 가방, 브로치, 엽서 등의 다양한 기념품을 판매하고 있다.

주소 116 Suffolk St
전화 212-777-6028
홈피 bluestockings.com
운영 월 13:00~19:00,
　　화~일 11:00~19:00
위치 지하철 F선 2nd Ave역,
　　지하철 J · Z선 Bowery역,
　　지하철 F · J · M · Z선
　　Delancey St-Essex St역

①

러스 & 도터스 Russ & Daughters

1900년대 동유럽 이민자들이 뉴욕으로 많이 오면서 생겨난 곳 중 하나인 러스 & 도터스는 폴란드에서 이민 온 집안이 시작해 현재 3대째 그 명성을 이어가고 있다. 베이글 맛집은 뉴욕 어디에서나 쉽게 찾을 수 있지만 이곳만의 특별한 메뉴는 바로 연어이다. 품질 좋은 연어를 베이글에 넣어 파는데 그 맛이 기가 막히다. 어디에서도 맛볼 수 없는 최고의 연어 베이글을 먹어보고 싶다면 꼭 이곳으로 갈 것. 내부는 작고 좁아 테이블이 없으니 포장해 나오면 된다.

주소	179 E Houston St
전화	212-475-4880
홈피	www.russanddaughters.com
운영	08:00~16:00
요금	$20~
위치	지하철 F선 2nd Ave역

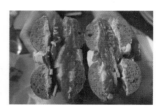

②

클린턴 스트리트 베이킹 Clinton Street Baking

뉴욕에서 가장 맛있는 팬케이크와 비스킷을 맛볼 수 있는 클린턴 스트리트 베이킹은 로어 이스트 사이드를 대표하는 유명 브런치 레스토랑이다. 직접 만든 블루베리 잼이 가득한 팬케이크는 입에서 살살 녹고, 토마토소스가 뿌려진 비스킷 또한 기대 이상의 맛이다. 긴 줄을 한참 서서 기다려야 하는 수고만 견딜 수 있다면 뉴욕에서의 멋진 아침 식사를 즐기기 좋다. 그러나 워낙 바쁜 탓인지 서비스하는 직원들은 친절하지 않은 편이다.

주소	4 Clinton St
전화	646-602-6263
홈피	clintonstreetbaking.com
운영	월 09:00~16:00,
	수 · 토 17:30~22:00,
	목 · 일 09:00~16:00,
	17:30~22:00
요금	$25~
위치	지하철 F · J · M · Z선
	Delancey St-Essex St역

③ 카츠 델리카트슨 Katz's Delicatessen

1888년 로어 이스트 사이드에서 아이슬란드 형제가 문을 연 카츠 델리카트슨은 '파스트라미Pastrami'라는 양념 훈제 소고기를 이용해 샌드위치를 만든다. 짭짤하면서도 입맛을 돋우는 양념이 적절히 밴 이 샌드위치는 묘한 매력이 있어 매장 안은 언제나 발 디딜 틈 없이 붐빈다. 카네기 델리카트슨과 쌍벽을 이루는 경쟁 레스토랑으로 그 유명세를 반영하듯 영화 〈해리가 샐리를 만났을 때〉에 등장하기도 했다. 주문 방식은 입구에서 나눠주는 종이에 메뉴를 적어 직접 계산하면 되고 현금 결제만 가능하다. 내부에선 유명 인사들이 다녀간 후 찍은 사진들을 감상할 수 있다.

주소 205 E Houston St
전화 212-254-2246
홈피 katzsdelicatessen.com
운영 월~목 08:00~23:00,
　　 금 08:00~24:00, 토 24시간,
　　 일 00:00~23:00
요금 $30~
위치 지하철 F선 2nd Ave역

④ 바리오 치노 Barrio Chino

미국 드라마 〈가십걸〉에 등장했고, 레오나르도 디카프리오가 빅토리아 시크릿의 모델과 데이트를 즐겼던 곳으로 유명한, 독특한 분위기의 멕시칸 레스토랑이다. 내부는 중국 스타일이 묘하게 뒤섞인 인테리어로 꾸며져 있고, 외관은 간판이 없어 찾아가기 어렵지만 언제 가도 빈 테이블이 드물 정도다. 요리는 무엇을 시켜도 아쉽지 않을 만큼 맛있고, 여러 가지 칵테일 또한 유명하다.

주소 253 Broome St
전화 212-228-6710
운영 월~목 11:00~13:00, 15:00~23:00, 금 17:00~24:00,
　　 토~일 10:00~16:30, 17:00~24:00
요금 $20~
위치 지하철 F · J · M · Z선 Delancey St-Essex St역,
　　 지하철 B · D선 Grand St역

⑤ 에식스 시장 Essex Market

1818년 이전부터 지금껏 시장으로서의 명성을 유지하고 있는 이곳은 다양한 스타일의 이국적인 식재료와 주방용품이 가득한 시장 겸 푸드 코트이다. 내부는 1층과 지하층으로 구성이 되어 있고, 무료 와이파이도 제공되어 언제 가도 늘 현지인들로 북적인다.

주소 88 Essex St
홈피 www.essexmarket.nyc
운영 월~토 08:00~20:00,
　　 일 10:00~18:00
요금 $20~
위치 지하철 F · J · M · Z선
　　 Delancey St-
　　 Essex St역

6

굿 땡스 카페 Good Thanks Cafe

요즘 뉴욕에서 인기인 호주식 스타일의 카페 겸 식당이다. 공간은 작지만 편안하고 세련된 인테리어를 자랑하며 좋은 유기농 식재료로 제공하는 깔끔한 브런치 메뉴와 커피가 훌륭하다. 작은 공간이지만 언제나 자리가 꽉 차는 편.

주소	131 Orchard St
홈피	goodthanksnyc.com
운영	09:00~16:00
요금	$20~
위치	지하철 J · Z선 Bowery역, 지하철 B · D선 Grand St역, 지하철 M · J · Z선 Essex St역

7

수퍼문 베이크하우스 Supermoon Bakehouse

크루아상과 크러핀으로 인기를 얻고 있는 베이커리다. 크러핀은 크루아상과 머핀의 합성어로 머핀 틀에 여러 겹의 페이스트리 반죽을 넣어 구운 페이스트리인데, 빵 안에 크림이나 잼이 들어 있다. 오너인 라이 스테판은 샌프란시스코와 LA에도 지점이 있는 크러핀 전문 빵집 '미스터 홈즈 베이크하우스'의 공동 창설자이기도 하다. 6개 이상의 빵을 구매 시 은빛 홀로그램 박스에 담아주는데, 여심 취향 저격이라 더욱 많은 인기를 끌고 있다.

주소	120 Rivington St
홈피	supermoonbakehouse.com
운영	목~일 10:00~18:00 (월~수요일 휴무)
요금	$8~
위치	지하철 M · J · Z선 Essex St역

8

소프트 스워브 아이스크림 Soft Swerve Ice Cream

SNS에서 먼저 인기를 얻어 유명해진 곳으로 컬러풀한 아이스크림의 색과 다양한 토핑을 고를 수 있다는 재미에 많은 이들이 사진 촬영차 방문한다. 매장 내의 분위기도 밝아 특히 어린 학생들이 즐겨 찾는다.

주소	85B Allen St
전화	646-476-6311
홈피	softswervenyc.com
운영	일~화 12:00~23:00, 수~토 12:00~24:00
요금	$8~
위치	지하철 B · D선 Grand St역, M · J · Z선 Essex St역

9

카페 비타 Cafe Vita

1993년에 문을 연 시애틀 브랜드로, 세계 11개국에서 원두를 직접 수입하고 이를 로스팅해 판매하는데 우수한 커피 맛 때문에 매니아 층이 많다.

주소	124 Ludlow St
전화	212-260-8482
홈피	caffevita.com
운영	월~금 07:00~18:00
	토~일 08:00~18:00
요금	$5~
위치	지하철 J·Z선 Bowery역,
	지하철 B·D선 Grand St역,
	지하철 M·J·Z선 Essex St역

Food

 10

프리맨즈 Freemans

언제 가도 단골 뉴요커들로 자리가 꽉 차 있는 곳으로, SNS에서도 널리 알려져 있다. 다양한 브런치 메뉴들이 고루 인기이며, 작은 골목에 위치한 매장 입구는 운치 있는 빈티지 스타일로 꾸며져 있어 이곳을 찾는 많은 이들이 기념 촬영을 하느라 바쁘다. 어떤 음식을 시켜도 맛이 좋아 남녀노소 누구나 좋아한다.

주소	Freemans Alley
전화	212-420-0012
홈피	www.freemansrestaurant.com
운영	일~월 11:00~15:00, 17:00~22:00,
	화~토 11:00~15:00, 17:00~23:00
요금	$30~
위치	지하철 F·M선 2nd Ave역

Food ^{:추천}

 11

모겐스턴스 파이니스트 아이스크림 Morgenstern's Finest Ice Cream

SNS에서 최근 엄청난 인기를 끌고 있는 아이스크림 매장으로, 언제나 긴 줄로 작은 매장이 가득 찬다. 새까만 색의 '코코넛 애쉬^{Coconut Ash}'가 대표 인기 메뉴로, 이곳에 처음 방문하는 이라면 누구나 이 메뉴를 선택하게 된다. 달지 않으면서 부드럽고도 고급스러운 맛이 일품이다. 유일한 단점은 아이스크림을 먹고 나면 입안이 검은색으로 변한다는 것. 조심해야 할 사람과 같이 먹는다면 비추천이다. 2022년 12월 기준 임시휴업 중이다.

주소	2 Rivington St
전화	212-209-7684
홈피	morgensternsnyc.com
운영	월~목·일 12:00~23:00,
	금~토 12:00~24:00
요금	$6~
위치	지하철 J·Z선 Bowery St역

뉴욕의 거리 풍경

08 Special

Street of NYC

뉴욕에선 그저 거리를 걷는 것만으로도 즐겁다! 시선을 사로잡는 독특한 간판들과 그라피티는 거리 곳곳에 유쾌하면서도 즐거운 에너지를 불어넣는다. 잠시 걸음을 멈춘 채 그 풍경에 녹아드는 것도 여행을 즐기는 또 하나의 방법이 될 것이다.

Signboard

거리의 개성 강한, **간판 컬렉션**

—

뉴욕에 머물렀던 1년 동안 나는 매일 뉴욕의 거리를 걸었고, 언제나 카메라와 함께였다. 심지어 집 앞을 나갈 때 지갑은 깜박하더라도 카메라만큼은 내 몸에서 떨어뜨리지 않았다. 그러다 보니 거리를 걷다가 이색적인, 혹은 기억하고 싶은 풍경과 마주할 때면 나는 늘 카메라를 들어 뉴욕의 모든 순간을 담아냈다. 특히 소호나 그리니치 빌리지, 이스트 빌리지, 윌리엄스버그 등 주로 젊은이들이 많이 가는 거리에선 개성 강하면서도 재치 넘치는 간판들을 찾아볼 수 있다. 그중에서도 발걸음을 멈추고 카메라를 들 수밖에 없었던 뉴욕의 다양한 거리 간판들을 소개해 본다. 꽤나 독특하고 재미난 것들이 많아 절로 미소가 지어질 것이다.

Graffiti Art
자유로운 영혼의 표현, **그라피티**

—

뉴욕 시내를 걷다 보면 앞면은 평범하나 측면에 다양한 그라피티^{Graffiti}가 그려져 있는 건물들을 쉽게 볼 수 있다. 미드타운은 맨해튼의 중심지라 그런지 비교적 얌전한 편이지만 다운타운 쪽으로 내려갈수록 그라피티의 자유로운 표현은 더욱 강해진다.

뉴욕 대학교와 붙어 있는 이스트 빌리지는 우리나라의 대학가처럼 저렴한 술집과 음식점 등이 많다. 특히 '리틀 도쿄'라고 불릴 만큼 다양한 일본 식당과 만화책 가게, 일본식 주점, 식품점 등이 있는데, 가격도 비싸지 않아 많은 학생들과 직장인들이 자주 찾는다. 이 주변의 건물들을 자세히 보면 여러 가지 특이한 그라피티를 많이 발견할 수 있어 길을 걷는 게 즐겁다. 대학가의 젊고 발랄한 분위기를 느끼며 재미난 그라피티를 보고 싶다면 이스트 빌리지로 가보자. 의외의 장소에서 그라피티를 발견하는 재미에 빠져보시길!

그 외에 소호나 노리타, 로어 이스트 사이드, 윌리엄스버그, 부시윅 등도 그라피티가 많아 눈이 즐거운 동네이다. 비슷한 지역에 위치하고 있어 이동하기도 쉬우니 아예 하루를 그라피티 찾아보는 날로 정해 이 일대를 모두 훑어보면 어떨까? 색다른 뉴욕 여행으로 기억하기에 좋을 것이다.

로어 맨해튼 & 트라이베카

12

Lower Manhattan & Tribeca

월 스트리트가 있는 지역을 로어 맨해튼이라 부른다. 금융업계 기업과 시청, 연방 법원 등의 건물들이 월 스트리트를 중심으로 자리하면서 세계의 금융과 경제를 이끌고 있다. 그 옆으로는 트라이베카가 위치하고 있는데, 'Triangle Below Canal Street'의 줄임말로써 커낼 스트리트 아래쪽 지역을 뜻한다. 매년 4월에는 영화배우 로버트 드 니로가 주최하는 트라이베카 영화제가 열린다.

Writer's Story | 뉴욕에서 가장 로맨틱한 순간을 꼽으라고 한다면 브루클린 브리지 위에서 일몰을 볼 때가 아닐까? 덤보에서 출발해 맨해튼의 시청 방향으로 걸어오다 보면 뉴욕의 마천루가 그림처럼 펼쳐지고 하늘은 온통 주황빛과 보랏빛으로 물든다. 이 순간, 누가 뉴욕을 싫어할 수 있을까?

To Do List

☐ 자유의 여신상 인증 사진 찍기
☐ 브루클린 브리지 걸어서 건너기
☐ 원 월드 옵저버토리 오르기
☐ 오큘러스 센터에서 쇼핑하기

로어 맨해튼 & 트라이베카
Lower Manhattan & Tribeca

맨해튼 브리지 Manhattan Bridge

브루클린 브리지 Brooklyn Bridge

CB2 방향

Broadway

The Greenwich Hotel ⓗ
로칸다 베르데 ⓡ
Locanda Verde

ⓡ 트라이베카 그릴
Tribeca Grill
ⓡ 정식 Jungsik

Harrison St

ⓡ 사라베스
Sarabeth's

ⓜ ⓒ ⓔ ⓜ Chambers St
Chambers St

Chambers St

ⓡ ⓜ Le Pain
Quotidien
카페 1668
Kaffe 1668

홀 푸드 마켓
Whole Foods Market

타깃 ⓢ
Target

Murray St

세인트 폴 예배당
St. Paul's Chapel

Park Place

Barclay St

ⓜ 2 3 Fulton St

ⓡ
Chambers St

시청
City Hall

ⓙ ⓩ ⓜ Chambers St
ⓜ 4 5 6

Brooklyn Bridge-City Hall
City Hall

르 팽 쿼티디엉
Le Pain Quotidien

세이크 색
Shake Shack

West St

원 월드 옵저버토리
One World Observatory

원 월드 트레이드 센터
One World Trade Center ⓜ ⓔ

ⓜ ⓡ
Cortlandt St

ⓢ
Trinity Place

Fulton St

ⓢ 세포라
Sephora

2 3 4 5 A C E
풀턴 센터
The Fulton Center

Liberty St

John St

Nassau St

세포라

ⓢ 에버크롬비 & 피치
Abercrombie & Fitch

틴 빌딩 바이 장 조지 Tin Building by Jean-Georges

시포트
Seaport

사우스 스트리트 시포트
South Street Seaport

이스트 리버 페리
East River Ferry

South St

Gold St

William St

이탈리 Eataly

브룩필드 플레이스
Brookfield Place

9·11 메모리얼
& 박물관
9-11 Memorial
& Museum

르 팽 쿼티디엉
Le Pain Quotidien

마이클 코어스 Michael Kors ⓢ
토리 버치 Tory Burch ⓢ

웨스트필드 월드 트레이드 센터
Westfield World Trade Center

웨스트 텀스 파크
West Thames Park

Broadway

트리니티 교회
Trinity Church

ⓢ

뉴욕 증권거래소
New York
Stock Exchange

ⓜ 1 Rector St

ⓜ ⓡ
Rector St

Rector St

Wall St

Trinity Place

ⓜ 2 3 Wall St

ⓜ ⓡ
Wall St

월스트리트 Wall St

스윗그린
Sweetgreen

Broad St

페더럴 홀
Federal Hall National Memorial

Beaver St

Water St

Pine St

황소상
Charging Bull

볼링그린
Bowling Green

Broad St

Whitehall St-
South Ferry

State St

뉴욕 베트남
메모리얼 플라자
New York Vietnam
Veterans Memorial Plaza

거버너스 아일랜드행 페리
ⓢ

스테이튼
아일랜드행 페리

ⓜ 4 5 ⓜ
South Ferry

ⓜ ⓡ

배터리 파크
Battery Park

시글래스 캐러셀
Seaglass Carousel

리버티 아일랜드 &
엘리스 아일랜드행 페리

자유의 여신상 · 엘리스 아일랜드 · 거버너스 아일랜드 방향

자유의 여신상 Statue of Liberty

100여 년이 넘는 시간 동안 미국의 자유를 상징하고 있는 자유의 여신상. 머리에 쓰고 있는 관은 세계 7개 바다와 7개 주의 자유를 상징한다. 1886년 미국 독립 100주년을 기념하여 프랑스에서 기증했으며 프랑스 파리의 에펠탑을 설계한 구스타브 에펠의 작품이다. 높이는 받침대를 포함해 92m이고 오른손에는 횃불을, 왼손에는 독립선언서를 들고 있다. 자유의 여신상 내부를 보려면 배터리 파크에서 페리를 타고 리버티 아일랜드로 가면 되는데, 왕관까지 올라가면 뉴욕의 스카이라인을 즐길 수 있다. 왕관까지 올라가는 전망대는 입장객 수가 제한되어 있어 경쟁이 치열하니 사전 예약은 필수이다. 투어는 리버티 아일랜드의 자유의 여신상 → 엘리스 아일랜드 → 배터리 파크 순이며 페리 탑승 시 오른쪽에 앉아서 가야 자유의 여신상을 더 잘 볼 수 있다.

주소	Liberty Island
전화	212-363-3200
홈피	**자유의 여신상 소개** www.nps.gov/stli **페리 티켓 예약** www.statueoflibertytickets.com/ Statue-Of-Liberty-Tours **전망대 티켓 예약** www.statueoflibertytickets. com/Statue-Of-Liberty-Tours
운영	첫 번째 페리 출발 08:30, 마지막 페리 출발 17:00
요금	**자유의 여신상 & 엘리스 아일랜드** 성인 $31, 62세 이상 $25, 어린이(4~12세) $19 **자유의 여신상 & 전망대 & 엘리스 아일랜드** 성인 $31.3, 62세 이상 $25.3, 어린이(4~12세) $19.3
위치	지하철 1선 South Ferry역, 지하철 4·5선 Bowling Green역, 지하철 R선 Whitehall St-South Ferry역

Tip 자유의 여신상 박물관 오픈!
2019년 3월, 자유의 여신상을 좀 더 자세히 알 수 있는 박물관이 문을 열었다. 총 784억 원이 투자된 이곳에서는 전시관, 갤러리, 체험관 외에도 루프톱 테라스 등이 있어 더욱 다양한 볼거리를 제공한다. 입장료는 무료.

❷

엘리스 아일랜드 Ellis Island

엘리스 아일랜드는 초기 미국으로 이민 온 최초의 입국자들이 수속을 밟고 처음으로 발을 디딘 미국 땅이다. 미국 이민의 절정기인 1892년부터 1954년까지 1,200만 명에 이르는 이민자들이 엘리스 아일랜드를 통해 입국했는데, 이민자 박물관에서 그 당시의 사진과 역사를 한눈에 볼 수 있도록 자료를 모아 두었다. 박물관의 1층에는 기프트 숍과 카페테리아가 있다.

주소	Ellis Island
전화	212-363-3200
홈피	www.libertyellisfoundation.org
운영	첫 번째 페리 출발 08:30, 마지막 페리 출발 17:15
위치	리버티 아일랜드에서 페리로 10분

❸

배터리 파크 Battery Park

맨해튼의 남쪽 끝에 위치한 공원으로 항구를 지키던 대포 기지에서 이름을 따왔다. 공원 안에는 19세기 초에 지어진 클린턴 성과 26문의 대포와 1524년 처음으로 뉴욕 항을 발견한 이태리의 탐험가 베라자노의 동상이 있다. 또 9·11 테러 등을 추모하는 여러 동상과 한국의 6·25 전쟁을 치른 군인들을 기리기 위한 추모 공간도 마련되어 있다. 꼭 페리를 타지 않더라도 벤치에 앉아 한가롭게 자유의 여신상을 바라보며 아름다운 풍경을 즐기기 좋은 곳이다.

주소	Battery Place, State St & Whitehall St
홈피	www.nycgovparks.org/parks/battery-park
운영	06:00~24:00
위치	지하철 1선 South Ferry역, 지하철 4·5선 Bowling Green역, 지하철 R선 Whitehall St-South Ferry역

배터리 파크

시글래스 캐러셀 Seaglass Carousel

물고기 모양을 한 회전목마로, 2015년 8월 개장했다. 총천연색으로 바뀌는 조명과 함께 3분 30초간 특이한 기구를 타고 빙글빙글 도는 이 놀이기구는 특히 아이들에게 인기가 많다. 자유의 여신상을 보러 왔다가 잠시 들러 아이들과 놀고 가는 관광객과 현지인들이 많다.

주소	Water St & State St
전화	212-344-3491
홈피	seaglasscarousel.nyc
운영	목 11:00~19:00, 금~일 11:00~20:00
요금	$5.5(10회 $50)
위치	지하철 1선 South Ferry역, 지하철 R선 WhitehallSt역, 지하철 W선 Whitehall St역(주중), 지하철 4·5선 Bowling Green역

④

9 · 11 메모리얼 & 박물관 9·11 Memorial & Museum

2001년 9월 11일 전 세계를 경악하게 했던 테러 사건의 현장이 현재는 추모 공원과 박물관으로 바뀌었다. 9 · 11 메모리얼에는 과거 쌍둥이 빌딩으로 불리던 세계 무역 센터가 무너진 곳에 '부재의 반추Reflecting Absence'라는 이름의 거대한 분수 두 개가 자리하고 있다. 각각 남쪽 분수South Pool와 북쪽 분수North Pool로 나누어지며 분수대의 테두리에는 희생자들의 넋을 기리는 의미로 그들의 이름이 모두 새겨져 있다. 폭포처럼 거세게 아래로 흐르는 두 개의 물줄기는 마르지 않는 눈물을 의미한다. 9 · 11 메모리얼 박물관은 테러 당시의 현장 잔해를 전시해 둔 곳으로 사망자들의 신분증이나 신발 등의 소품과 그 당시 무너진 건물의 철근 등을 볼 수 있어 숙연해진다.

주소	180 Greenwich St
전화	212-266-5211
홈피	www.911memorial.org
운영	**9 · 11 메모리얼** 09:00~20:00,
	9 · 11 메모리얼 박물관
	수~월 10:00~17:00(화요일 휴무)
요금	**9 · 11 메모리얼** 무료
	9 · 11 메모리얼 박물관
	성인 $26, 65세 이상,
	13~17세 $20, 7~12세 $15
	매주 월요일은 아침 7시부터
	웹사이트에서 선착순으로
	무료 입장 티켓 배부
위치	지하철 R선 Cortlandt St역,
	지하철 4 · 5선 Fulton St역,
	지하철 E선 World Trade Center역

⑤

원 월드 트레이드 센터 & 원 월드 옵저버토리
One World Trade Center & One World Observatory

9 · 11 테러가 일어났던 부지에 들어선 7개의 빌딩 중 가장 높은 건물이다. 건축가 다니엘 리베스킨트Daniel Libeskind가 설계해 10여 년의 공사 끝에 2014년 11월 오픈했으며 '프리덤 타워Freedom Tower'라는 별칭으로도 불린다. 미국의 독립선언이 있었던 해인 1776년을 기념하여 건물 높이가 1,776ft(541m)인데, 이는 미국 내에서도 가장 높다. 건물의 100~102층은 원 월드 옵저버토리 전망대이며, 100~101층은 카페와 레스토랑으로 꾸며져 있고 102층에선 3D 도시 투어가 가능하다. 그 외에 웰컴 센터, 기념품 숍 등도 함께 즐길 수 있다. 자유의 여신상과 뉴저지 주의 바다까지 조망이 가능해 또 다른 감동을 주고 있다.

주소	285 Fulton St
전화	844-696-1776
홈피	oneworldobservatory.com
운영	09:00~21:00
요금	성인 $38, 65세 이상 $36,
	어린이(6~12세) $32
위치	PATH/지하철 E선
	World Trade Center역
	(PATH 통로와 월드 트레이드
	센터 빌딩 연결),
	지하철 R선 Cortlandt St역

시포트 Seaport

시포트는 멋스러운 뉴욕을 기억할 수 있는 역사적인 복합 센터이다. 이곳은 뉴욕의 부둣가라고도 할 수 있는데, 항구를 부활하자는 의미로 1983년 재건되었다. 항구에는 언제나 배가 정착해 있고, 주변을 메우고 있는 오래된 낮은 건물들에는 펍, 서점, 기념품 숍 등이 있어 다양한 쇼핑이 가능하다. 최근 새로 들어선 부둣가의 건물에는 캘리포니아의 인기 식당인 '말리부 팜 뉴욕Malibu Farm New York', 전망좋은 옥상에 위치해 데이트하는 커플에게 특히 인기인 '더 그린스 온 더 루프톱 앳 피어 17The Greens on The Rooftop at Pier 17' 등이 입점해 있다. 또한 근처의 다른 볼거리로는 해양 박물관South Street Seaport Museum, 풀턴 스톨 마켓Fulton Stall Market 등이 있어 다채로운 체험이 가능하다.

주소	19 Fulton St
전화	212-732-8257
홈피	theseaport.nyc
운영	24시간
위치	지하철 2·3·4·5·A·C·J·Z선 Fulton St역

풀턴 센터 The Fulton Center

14억 달러를 투자한 대대적인 공사를 마치고 2014년 11월 새로운 모습으로 오픈했다. 총 9개 지하철 노선(2·3·4·5·A·C·J·R·Z선)의 환승이 가능한 대형 종합 트랜싯 센터로, 트라이베카, 브루클린 브리지, 월 스트리트, 월드 트레이드 센터, 배터리 파크까지의 이동이 더욱 편리해졌다. 메인 빌딩 한가운데에는 36m 높이의 '스카이 리플렉터 넷Sky Reflector-Net'이라는 유리 천장의 돔 지붕이 있으며 자연 채광이 되어 아름답다. 풀턴 센터 내에만 52대의 디지털 스크린, 10대의 에스컬레이터, 15대의 엘리베이터가 설치되어 있다. 내부는 같은 이름의 쇼핑몰로 연결된다.

주소	200 Broadway
홈피	new.mta.info/project/fulton-transit-center
운영	24시간
위치	지하철 2·3·4·5·A·C·J·R·Z선 Fulton St역

> **Tip 뉴욕 교통의 허브**
>
> 출입구만 27개에 매일 30만 명의 뉴요커가 이용하는 풀턴 센터는 뉴욕 교통의 최대 허브 센터라 할 수 있다. 월드 트레이드 센터를 연결하는 지하도와 PATH 열차를 이용할 수 있는 추가 공사까지 진행되고 있어 뉴저지를 오갈 때도 편해질 전망이다.

⑧

브루클린 브리지 Brooklyn Bridge

맨해튼과 브루클린을 연결하는 약 2.7km의 다리로 1883년 완공되었으며 개통된 뒤 20년 동안 세계에서 가장 큰 현수교였다. 다리 타워의 표지판은 건설 도중 사고로 숨진 설계자 존 A. 로블링과 20여 명의 노동자들을 추모하기 위한 공간이다. 다리 위에는 보행자 전용 도로가 있어 1층은 차도, 2층은 인도로 구성이 되어 있고 다리를 건너는 데는 30분~1시간 정도 걸린다. 저녁 무렵 브루클린 쪽에서 다리를 건너며 감상하는 맨해튼 마천루의 아름다운 실루엣은 뉴욕 관광의 최대 하이라이트라고 할 수 있다. 영화 〈원스 어폰 어 타임 인 아메리카〉와 〈킹콩〉 등에 등장했다.

위치 **맨해튼→브루클린**
지하철 4 · 5 · 6선
Brooklyn Bridge–City Hall역,
브루클린→맨해튼
지하철 A · C선 High St역

⑨

브룩필드 플레이스 Brookfield Place
세계 금융 센터 World Financial Center

미국에 본사를 둔 메릴 린치Merrill Lynch와 아메리칸 익스프레스American Express 등 세계적인 금융 회사들이 위치한 '세계 금융 센터'가 '브룩필드 플레이스'로 이름을 변경하였다. 총 4개의 건물과 윈터 가든Winter Garden이라 불리는 실내 정원으로 꾸며져 있는데, 윈터 가든은 통유리로 조성되어 실내가 매우 밝다. 이곳은 또한 무료 공연이나 행사가 자주 열려 주변의 직장인들이 식사하며 휴식할 수 있는 공간이 되기도 한다. 내부의 푸드 코트인 허드슨 잇츠Hudson Eats에서 블루 리본 스시 바, 블랙 시드 베이글, 마이티 퀸 바비큐 등을 맛볼 수 있고, 다양한 식재료를 판매하는 르 디스트릭트Le District가 있어 여러 먹거리 체험도 가능하다.

주소 230 Vesey St
전화 212-417-7000
홈피 bfplny.com
운영 월~토 10:00~20:00,
일 12:00~18:00
위치 지하철 N · R선 Cortlandt St역,
지하철 2 · 3선 Park Pl역,
지하철 1 · 2 · 3 · A · C선
Chambers St역

⑩

월 스트리트 Wall Street

전 세계 금융과 경제의 대명사라 할 수 있는 월 스트리트는 뉴욕 증권거래소와 연방 준비 은행 등 각종 금융 기관과 기업들이 몰려 있다. 이 지역을 '파이낸셜 디스트릭트Financial District'라 부르기도 한다. 이곳의 상징인 황소상Charging Bull 앞에는 언제나 관광객들이 많은데, 황소의 생식기를 만지면 큰 부자가 된다는 속설 때문. 이 황소는 1987년 주가 폭락 때 조각가 아르투로 디 모디카가 주가 상승을 기원하며 뉴욕 증권거래소 앞에 세운 것이다. 철거 위기도 있었으나 사람들의 반대로 지금의 위치에 옮겨졌다.

위치 지하철 4 · 5선
　　　 Wall St역

월 스트리트에 왔다면
황소상을 꼭 보자!

Sightseeing ★☆☆

⑪

뉴욕 증권거래소 New York Stock Exchange

1792년 24명의 중개인에 의해 최초로 설립되어 현재는 2천 명에 가까운 중개인이 일하는 미국의 대표 증권거래소이다. 종종 TV에 나왔던 것처럼 커다란 전광판과 모니터를 보며 거래를 진행하는데, 9 · 11 테러가 터진 이후 2004년부터 기존에 진행하던 내부 견학을 금지해 출입할 수 없으며 현재는 외관 관람만 가능하다. 내부는 관람할 수 없지만 르네상스풍의 웅장한 건물과 미국 성조기의 조화를 배경으로 기념 촬영을 하려는 관광객들이 많아 늘 붐빈다.

주소 11 Wall St
전화 212-656-3000
홈피 www.nyse.com
위치 지하철 J · Z선 Broad St역, 지하철 4 · 5선 Wall St역

Sightseeing ★★☆

⑫

페더럴 홀 Federal Hall National Memorial

월 스트리트에 위치한 미국 의회 구 의사당으로 그리스 신전 스타일의 건물 입구가 인상적인데, 아테네의 파르테논 신전을 모티브로 지어졌다. 뉴욕이 미국 최초의 수도가 된 후 1789년 초대 대통령 조지 워싱턴이 취임 선서를 한 역사적인 곳이다. 박물관은 이와 관련된 자료들과 당시의 시대상을 볼 수 있는 물건들을 중심으로 꾸며져 있고 입장료는 무료이다. 건물 입구의 조지 워싱턴 동상이 이곳의 상징이며 건물은 1812년 건축되었다가 1842년 다시 지어진 것이다. 가이드 투어는 매일 10시, 13시, 14시, 15시에 30분씩 진행된다. 페더럴 홀의 맞은편에는 뉴욕 증권거래소가 자리하고 있다.

주소 26 Wall St
전화 212-825-6990
홈피 www.nps.gov/feha
운영 월~금 09:00~17:00
　　　 (토~일요일 휴무)
위치 지하철 J · Z선 Broad St역,
　　　 지하철 2 · 3 · 4 · 5선 Wall St역

⓭

트리니티 교회 Trinity Church

월 스트리트의 한쪽 끝에 있는 트리니티 교회는 1697년에 세워진 최초의 영국 성공회 교회로 한 차례 화재로 소실된 후 증축, 개조되어 1846년에 완공되었다. 준공 당시 85m에 이르는 고딕 양식의 첨탑은 뉴욕 제일의 높이를 자랑했는데, 현재는 금융가의 고층 빌딩에 둘러싸여 독특한 분위기를 풍긴다. 교회 입구의 공동묘지에는 많은 명사가 잠들어 있으며 고풍스럽고도 아름다운 풍경을 자아낸다.

주소 75 Broadway
전화 212-602-0800
홈피 www.trinitywallstreet.org
운영 08:30~18:00
위치 지하철 4 · 5선 Wall St역,
　　　지하철 1 · R선 Rector St역

⓮

시청 & 시빅 센터 City Hall & Civic Center

아름다운 프랑스 르네상스풍 외관에 내부는 미국 남부의 조지아풍으로 꾸며진 뉴욕 시청은 뉴욕 시장의 집무실과 뉴욕 시의 행정 사무실이다. 개인적인 관람은 불가하고 가이드 투어를 통해 내부를 구경할 수 있다. 시청을 둘러싸고 있는 시청 공원City Hall Park에서는 월 스트리트에서 일하는 뉴요커들이 분수대 주변에 모여 앉아 점심 식사를 하거나 휴식을 취하는 모습을 쉽게 볼 수 있다. 시청을 기점으로 뉴욕 연방 청사, 뉴욕 대법원, 뉴욕 지방법원 등이 군집해 있고 이 지역을 '시빅 센터Civic Center'라 부른다.

주소 City Hall Park
전화 212-788-3000
홈피 www.nyc.gov
위치 지하철 R선 City Hall역

Food ¹추천

트라이베카 그릴 Tribeca Grill

영화배우 로버트 드 니로가 공동 경영에 참여한 것으로 유명한 이곳은 트라이베카를 대표하는 레스토랑이다. 커피창고를 개조해 오픈한 곳으로 규모가 꽤 넓은데, 벽돌로장식되어 있는 벽 또한 이색적이다. 내부에 전시된 그림은 모두 로버트 드 니로의 아버지 작품이다. 음식도 맛있지만 수준 높은 와인 리스트도 유명하고 화장실로 가는 길에는 그가 주연한 영화의 포스터가 전시되어 있다. 3가지 코스 요리를 맛볼 수 있는 점심의 프리 픽스를 추천.

주소 375 Greenwich St
전화 212-941-3900
홈피 www.myriadrestaurantgroup.com/tribeca_grill.php
운영 화~토 17:00~22:00(일~월요일 휴무)
요금 $30~
위치 지하철 1선 Franklin St역

Food

스윗그린 Sweetgreen

유기농 샐러드 체인점으로, 요즘 직장인 뉴요커들에게 가장 인기 있는 점심 메뉴이다. 시내 곳곳에 매장이 있어 애플리케이션이나 웹사이트에서 주문 후 현장에서 픽업하는 방식이다.

주소 100 Kenmare St
전화 646-964-5012
홈피 sweetgreen.com
운영 10:30~21:00   요금 $9.75~
위치 지하철 6선 Spring St역, 지하철 J·Z Bowery역

Food ¹추천

카페 1668 Kaffe 1668

뉴욕 3대 스페셜티 커피에 속하는 인텔리젠시아와 카운터 컬처의 원두를 사용하고, 에스프레소의 경우 블랙 캣 원두로 커피를 내리는 것으로 유명하다. 최근 맨해튼 내에 지속적으로 매장이 늘어나고 있을 정도로 인기가 있다. 어두우면서도 모던한 실내 분위기와 귀여운 양 인형 장식이 독특한 이곳은 이른 아침부터 신문을 읽거나 간단한 식사를 즐기려는 현지인들로 가득하다.

주소 275 Greenwich St
전화 212-693-3750
홈피 www.kaffe1668.com
운영 월~금 06:30~18:00,
     토~일 07:00~17:00
요금 $4~
위치 지하철 1·2·3·A·C선
     Chambers St역

＊카페 1668 지점 소개

North
주소 401 Greenwich St
전화 646-559-2587

CB2

감각적인 디자인의 생활용품을 구매할 수 있는 곳. 특히 다양하고도 멋스러운 주방용품이 가장 인기가 많다. 세일기간에 방문하면 더욱 풍성한 쇼핑을 할 수 있어 매력적인 곳. 이곳 외에도 맨해튼 내에 몇 곳의 매장이 있다.

주소 451 Broadway
전화 212-219-1454
홈피 www.cb2.com
운영 월~토 10:00~20:00,
　　　일 11:00~19:00
위치 지하철 N · Q · R · W선 Canal St역

Shopping · 추천

웨스트필드 월드 트레이드 센터 Westfield World Trade Center

스페인 건축가 산티아고 칼라트라바가 설계했으며, 2016년 3월 오픈했다. 오큘러스Oculus라는 별칭은 하늘을 향해 날개를 편 새나 천사를 뜻한다. 세계에서 가장 많은 공사비를 들인 교통 요충지답게 뉴욕 시의 지하철 노선 11개와 뉴저지주의 도시 철도인 PATH까지 연결된 쇼핑몰이다. 다양한 브랜드 매장은 물론 잇탤리 다운타운까지 연결되어 있어 무엇을 해도 지루하지 않다.

주소 185 Greenwich St
전화 212-284-9982
홈피 westfield.com
운영 월~금 10:00~20:00,
　　　토 10:00~19:00, 일 11:00~18:00
위치 지하철 R · W선 Cortland St역

Stay · 5성급

그리니치 호텔 The Greenwich Hotel

로버트 드 니로가 공동 경영에 참여하고 있는 고급 호텔로 호텔 내에는 그의 아버지가 그린 그림들이 장식되어 있다. 고급스러운 룸은 'McBRIDE Beauty' 제품의 어메니티와 무료 와이파이가 제공되고, IPOD 도킹 시스템이 있어 아이폰 유저에게 편리하다. 로비에 위치한 이태리 레스토랑 로칸다 베르데Locanda Verde가 유명하니 한 번쯤 식사를 해볼 것.

주소 377 Greenwich St
전화 212-941-8900
홈피 www.thegreenwichhotel.com
요금 $620~
위치 지하철 1선 Franklin St역,
　　　지하철 A · C · E선 Canal St역

뉴욕 최고의 셰프, 장 조지
Chef Jean Georges

세계 최고의 미식가들이 모여 있는 도시 뉴욕. 이곳에서 이름을
떨치는 여러 셰프가 있지만 그중에도 으뜸은 프랑스 알자스 지방
출신의 유명 셰프 장 조지Jean Georges이다. 그는 뉴욕 내에만 8개의
레스토랑을 소유하고 있는데, 이 중에는 미슐랭 3 스타 레스토랑
까지 있다. 기회가 된다면 나를 위한 선물로 장 조지 레스토랑을
방문해 보는 건 어떨까? 그의 음식을 좋아하고 아끼는 뉴요커들
틈에서 지금 뉴요커들이 즐기는 최고의 요리는 어떤 것인지 맛보
는 좋은 경험이 될 테니까. 또한 그는 한국계 미국인과 결혼해 동
양 요리를 접목한 퓨전 요리도 선보이므로 이를 맛보는 것도 즐거
운 추억이 될 것이다.

뉴욕 맨해튼의 장 조지 레스토랑
Jean-Georges, Nougatine, The MARK, JoJo, ABC Kitchen, The Mercer
Kitchen, Perry St

미슐랭 별 3개에 빛나는
장 조지 Jean-Georges

본인의 이름을 그대로 사용한 레스토랑 장 조지는 뉴욕 내에 있는 그의 여러 레스토랑 중 최고로 쳐주는 파인 다이닝 프렌치 레스토랑으로 1997년 오픈했다. 미슐랭 3 스타에 빛나는 명성에 맞춰 드레스 코드가 있고, 남자의 경우 재킷이 필수이나 만약 없다면 입구에서 대여도 가능하다. 레스토랑의 입구에는 코트 룸이 있어 옷과 가방을 맡길 수 있으므로 복장을 미리 준비해서 갈아입고 들어갈 것을 권한다. 센트럴 파크의 초입에 위치해 있어 식당의 통유리를 통해 공원이 한눈에 보이고 어떤 종류의 음식을 시켜도 입에서 녹는 듯 깊은 풍미가 느껴진다. 식당은 콜럼버스 서클의 트럼프 인터내셔널 호텔 1층에 자리하고 있는데, 입구의 왼쪽은 장 조지, 오른쪽은 누가틴Nougatine으로 나뉜다. 장 조지는 나이 지긋한 뉴요커들이 자주 찾는다면 누가틴은 상대적으로 젊고도 쾌활한 분위기이다.

주소	1 Central Park West
전화	212-299-3900
홈피	www.jean-georges.com
운영	화~토 16:45~21:30
	(일~월요일 휴무)
요금	$60~
위치	지하철 1 · A · B · C · D선
	59th St-Columbus Circle역

★ Chef Jean Georges ★

추천! 레스토랑

다양한 먹거리의
틴 빌딩 바이 장 조지 Tin Building by Jean-Georges

1835년부터 2005년까지 풀턴 생선 시장^{Fulton Fish Market}이었던 랜드 마크가 8년 간의 재개발 끝에 틴 빌딩^{Tin Building}이란 이름으로 다시 태어났다. 장 조지의 큐레이션 아래 다양한 식재료를 파는 푸드 코트는 물론 클래식한 레스토랑부터 캐주얼한 맛집까지 골고루 먹거리를 갖춘 공간으로 거듭난 것. 최근 뉴욕에서 가장 유명한 곳으로 알려지는 추세니 더 늦기 전에 방문해 보자.

주소 96 South St
전화 646-868-6000
홈피 tinbuilding.com
운영 수~일 10:00~21:00
　　 (월~화요일 휴무)
요금 $50~
위치 지하철 2 · 3선 Fulton St역

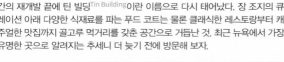

추천! 레스토랑

신선함이 주 무기
ABC 키친 ABC Kitchen

'Farm to the Kitchen'이라는 콘셉트로 운영되는 ABC 키친은 뉴욕 근방의 농장에서 가져온 신선한 재료로 요리하는 것이 특징이다. 테이블에는 매일 생화가 장식되어 있으며, 바로 옆 매장인 'ABC Carpet & Home'과 이어져 있는데, 이곳에서 판매하는 인테리어 용품이 레스토랑 내부에 장식되어 있어 이색적이다. 아늑하면서도 모던하고 세련된 느낌이며 언제 가도 자리가 없어 사전 예약 후 방문할 것을 권한다. 버섯 피자가 가장 인기.

주소	35 E 18th St
전화	212-475-5829
홈피	www.abckitchennyc.com
운영	월~금 12:00~15:00, 17:00~21:45, 토~일 11:00~14:45, 17:00~21:45
요금	$35~
위치	지하철 N · Q · R선 14th St-Union Sq역

로맨틱이 뚝뚝 묻어나는
조조 JoJo

조조는 어퍼 이스트에 위치한 프렌치 비스트로로 작지만 사랑스러운 레스토랑이다. 좁은 2층 건물에 자리하고 있는데 1층과 2층의 분위기는 사뭇 다른 편이다. 파스텔 톤의 벽과 사랑스러운 샹들리에, 그리고 친절한 서비스가 어우러져 특히 브런치를 즐기기 좋은 곳으로도 이름이 나 있다. 다른 장 조지의 레스토랑에 비해 저렴한 것 또한 장점이라 할 수 있다. 에그 베네딕트, 프리타타가 인기이다.

주소	160 E 64th St
전화	212-223-5656
홈피	www.jojorestaurantnyc.com
운영	수~금 17:00~21:30, 토~일 12:00~15:00, 17:00~21:30
요금	$40~
위치	지하철 F선 Lexington Ave/63rd St역

소호와 첼시에 모여 살던 예술가들이 치솟는 임대료를 감당하지 못해 이주한 곳이 맨해튼 강 건너의 브루클린 지역이다. 비교적 월세가 저렴한 공장과 창고에 예술가들이 작업실을 꾸미면서 이 지역은 활기를 띠게 되었고 요즘은 덤보나 윌리엄스버그, 부시윅 등이 인기 급상승 중이다. 뉴욕에서 인구가 가장 많은 주거지인 브루클린 하이츠의 주택가는 맨해튼의 야경을 내려다볼 수 있어 매력적이고, 맨해튼에 비해 조용하면서도 평화로운 곳이라 현지인들의 삶을 살짝이나마 엿볼 수 있기도 하다.

Writer's Story | 뉴욕에서 손꼽히는 아름다운 공원 중 하나는 브루클린 브리지 파크일 것이다. 탁 트인 맨해튼의 빌딩숲과 바다 공기, 그리고 우측의 맨해튼 브리지와 좌측의 브루클린 브리지가 보여주는 전망은 그야말로 진정 뉴욕스러운 풍경이다. 시간이 된다면 이곳에서 여유롭게 돗자리 하나 깔고 낮잠을 즐겨보는 건 어떨까?

To Do List
- ☐ 브루클린 브리지 파크에서 돗자리 펴고 낮잠 자기
- ☐ 덤보에서 〈무한도전〉 멤버들처럼 기념 촬영하기
- ☐ 스모가스버그에서 먹방 여행 즐기기
- ☐ 강 건너로 보이는 맨해튼의 일몰 감상

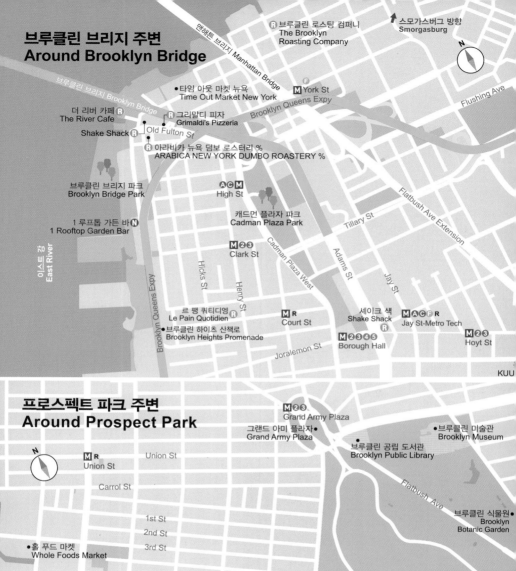

브루클린 브리지 주변
Around Brooklyn Bridge

브루클린 로스팅 컴퍼니
The Brooklyn
Roasting Company

스모가스버그 방향
Smorgasburg

맨해튼 브리지 Manhattan Bridge

타임 아웃 마켓 뉴욕
Time Out Market New York

York St
York Queens Expy

Flushing Ave

브루클린 브리지 Brooklyn Bridge

더 리버 카페
The River Cafe

그리말디 피자
Grimaldi's Pizzeria

Shake Shack

Old Fulton St

아라비카 뉴욕 덤보 로스터리 %
ARABICA NEW YORK DUMBO ROASTERY %

브루클린 브리지 파크
Brooklyn Bridge Park

High St

캐드먼 플라자 파크
Cadman Plaza Park

Flatbush Ave Extension

Tillary St

1 루프톱 가든 바
1 Rooftop Garden Bar

이스트 강
East River

Clark St

Cadman Plaza West

Adams St

Jay St

브루클린 퀸즈 익스프레스웨이
Brooklyn Queens Expy

Hicks St

Henry St

르 팽 퀴티디엥
Le Pain Quotidien

Court St

셰이크 색
Shake Shack

Jay St-Metro Tech

브루클린 하이츠 산책로
Brooklyn Heights Promenade

Joralemon St

Borough Hall

Hoyt St

KUU

프로스펙트 파크 주변
Around Prospect Park

Grand Army Plaza

그랜드 아미 플라자
Grand Army Plaza

브루클린 미술관
Brooklyn Museum

브루클린 공립 도서관
Brooklyn Public Library

Union St
Union St

Flatbush Ave

Carrol St

브루클린 식물원
Brooklyn
Botanic Garden

1st St

2nd St

3rd St

홀 푸드 마켓
Whole Foods Market

피크닉 하우스
The Picnic House

3rd Ave

4th Ave

5th Ave

6th Ave

7th Ave

8th Ave

4th Ave-9th St

9th St

7th Ave

10th St

11th St

12th St

카페 그럼피
Cafe Grumpy

더 네더메드
The Nethermead

프로스펙트 파크
Prospect Park

코니 아일랜드 Coney Island
인더스트리 시티 Industry City
방향

15th St-Prospect Park

덤보 DUMBO

〈무한도전〉 멤버들이 단체 사진을 촬영한 곳이자 영화 〈원스 어폰 어 타임 인 아메리카〉의 포스터에 나오는 그 지역이 바로 덤보이다. 'Down Under the Manhattan Bridge Overpass'의 앞 글자를 따서 지어진 이곳은 최근 몇 년 사이 부쩍 인기를 끌고 있다. 주로 공장과 낡은 벽돌의 건물이 대부분이지만 뉴요커들에게는 웨딩 촬영 장소로 많이 활용되기도 한다. 한가로운 듯하나 거리마다 특이하고 개성 있으면서도 재미난 숍과 갤러리가 많다. 브루클린 최고의 카페로 손꼽히는 브루클린 로스팅 컴퍼니The Brooklyn Roasting Company 같은 명소들이 있다.

위치 지하철 F선 York St역,
　　 지하철 A · C선 High St역

타임 아웃 마켓 뉴욕 Time Out Market New York

트렌디한 매거진 타임 아웃이 직접 운영하는 곳으로 로컬 브랜드 숍, 휴식 공간, 푸드 코트 등의 공간으로 꾸며져 있다. 이 중에서 가장 압권은 5층의 옥상. 무료로 제공되는 이 공간에서는 브루클린, 맨해튼 브리지 감상이 가능해 밤에 가면 더욱 아름답다.

주소 55 Water St, Brooklyn
전화 917-810-4855
홈피 www.timeoutmarket.com/newyork
운영 일~목 08:00~22:00,
　　 금~토 08:00~23:00
요금 $30~
위치 지하철 F선 York St역

3

프로스펙트 파크 Prospect Park

센트럴 파크를 설계한 프레더릭 로 옴스테드와 캘버트 보가 설계한 이 공원은 언제 가도 한적하다. 그러니 관광객에 치이고 지쳤다면 잠시 이곳으로 도피를 해보자. 프로스펙트 파크는 1865년부터 30년간 모인 시민들의 기부금으로 조성되었고 현재는 동물원, 보트하우스, 콘서트 홀, 운동경기장, 아이스링크, 말 타는 코스 등이 마련되어 있다. 공원을 중심으로 브루클린 미술관과 브루클린 식물원이 함께 자리하고 있다.

주소	95 Prospect Park, W Brooklyn
전화	718-965-8951
홈피	www.prospectpark.org
운영	05:00~01:00
위치	지하철 B · Q · S선 Prospect Park역

4

브루클린 브리지 파크 Brooklyn Bridge Park

브루클린 다리 밑에 자리하고 있는 공원으로 과거엔 버려진 항구였으나 지금은 가장 뉴욕스러운 시민 공원이 되었다. 공원 안에는 놀이터, 회전목마, 야외 테이블 등이 설치되어 있고 맨해튼의 빌딩숲과 맨해튼 브리지를 카메라에 함께 담아낼 수 있어 뉴요커들의 웨딩 촬영 장소로도 인기가 많다. 공원의 회전목마는 1922년 펜실베이니아에서 제작했으나 1984년 오하이오 주 이도라 공원에서 이곳으로 옮겨졌다. 세계적으로 유명한 건축가 장 누벨이 회전목마를 감싸는 통유리를 설치해 놀이기구계의 센세이션을 불러일으켰다.

주소	334 Furman St, Brooklyn
전화	212-206-9922
홈피	www.brooklynbridgepark.org
운영	06:00~1:00
위치	지하철 2 · 3선 Clark St역, 지하철 A · C선 High St역

브루클린 미술관 Brooklyn Museum

1987년 오픈한 미술관이며 미국의 7대 미술관 중 하나로 손꼽힐 만큼 풍부한 전시 자료를 보유하고 있는데, 뉴욕의 유명한 건축가 맥 킴ᴹᶜ ᴷⁱᵐ이 설계한 것으로도 주목을 받았다. 건물은 총 5개의 층으로 구성되어 있고 이집트에서부터 아시아, 오세아니아, 아프리카에서 온 작품들로 다양하다. 고야, 고흐, 로댕 등의 유명 화가 작품들도 많이 전시되어 있다. 매달 첫 번째 토요일에는 23시까지 개장하며, 다양한 행사가 열리는 것으로 유명하다.

주소 200 Eastern Parkway, Brooklyn
전화 718-638-5000
홈피 www.brooklynmuseum.org
운영 수~일 11:00~18:00
(월~화요일 휴무)
요금 성인 $16,
65세 이상 및 학생증 소지자 $10,
19세 이하 무료, 매월 첫 번째
토요일(17:00~23:00) 무료
위치 지하철 2 · 3선 Eastern Pkwy-Brooklyn Museum역

스모가스버그 Smorgasburg

맛을 인정받은 100여 개의 브랜드 벤더가 참여하는 뉴욕 최고의 먹거리 장터로 라멘으로 만든 버거, 베이컨이 올라간 메이플 베이컨 컵케이크, 숯불에 구워주는 갈비 샌드위치, 로브스터 버거 등이 유명하다. 4~10월까지는 토요일에 브루클린 내 2곳에서 열리고 나머지 시즌엔 실내에서 운영된다. 팁은 없고 현금 결제만 가능하나 가격은 저렴하지 않은 편. 장소 및 운영시간 변경이 잦으니 방문 전 체크는 필수.

주소 90 Kent Ave, Brooklyn
운영 토~일 11:00~18:00
(계절에 따라 변동)
홈피 www.smorgasburg.com
위치 지하철 L선 Bedford Ave역

브루클린 하이츠 산책로 Brooklyn Heights Promenade

브루클린 하이츠 산책로는 뉴요커들에게 특히 사랑받는 데이트 장소다. 맨해튼의 남쪽을 한눈에 바라볼 수 있으며 언덕에 자리하고 있어 환상의 전망을 자랑한다. 주위를 둘러보면 유독 어깨를 기대고 나란히 앉아 사랑의 밀어를 속삭이는 커플들이 많다. 오가는 길이 조용한 주택가라 인적이 뜸하므로 늦은 밤에는 조심할 것.

주소	Montague St & Pierrepont Place, Brooklyn
전화	718-722-3214
홈피	www.nycgovparks.org/about/ history/historical-signs/ listings?id=136
운영	06:00~01:00
위치	지하철 N · R선 Court St역, 지하철 2 · 3선 Clark St역

코니 아일랜드 Coney Island

브루클린의 남쪽에 위치한 코니 아일랜드는 20세기 뉴요커들의 휴양지로 만들어졌다. 지하철로 갈 수 있고 대규모 놀이시설과 수족관이 있어 가족 나들이 장소로 인기가 많아 우리나라의 인천 월미도 같은 느낌이다. 나단스Nathan's의 유명 핫도그를 맛보며 브라이턴과 맨해튼 비치를 거닐고, 선탠도 하면서 여유로운 하루를 보내기에 좋다.

주소	1000 Surf Ave, Brooklyn
홈피	www.coneyisland.com
위치	지하철 D선 Coney Island-Stillwell Ave역, 지하철 F · Q선 West 8th St-NY Aquarium역

9

인더스트리 시티 Industry City

뉴욕 시의 전폭적인 지지를 받아 한창 개발 중인 이곳은 폐허가 될 뻔한 9동의 공장 건물을 수리해 서로 오갈 수 있도록 연결한 독특한 형태다. 공원과 놀이터, 레스토랑, 카페, 상점, 스튜디오, 와인 숍 등이 있고 건물 위층에는 다양한 스타트업 기업들이 진출해 있다. 20만 평의 땅에 걸맞는 다양한 시설들이 계속 추가되는 중이라 앞으로의 행보가 주목된다.

주소	220 36th St
전화	718-965-6450
홈피	industrycity.com
위치	지하철 D · N · R선 36th St역

Food : 추천

1

꾼 KUUN

우드와 조명의 조화가 멋스러운 이곳은 마치 박물관 같다. 식기, 식재료에서도 고급스러움이 잔뜩 묻어난다. 인기 메뉴는 갈비찜, 돌솥비빔밥, 쌈 세트, 떡볶이 등. 정성 가득한 고급 한식을 미국인들이 즐겨 찾는 모습을 보고 있으면 뿌듯한 기분마저 든다. 한국계 영화배우 샌드라 오가 단골이라니 그녀를 마주칠 수도!

주소	290 Livingston St, Brooklyn
전화	917-909-1466
홈피	kuunbrooklyn.com
운영	11:30~22:30
요금	$30~
위치	지하철 2 · 3 · 4 · 5선 Nevins St역

©Kuun

Food : 추천

2

그리말디 피자 Grimaldi's Pizzeria

총 세 군데 지점 중 덤보 지점의 경우 굳이 찾지 않아도 쉽게 발견할 수 있을 것이다. 커다란 화이트 톤의 빌딩도 아름답지만 이른 아침부터 늘어서 있는 줄 때문. 이태리산 버섯인 거대한 포토벨로Portobello가 잔뜩 들어간 샐러드와 마늘과 치즈만을 토핑한 화이트 피자White Pizza를 추천한다. 깊고 풍부하면서도 고소한 피자의 맛에 중독될 것이다. 조각피자는 판매하지 않는다.

주소	1 Front St, Brooklyn
전화	718-858-4300
홈피	www.grimaldispizzeria.com
운영	일~목 11:30~22:00, 금~토 11:30~23:00
요금	$25~
위치	지하철 A · C선 High St역

＊그리말디 피자 지점 소개

Limelight Marketplace
주소 656 6th Ave
전화 646-484-5665

 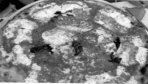

❸
더 리버 카페 The River Cafe

미슐랭 1 스타에 빛나는 곳으로, 로맨틱하고도 아름다운 전경 덕분에 1년 내내 인기가 많은 곳이다. 브루클린 브리지와 맨해튼이 바로 코앞에서 보이며, 음식 또한 훌륭하다. 과하지도, 부족하지도 않은 음식은 남녀노소 누구든 부담 없이 즐길 수 있다. 미리 예약하고 가지 않으면 자리를 잡기 어려우니 참고할 것. 낭만적인 식사를 하고 싶다면 저녁에, 밝은 분위기에서 경치를 즐기고 싶다면 점심에 식사할 것을 권한다.

주소 1 Water St, Brooklyn
전화 718-522-5200
홈피 rivercafe.com
운영 수~일 17:30~22:30
     (월~화요일 휴무)
요금 $50~
위치 지하철 A · C · F선
     High St-Brooklyn Bridge역

Food
❹
아라비카 뉴욕 덤보 로스터리 % ARABICA NEW YORK DUMBO ROASTERY %

일본 교토에서 시작된 커피 브랜드. 로고를 살짝 옆으로 보면 읽히는 글자 때문에 '응커피'라는 별칭으로도 유명하다. 매장은 크지 않지만 가운데 좌석에 앉아서 보는 브루클린 브리지가 일품. 커피를 절로 부르는 공간이다.

주소 20 Old Fulton St, Brooklyn   전화 718-865-2551
홈피 www.arabicacoffee.us
운영 08:00~18:00   요금 $5~
위치 지하철 F선 York St역

Night Life : 추천
❶
해리엇 루프톱 Harriet's Rooftop

요즘 브루클린에서 가장 뜨고 있는 공간이자, 맨해튼 내에서 가장 인기가 많은 루프톱 바이다. 1 호텔 브루클린 브리지1 Hotel Brooklyn Bridge의 옥상에 위치하고 있어 찾기 편리한데다가 이곳에서 보는 맨해튼의 마천루는 감히 최고라 할 수 있을 정도. 언제 가도 인기가 많아 자리 잡기가 힘들다. 루프톱 바 바로 아래층에 자리한 화장실에도 꼭 가보도록 하자. 통유리 창을 통해 한눈에 보이는 아름다운 브루클린 브리지의 모습은 그야말로 장관이다.

주소 60 Furman St, Brooklyn
전화 347-696-2505   홈피 www.1hotels.com
운영 11:00~24:00   요금 $30~
위치 지하철 A · C · F선 High St-Brooklyn Bridge역

요즘 뉴욕의 대세, 그린포인트 & 부쉬윅
Green Point & Bushwick

세계의 도시 중 젠트리피케이션이 가장 심한 뉴욕. 소호나 첼시에 거주했던 예술가들이 한때는 치솟는 월세를 감당하지 못해 브루클린과 윌리엄스버그로 이주했다. 강 건너이긴 하지만 맨해튼이 보이고 지하철로도 연결되기 때문. 지금은 그곳도 물가가 올라 많은 이가 윌리엄스버그보다 더 동쪽에 위치한 부쉬윅과 그 위쪽의 그린포인트로 거주지를 옮기고 있다.

독특하고 자유분방한 느낌의 그라피티와 개성 강한 숍들을 구경하다 보면 하루가 훌쩍 지나갈 정도로 감각적인 이 동네에도 먹고 즐기기 좋은 곳이 많다. 그린포인트의 **파이브 리브즈**5 Leaves에서 맛볼 수 있는 리코타 치즈 팬케이크는 감동 그 자체! 모던하고 힙한 분위기의 맛 좋은 커피를 찾는다면 부쉬윅의 **세이 커피**Sey Coffee와 **픽션 바/카페** Fiction Bar/Cafe를 추천한다. 책을 좋아한다면 그린포인트의 서점 **워드**Word를 잊지 말 것. 아늑하게 꾸며진 내부와 다양한 굿즈도 예쁘고, 운이 좋다면 작가를 만날 수도 있다!

부쉬윅을 걷다 보면 거대한 벽화들로 가득한 **더 부쉬윅 컬렉티브**The Bushwick Collective를 만나게 된다. 2011년 시작된 최초의 벽화를 시작으로 세계 유명 작가들과 협업하며 여러 작품을 계속 만들고 있는 야외 미술관의 개념인데 이 덕분에 과거 우범지대였던 이곳이 지금은 많은 이들이 즐겨 찾는 유명 관광지로 변신했다. 그러니 지금 뉴욕의 최신 트렌드를 알고 싶다면 바로 이곳으로 향할 것!

위치 **그린포인트** 지하철 G선 Nassau Ave역
부쉬윅 지하철 L선 Morgan Ave역 혹은 Jefferson St역

워드

더 부쉬윅 컬렉티브

더 부쉬윅 컬렉티브

케이브 에스프레소 바

14 윌리엄스버그
Williamsburg

뉴욕의 예술가들이 많이 거주하는 곳으로, 브루클린과 마찬가지로 소호에서 활동하던 예술가들이 비싸진 임대료를 이기지 못해 옮겨 온 곳이다. 다리를 건너야 갈 수 있기 때문에 맨해튼을 색다른 뷰로 바라볼 수 있는 좋은 포인트이며 한적하게 뉴요커들의 삶을 잠시나마 엿볼 수 있는 기회이다. 골목마다 그려져 있는 다양한 그라피티, 개성 강한 숍들, 자유롭고 여유로워 보이는 사람들, 전깃줄에 늘어져 매달려 있는 운동화, 스티커가 가득 붙어 있는 우체통과 ATM 기계, 희한한 포스터로 뒤덮인 건물 벽은 산책하는 것만으로도 힐링이 된다. 주말에 방문하게 된다면 플리 마켓 구경은 필수!

Writer's Story | 요즘 잘나가는 뉴요커들이 몰려 사는 윌리엄스버그. 이곳은 밤에 가야 그 진가를 확인할 수 있다. 최근 뉴욕에서 인기 있는 바와 클럽들이 모두 이곳에 몰려 있기 때문. 고성방가와 함께 술 취한 뉴요커들도 많지만 그만큼 젊음이 느껴지기도 한다. 낮과 밤이 완전히 다른 윌리엄스버그의 매력을 여실히 느껴보고 싶다면 슬그머니 밤마실을 다녀오길 추천한다. 물론 대로변으로만 안전하게 다닌다는 전제하에!

To Do List
- ☐ 강 건너의 맨해튼 뷰 감상하기
- ☐ 거리의 벼룩시장 구경하기
- ☐ 전깃줄에 매달린 운동화 찾아보기
- ☐ 페테 자우의 바비큐 맛보기

워드 방향
Word

N 브루클린 볼
Brooklyn Bowl

맥캐런 공원
McCarren Park

위스 호텔 H
Wythe Hotel
바 블론디 N
Bar Blondeau

• 브루클린 브루어리
Brooklyn Brewery

이스트 리버 주립 공원
East River State Park

R 릴리아
Lilia

R 홈커밍
Homecoming Williamsburg

M L
Bedford Ave

M L
Lorimer S

스윗워터 R
Sweetwater

시 Sea R

파트너스 커피
Partners Coffee

M G
Metropolitan Ave

맥널리 잭슨 북스 •
McNally Jackson Books

R 블루 보틀 커피
Blue Bottle Coffee

Metropolitan Ave

R 페테 자우
Fette Sau

마르타스 컨트리 케이크
Martha's Country Bakery

데보시옹 R
Devocion

듀몽 버거 R
DuMont Burger

M J Z M
Marcy Ave

M J M
Hewe

Broadway

R 피터 루거 스테이크 하우스
Peter Luger Steak House

윌리엄스버그 브리지 Williamsburg Bridge

N

윌리엄스버그
Williamsburg

이스트 리버 주립 공원 East River State Park

윌리엄스버그의 강가에 위치한 아름다운 공원이다. 맨해튼의 스카이라인이 한 눈에 펼쳐져 아름다운 뷰를 자랑하며, 잔디가 깔려 있어 소풍을 즐기기에 좋다. 공원 내에는 무료 바비큐 시설까지 갖추고 있어 가족 단위로 바비큐를 즐기며 하루를 보낼 수 있는 시민을 위한 공원이다. '뉴욕스러운' 배경 사진을 촬영하기에도 좋은 장소이다.

주소	90 Kent Ave
전화	718-782-2731
홈피	parks.ny.gov
운영	07:00~22:00
위치	지하철 L선 Bedford Ave역

브루클린 브루어리 Brooklyn Brewery

크래프트 맥주(소규모 양조장에서 만든 현지 맥주) 업체인 브루클린 브루어리는 뉴욕의 인기 맥주인 브루클린 라거Brooklyn Lager를 제조하는 곳으로, 맥주를 만드는 공장 견학과 맥주를 시음할 수 있는 공간, 이렇게 두 가지를 즐길 수 있다. 기본 맥주 외에도 다양한 시즌별 맥주를 신선하게 즐길 수 있어 인기가 많으며 안주를 팔지 않아 피자를 시켜 먹거나 외부 음식을 먹을 수 있다. 오크통에 둘러앉아 신선한 생맥주를 마시는 재미를 느껴보자.

주소	79 N 11th St, Brooklyn
전화	718-486-7422
홈피	brooklynbrewery.com
운영	월~목 17:00~23:00,
	금 14:00~24:00,
	토 12:00~24:00, 일 12:00~20:00
요금	$7~, 내부 투어 $15~25
위치	지하철 L선 Bedford Ave역,
	지하철 G선 Nassau Ave역

①

홈커밍 Homecoming Williamsburg

작은 공간이지만 아름다운 꽃과 화분, 디자인이 가미된 멋스러운 생활용품을 판매하는 편집 숍이자 카페이다. 포틀랜드 브랜드인 Heart의 원두로 커피를 판매하고 있으며 옆 동네인 그린포인트에도 지점이 있다.

주소	92 Berry St, Brooklyn
전화	347-599-1949
홈피	home-coming.com
운영	월~금 08:00~17:00, 토~일 08:30~17:00
요금	$4~
위치	지하철 L선 Bedford Ave역

Food ᐧ추천

②

피터 루거 스테이크하우스 Peter Luger Steak House

1887년 시작해 지난 130여 년간 뉴욕 최고의 스테이크로 이름을 떨쳐온 미슐 랭 1 스타 레스토랑이다. 자체의 드라이 에이징을 통한 육즙 가득한 고기 맛이 특징이다. 스테이크 주문 시 1~4인분으로 선택이 가능한데, 1인분도 기본적으로 많은 편임을 감안해 주문하자. 사이드 메뉴로는 시금치나 토마토가 들어간 샐러드, 독일식 감자구이가 인기이다. 현금으로만 결제가 가능하고, 식사 시간에 방문할 시 예약을 권한다.

주소	178 Broadway, Brooklyn
전화	718-387-7400
홈피	peterluger.com
운영	월~목 · 토 11:45~21:45, 금 11:45~22:45, 일 12:45~21:45
요금	1인 $80~
위치	지하철 J · M · Z선 Marcy Ave역

©Peter Luger Steak House

③

스윗워터 Sweetwater

브런치로 특히 유명한 윌리엄스버그의 떠오르는 맛집이다. 뒤뜰의 작은 정원에서 펼쳐지는 공간이 운치가 있어 자리를 잡기가 어려울 정도. 햄버거, 스테이크, 에그 베네딕트, 샐러드 등의 메뉴가 특히 인기이다.

주소 105 N 6th St, Brooklyn
전화 718-963-0608
홈피 www.sweetwaterny.com
운영 월~금 11:00~23:00,
　　 토~일 10:30~23:00
요금 $30~
위치 지하철 L선 Bedford Ave역

④

듀몽 버거 DuMont Burger

2005년 오픈해 지금껏 브루클린의 이름난 맛집으로 명성을 날리고 있으며 윌리엄스버그의 최고 중심가인 베드포드 애비뉴Bedford Ave에 자리하고 있다. 언제 가도 많은 사람들로 붐비며 날씨 좋은 날 야외 테이블에 앉아 거리를 오가는 리얼 뉴요커들을 구경하면서 햄버거를 먹는 재미가 꽤 쏠쏠하다. 육즙이 그대로 흘러나오는 품질 좋은 소고기를 사용해 햄버거 패티를 만들며 그 사이즈 또한 거대해 하나를 다 먹기 어려울 정도인데 맛만큼은 최고이다. 파스타에 베이컨과 체다 치즈, 그뤼에르 치즈를 섞은 '듀맥 & 치즈Dumac & Cheese' 또한 이곳의 유명 메뉴이다.

주소 314 Bedford Ave, Brooklyn
전화 718-384-6127
홈피 dumontburgerusa.com
운영 일~목 11:30~23:00,
　　 금~토 11:30~01:00(월요일 휴무)
요금 $20~
위치 지하철 L선 Bedford Ave역

❺ 페테 자우 Fette Sau

미국 최고의 맛을 평가하는 잡지 〈저갯Zagat〉과 〈타임아웃 Time Out〉에서 극찬한 넘버원 바비큐. 독일어로 '살찐 돼지' 라는 뜻의 페테 자우은 정육점으로 시작해 인기가 많아지자 창고를 개조해 지금의 공간이 되었다. 최고의 혈통을 가진 고기에 특제 양념을 더해 구운 바비큐와 달콤 쌉싸름한 독일식 맥주의 만남은 그야말로 꿀맛! 고기를 주문할 땐 입구의 카운터에서 원하는 부위와 양을 말한 뒤 계산하면 되고 술은 바에서 구입한다. 테이블을 안내해 주는 서비스가 없으니 좌석 확보가 먼저다. 사이드 메뉴 중 '베이크드 빈Baked Bean'은 바비큐 맛을 제대로 느끼게 하는 특제 소스이니 꼭 맛보길.

주소 354 Metropolitan Ave, Brooklyn
전화 718-963-3404
홈피 www.fettesaubbq.com
운영 월~화 17:00~22:00, 수~토 12:00~22:00,
      일 12:00~21:00
요금 $40~60
위치 지하철 L선 Bedford Ave역

❻ 마르타스 컨트리 케이크 Martha's Country Bakery

치즈케이크가 가장 유명하지만 고급스럽고 세련된 매장 안으로 들어가면 젤라또, 음료 등도 함께 판매하고 있어 오랜 시간 머물며 디저트를 즐기기 좋다. 진하면서도 딱딱한 스타일의 치즈케이크를 좋아한다면 강추!

주소 263 Bedford Ave
전화 718-599-0900
홈피 marthascountrybakery.com
운영 일~금 06:00~24:00,
      토 06:00~01:00
요금 $8~
위치 지하철 L선 Bedford Ave역

릴리아 Lilia

2016년 오픈한 이곳은 요리책 'PASTE'의 주인공 미시 로빈스^{Missy Robins}의 매장이다. 시카고에서 5년간 이탈리안 요리를 공부했는데 'Best New Chefs in 2010'에 랭킹되었을 만큼 그 실력을 인정받고 있다. 깊고 풍부한 맛, 특별하고 정성 가득한 요리는 디저트까지도 인기가 많은 덕분에 지금도 언제나 예약하기가 하늘의 별 따기인 곳. 제대로 된 이탈리안 음식을 맛보고 싶다면 예약에 도전해 보자.

주소	567 Union Ave, Brooklyn
전화	718-576-3095
홈피	www.lilianewyork.com
운영	16:00~22:00
위치	지하철 L선 Bedford Ave역

시 Sea

윌리엄스버그를 대표하는 태국 레스토랑으로 내부 정중앙을 차지하고 있는 작은 연못과 부처상, 그리고 하늘을 올려다볼 수 있는 창이 인상적이다. 음식 맛은 대체로 무난하며 분위기가 좋아 언제 가도 인기가 많다. 미국의 인기 드라마 〈섹스 앤 더 시티〉에 등장해 더욱 유명해졌다.

주소	114 N 6th St, Brooklyn
전화	718-384-8850
홈피	seausathai.com
운영	일~목 11:30~23:15,
	금 11:30~24:15, 토 12:30~24:15
요금	$20~
위치	지하철 L선 Bedford Ave역

⑨
데보시옹 Devocion

한적한 골목길에 자리하고 있는 곳으로, 문을 열고 들어서면 신세계가 펼쳐진다. 벽 한 면을 가득 채운 싱그러운 식물들, 투명한 천장에서 햇살이 그대로 들어오는 테이블과 소파, 힙한 분위기의 바리스타와 노란색 테마로 맞춰진 내부 인테리어가 더욱 눈길을 끈다. 바쁘고 정신없는 맨해튼과는 다르게 여유로운 커피 타임을 즐길 수 있는 곳이라 추천. 이곳의 대표 메뉴를 맛보고 싶다면 코르타도를 주문해 보자. 플랫 화이트보다 우유가 더 적게 들어간, 진한 카페 라테이다.

주소 69 Grand St, Brooklyn
전화 718-285-6180
홈피 devocion.com
운영 08:00~19:00
요금 $5~
위치 지하철 L선
　　　Bedford Ave역

⑩
파트너스 커피 Partners Coffee

2012년 만들어진 스페셜티 원두 브랜드로, 뉴욕 내 여러 곳에서 파트너스의 원두를 사용하는 것을 쉽게 발견할 수 있을 만큼 인기와 신뢰를 얻고 있다. 본 매장의 경우 영화 〈인턴〉에서 앤 해서웨이와 로버트 드니로가 등장하는 배경이기도 하다. 내부는 언제나 북적거리고 사람들이 많아 자리 잡기가 힘들다는 게 단점.

주소 125 N 6th St, Brooklyn
전화 347-586-0063
홈피 www.partnerscoffee.com
운영 07:00~18:00
요금 $6~
위치 지하철 L선 Bedford Ave역

Night Life ^{추천}

바 블론디 Bar Blondeau

요즘 뉴욕에서 가장 잘나가는 루프톱 중 한 곳으로, 위스^{Wythe} 호텔의 옥상에 위치하며 좌석은 실내와 실외로 나뉜다. 실외로 나가면 강 건너로 맨해튼의 뷰가 한눈에 펼쳐져 우리가 알던 뉴욕의 야경과는 또 다른 매력을 느낄 수 있다. 언제나 멋쟁이 뉴요커들로 복작거리는 물 좋은 바이다.

주소	80 Wythe Ave, Brooklyn
전화	718-460-8006
홈피	barblondeau.com
운영	월~수 17:00~24:00, 목 17:00~01:00, 금 17:00~02:00, 토 12:00~02:00, 일 12:00~24:00
요금	$20~
위치	지하철 L선 Bedford Ave역

Night Life ^{추천}

브루클린 볼 Brooklyn Bowl

윌리엄스버그에서 가장 인기 있는 곳 중 하나로 밤에 즐길 수 있는 모든 것이 다 있다. 바와 볼링장, 그리고 공연 무대까지 있어 콘서트를 관람하면서 술을 마시고 볼링도 칠 수 있다. 홈페이지의 공연 스케줄에 따라 입장료가 달라지니 체크 후 방문할 것.

주소	61 Wythe Ave, Brooklyn
전화	718-963-3369
홈피	www.brooklynbowl.com
운영	수~목 18:00~23:00, 금 18:00~02:00, 토 11:00~02:00, 일 11:00~23:00(월, 화요일 휴무)
요금	$13~30
위치	지하철 G선 Nassau Ave역

Around New York

뉴욕 근교 여행

근교 명소
Beach · University · Outlet

뉴욕에서는 기차나 버스를 타고 조금만 나가면 비치나 유명 대학, 아웃렛 등에 갈 수 있다. 언제든 이렇게 쉽게 떠날 수 있으니 펜 스테이션(정식 명칭은 펜실베이니아 스테이션이지만 줄여서 '펜 스테이션'이라 부른다)이나 그랜드 센트럴 터미널은 항상 떠나고 돌아오는 사람들로 붐빈다. 마음만 먹으면 1시간 이내에 여러 명소를 보러 갈 수 있는 뉴욕. 맨해튼도 좋지만 뉴욕을 또 다르게 기억할 수 있는 근교 명소로 하루쯤 여행을 떠나보는 건 어떨까?

＊**LIRR** Long Island Rail Road의 줄임말로 롱 아일랜드행 기차를 뜻함

유럽 같은 분위기
오이스터 베이 Oyster Bay

유럽 분위기가 물씬 풍기는 오이스터 베이는 아담하고도 예쁜 마을이다. 기차역에서 내려 사진을 찍으며 거리를 걷다 보면 항구가 보이는데, 그곳이 바로 오이스터 베이다. 항구와 공원이 함께 있고, 수많은 요트가 줄지어 있으며 여름에는 선탠을 즐기며 한가롭게 책을 읽거나 휴식을 취하는 사람들을 쉽게 볼 수 있다. 이곳은 도시에서의 생활이 슬슬 지겨워질 무렵, 자연의 품이 그리워 편히 쉬고 싶을 때 하루쯤 시간을 내어 방문하면 좋다. 마을 이름에서도 알 수 있듯이 이 동네는 굴이 유명하니 굴이 나는 제철에 가면 꼭 한 번 맛보자.

홈피 www.visitoysterbay.com
위치 LIRR선 Oyster Bay역

10km의 해변가
존스 비치 Jones Beach

맨해튼의 펜 스테이션에서 기차로 갈 수 있는 존스 비치는 10km에 이르는 길이 새하얀 모래로 뒤덮여 있다. 비치까지는 모래를 밟지 않고도 걸을 수 있게 보드워크가 깔려 있는데, 모래 위를 불편해 할 시민들을 위한 배려이다. 또한 보드워크에서 운동하는 사람들을 위해 운동하기 좋은 코스, 심장병을 가진 사람이 하면 좋은 운동 코스 등이 설명된 안내문도 있다. 이곳에는 타미 힐피거Tommy Hilfiger가 기부한 거대한 콘서트 홀이 바닷가에 세워져 있어 여름이면 콘서트가 열리기도 한다. 대서양의 드넓은 바다를 바라보며 즐기는 콘서트라니 상상만 해도 신나지 않은가! 바다는 양쪽으로 분리되어 있으며 한쪽은 어린이를 동반한 가족 여행자용 공간으로 꾸며져 있다. 한참을 앞으로 걸어 나가도 바닷물의 깊이가 무릎밖에 오지 않아 어린이들이 놀기에 안전하다. 비치의 보드워크에선 와이파이까지 가능해 더욱 편안한 여행이 가능하다.

주소 1 Ocean Parkway, Wantagh
홈피 parks.ny.gov/parks/10
요금 차 1대당 $8
위치 LIRR선 Freeport역에서 하차 후
　　　셔틀버스로 이동

별장이 많은
롱 비치 Long Beach

존스 비치와 마찬가지로 롱 아일랜드 내에 있는 롱 비치 또한 수많은 뉴요커들이 즐겨 찾는 바캉스 장소이다. 펜 스테이션에서 LIRR 기차를 타고 Long Beach역에 내리면 비치까지 바로 걸어서 갈 수 있다. 거대한 산책로를 따라 다양한 숙박시설과 뉴요커들이 휴가를 위해 지어 놓은 별장이 늘어서 있다. 한적하게 낚시와 수영을 즐길 수 있으며 자전거 등의 다양한 레포츠 체험도 가능하다. 비치의 총 길이는 5.6km로 존스 비치보다 좀 더 한적한 바다 풍경을 원한다면 이곳을 택하는 것이 좋다.

홈피 www.longbeachny.gov
위치 LIRR선 Long Beach역

고풍스러운 아름다움의 상징

프린스턴 대학교 Princeton University

프린스턴 대학교는 1746년 개교한 미국 뉴저지 주의 사립대학으로 아이비리그 대학 중 하나이다. 뉴욕에서 가려면 기차를 타야 하는데 약간의 번거로움을 투자해서라도 꼭 가보라고 권하고픈 곳이다. 가는 길이 그리 어렵지 않은 편이며 미국 내에서도 손꼽힐 만큼 아름다운 캠퍼스는 마치 중세 유럽의 어느 도시에 와 있는 듯한 느낌이 들 정도로 매혹적이다. 여정 중간에 음식을 사 먹을 만한 곳이 마땅치 않으니 출발할 때 미리 먹을거리를 준비하고, 기차 안에서 창밖의 경치를 즐기는 것 또한 잊지 못할 추억이 될 것이다.

주소	Princeton University, Princeton, New Jersey
전화	609-258-6115
홈피	www.princeton.edu
위치	Penn Station에서 New Jersey행 기차를 타고 Princeton Jct역에서 하차, 셔틀기차로 갈아탄 뒤 Princeton역 하차

하버드와 1, 2위를 다투는 최고의 대학

예일 대학교 Yale University

1701년 개교한 예일 대학교는 코네티컷Connecticut의 뉴 헤이븐New Haven에 있는 사립 종합대학교로 아이비리그에 속하는데, 노벨상 수상자만 60여 명을 배출해 냈다. 하버드 대학교와 함께 미국 최고의 대학이란 타이틀로 선의의 경쟁을 펼치기도 한다. 고딕풍의 우아한 학교 건물과 주변 기숙사는 동화 속 마을처럼 아름다우며 대리석으로 만들어진 큐브 모양의 희귀본 도서관인 '바이네케 도서관Beinecke Rare Book & Manuscript Library' 또한 유명하다.

주소	New Haven, CT 06511
전화	203-432-4771
홈피	www.yale.edu
위치	Grand Central역에서 Metro North 기차를 타고 New Haven역까지 간 후 (2시간 소요) 택시 이동

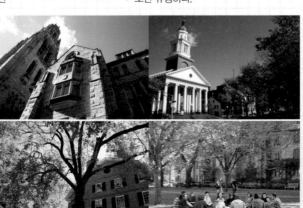

우드버리 커먼 프리미엄 아웃렛
Woodbury Common Premium Outlets

우드버리 커먼 프리미엄 아웃렛은 뉴욕 근교에 있는 최고 인기 아웃렛이다. 맨해튼의 포트 오소리티 버스터미널Port Authority Bus Terminal에서 버스를 타고 1시간 10분 정도 가면 도착한다. 220개 이상의 매장이 늘어서 있어 정신 바짝 차리고 부지런히 돌아다니지 않으면 하루 종일 있어도 원하는 쇼핑을 마치지 못할 수가 있다. 미리 자신이 방문할 매장들의 위치를 체크하는 것은 필수.

코치Coach를 비롯해 마크 제이콥스Marc Jacobs, 마이클 코어스Michael Kors, 케이트 스페이드Kate Spade 등의 인기 브랜드와 바니스 백화점의 아웃렛인 바니스 아웃렛Barneys Outlet 등도 입점해 있다. 한국인이 많이 방문하는 매장에는 한국인 직원이 근무하기도 하니 부담 없이 쇼핑할 수 있다. 홈페이지에서 VIP클럽에 가입하면 쿠폰 북을 받을 수 있는 바우처를 출력할 수 있는데, 이를 활용하면 추가 할인을 받을 수 있다.

단점은 위치가 멀어 시간과 비용을 감안해야 한다는 것. 왕복 버스 차비만도 $40 이상(쿠폰 포함)이니 구입할 목록을 미리 작성한 후 결정하는 것이 좋다. 그루폰이나 아마존을 통해서 버스 티켓을 구입할 수도 있는데, 가격은 저렴하나 출발 2일 전 반드시 전화로 예약을 해야 하는 불편이 있다.

도난에 대한 우려 때문에 본인의 신용카드가 아닌 경우 결제가 안 되는 매장들도 있으니 본인 명의의 신용카드를 가져가는 것이 좋다.

주소	498 Red Apple Court Central Valley
전화	845-928-4000
홈피	www.premiumoutlets.com
운영	10:00~21:00
위치	Port Authority Bus Terminal 410 게이트(변동 가능)에서 우드버리행 버스로 1시간 10분 소요

워싱턴 D.C.
Washington, D.C.

미합중국의 수도이자 세계 정치와 외교의 중심지인 워싱턴 D.C.는 뉴욕에서 버스를 타고 4~5시간이면 도착한다. 워싱턴 D.C.의 중심부에 자리하고 있는 내셔널 몰National Mall을 기준으로 링컨 기념관과 국회의사당 사이에 자리 잡은 링컨 기념탑, 한국전 참전용사 추모공원, 워싱턴 기념탑, 백악관, 스미스소니언 박물관, 자연사 박물관, 국립 항공 우주 박물관, 제퍼슨 기념관 등을 구경하다 보면 하루가 어떻게 가는지 모를 만큼 바쁘다.

워싱턴 D.C.에는 매년 어마어마한 관광객들이 방문하지만 그중에서도 가장 인기 있는 시기를 꼽으라면 벚꽃 축제가 열리는 3~4월이다. 특히 축제가 열리는 포토맥 강변의 호수 공원을 따라 3km에 이르는 길의 벚꽃나무들이 그 화려한 자태를 뽐내는데 그야말로 장관이다. 매년 이 시기에 수많은 현지인들조차 그 모습을 보기 위해 워싱턴 D.C.를 방문한다고 하니 미국 동부를 대표하는 유명한 축제임이 틀림없다. 그러니 시간이 된다면 가능한 한 봄에 방문해 보자. 아름다운 벚꽃과 함께 즐기는 미국의 수도 풍경은 오래오래 기억에 남을 것이다.

홈피 washington.org
위치 1. 메가버스 정류장
34th St Between 11th Ave &
12th Ave(4시간 30분 소요).
2. 볼트버스 정류장
6th Ave Between Grand & Watts
또는 W 33rd St & 11~12th Ave
(4시간 15분 소요).
3. Penn Station에서 기차 이용
(3시간~3시간 30분 소요)

조용하지만 품위 있는

필라델피아
Philadelphia

1776년 7월 4일 영국으로부터 독립한 미합중국이 탄생한 곳이자 미합중국 최초의 수도였던 필라델피아. 뉴욕만큼 볼거리가 넘쳐나거나 워싱턴 D.C.처럼 상징적인 도시는 아니지만 의미 있는 역사를 지니고 있다. 뉴욕에서 버스로 2시간이면 도착하니 이동하는 데 부담이 없고 당일치기 여행도 가능하다. 특히 미국의 역사 혹은 독립과 관련해 관심이 있는 사람에게 권하고픈 도시이며, 수준 높은 미술관과 박물관이 많아 예술에 관심 있는 사람들도 좋아할 만한 곳이다. 필라델피아에 간다면 유명한 샌드위치는 꼭 맛보고 오도록 하자. '필리Philly'라는 애칭으로 불리는 이 고기 샌드위치는 빵 사이에 질 좋은 스테이크를 넣어 만든다. 필라델피아라는 이름을 미국 전역에 알린 일등 공신이 되었을 만큼 대표적으로 유명한 음식이다.

홈피 www.visitphilly.com

위치 **1. 메가버스 정류장**
34th St Between 11th Ave &
12th Ave(2시간 소요).

2. 볼트버스 정류장
6th Ave Between Grand & Watts
또는 W 33rd St & 11~12th Ave
(2시간 소요)

3. Penn Station에서 기차 이용
(2시간 소요)

애틀랜틱 시티
Atlantic City

뉴욕에서 차로 2시간 30분 정도면 도착하는 애틀랜틱 시티는 '미국 동부의 라스베이거스'다. 서부의 라스베이거스와 다른 점이 있다면 이곳은 바다가 함께하는 카지노 도시라는 점. 애틀랜틱 시티는 뉴욕의 바로 옆 주인 뉴저지 주의 남부에 위치하며 아주 오래전에는 가난한 사람들만 사는 이름 없는 도시였다가 도시 개발 사업이 착수되어 카지노가 들어서면서부터 미국 동부 사람들의 휴가지로 탈바꿈하게 되었다. 애틀랜틱 시티의 메인 스트리트는 바다를 끼고 있는데, 다양한 호텔과 식당 외에도 어린이 전용 골프장, 야외 공연장, 쇼핑몰, 아웃렛, 거리 음식 코너 등이 있어 하루나 이틀 휴가를 즐기기에 좋다. 카지노 덕분에 주말에는 무척 많은 사람들이 몰리니 시간이 된다면 주중에 방문할 것을 추천한다.

거리에는 인력거도 많으니 걷기가 귀찮다면 인력거를 이용한 애틀랜틱 시티 투어를 즐겨도 좋다. 한여름엔 바닷가에서 수영을 하면서 카지노를 즐기는 휴가객이 많아 더욱 복잡해진다.

홈피 www.atlanticcitynj.com
위치 Port Authority Bus Terminal에서 그레이하운드 또는 아카데미 버스 탑승(2시간 30분 소요)

보스턴
Boston

미국 최고의 대학으로 이름을 떨치고 있는 하버드 대학교와 M.I.T가 있는 도시 보스턴! 미술을 좋아하는 이들에게도 보스턴으로의 여행을 추천한다. 보스턴 미술관Museum of Fine Arts은 미국에서도 손꼽히는 미술관 중 하나로 메트로폴리탄 미술관만큼의 어마어마한 규모를 자랑하는데, 제대로 관람하기 위해서는 입장하기 전에 미리 방문 계획을 세우는 게 좋다. 미술관에는 고대 미술, 이집트 미술, 아시안 미술 등 7개의 테마가 조성되어 있으며 우리에게도 유명한 르누아르, 고갱, 모네 등의 작품을 감상할 수 있다.

보스턴의 또 다른 유명 투어로는 프리덤 트레일Freedom Trail이 있는데 이는 보스턴의 역사적인 건물 16곳을 쉽게 찾을 수 있도록 땅바닥에 빨간 라인을 칠해 놓은 길을 뜻한다. 바닥에 표시되어 있는 대로 따라 가기만 하면 되는 투어 코스라 누구라도 부담 없이 즐길 수 있다. 걷는 건 좋아하지만 명소를 일일이 찾아다니기 귀찮은 사람에게 적격인 여행지이다. 보스턴 투어에서 마지막으로 잊지 말아야 할 것은 바로 크램 차우더 수프Clam Chowder Soup! 신선한 해산물이 들어 있는 보스턴의 맛깔나는 조개 수프를 먹어줘야 진정한 보스턴 여행을 했다고 말할 수 있다.

홈피 www.bostonusa.com
위치 **1. 메가버스 정류장**
　34th St Between 11th Ave & 12th Ave(4시간 20분 소요),
2. 볼트버스 정류장
　1st Ave Between 38th & 39th (4시간 15분 소요)

나이아가라 폭포
Niagara Falls

세계 3대 폭포 중 하나라는 거창한 수식어가 아니더라도 나이아가라는 거대하고 웅장한 북아메리카의 대표 관광지 중 하나이다. 시간 여유가 있고 운전하기를 즐긴다면 차를 통해 갈 수도 있고, 미국의 버팔로^{Buffalo}(아웃렛이 있어 캐나다에서도 쇼핑하러 많이 온다)나 캐나다의 토론토^{Toronto}까지 비행기를 타고 간후 그곳에서 다시 버스나 차를 이용해 폭포까지 이동할 수 있다. 폭포 내엔 구경거리가 많고 폭포를 한눈에 내려다볼 수 있는 멋진 전망의 식당도 많으니 은근 시간이 많이 소요되는 관광지이기도 하다. 시간이 좀 더 허락된다면 폭포 옆에 자리한 오래된 유럽풍의 마을인 나이아가라 온 더 레이크^{Niagara On The Lake} 마을에 들를 것을 추천한다. 길 하나를 사이에 두고 오래된 호텔, 식당, 크리스마스용품 가게, 아이스크림 가게 등이 늘어서 있는데 그림처럼 아름답다. 작은 마을이라고 무시하면 안 되는 게 워낙 유명한 곳이기 때문에 언제나 많은 사람들로 북적이기 마련. 나이아가라 온 더 레이크와 폭포를 오가는 길 주변에는 다양한 와이너리도 많으니 저렴하면서도 품질 좋은 와인을 맛보는 것도 여행의 소중한 추억이 될 것이다.

홈피	www.niagarafallstourism.com
위치	라과디아 공항에서
	버팔로까지 1시간 30분,
	토론토까지 1시간 40분 소요
	(직항 기준).
	공항에서 폭포까지는 버스가
	있지만 갈아타야 하고 배차 간격도
	길어 택시를 탈 것을 추천한다.

Tip 인기 투어버스
뉴욕에서 근교 도시로의 버스 예약은 미리 해둘수록 저렴해진다. 버스 회사와 행선지별로 승차와 하차 장소가 다르니 이를 확인하고 타야 하는데 대부분의 버스들이 Penn Station 주변에서 출발한다. 뉴욕 근교를 버스로 이동할 때 버스비는 $10~25 안팎이다.

예약 정보
메가버스 us.megabus.com
볼트버스 www.boltbus.com
차이나타운 버스 www.ilikebus.com
미국 내 국내선 가격비교 & 예약
www.kayak.com

03

Step to New York

쉽고 빠르게 끝내는
여행 준비

뉴욕 일반 정보

기본 정보
국가명 : 아메리카 합중국(United States of America)
수도 : 워싱턴 D.C.
언어 : 영어
인구 : 약 170만 명(뉴욕 시티 맨해튼 기준)

공휴일
1월 1일 : 새해
1월 셋째 주 월요일 : 마틴 루터 킹의 날
2월 셋째 주 월요일 : 대통령의 날
3월 말~4월 중순 중 하루 : 부활절
5월 마지막 주 월요일 : 현충일
7월 4일 : 독립기념일
9월 첫째 주 월요일 : 노동절
10월 둘째 주 월요일 : 콜럼버스의 날
10월 31일 : 핼러윈
11월 11일 : 재향군인의 날
11월 넷째 주 목요일 : 추수감사절
12월 25일 : 크리스마스
＊일부 주(State)의 경우 공식 공휴일 날짜가 다를 수 있음

여행 시기와 기후
한국과 똑같이 사계절이 있지만 여름엔 더 덥고 겨울엔 더 추운 곳이 뉴욕이다. 강과 바다가 만나는 뉴욕의 지형상 거대한 빌딩 사이로 부는 바람이 엄청 차가우니 특히 겨울철 여행은 추천하지 않는다. 봄과 가을이 여행하기 가장 좋으나 봄에는 비가 많이 오는 편이다.

비자
미국 방문 전 웹 사이트를 통해 ESTA 비자로 입국 허가를 받거나, 한국에서 미국 대사관을 미리 방문해 관광 비자를 취득할 수 있다. 둘 중 한 가지는 반드시 있어야 입국이 가능하다.

통화
US달러 중 $50, $20, $10 위주로 준비해 가면 편리하다. $100의 경우 현지에서도 큰돈이라 여겨 잘 사용하지 않는 편이다.

환율
1$=1,300원(2023년 10월 기준, 수시로 변동 있음)

시차
미국 동부 시간 기준. 한국보다 14시간 느림(서머 타임 실시 때는 13시간).

물가

거리의 피자는 한 조각에 $3~, 지하철 1회 탑승 시 $2.90(MTA 카드 구매값 $1 별도), 레스토랑은 보통 메뉴당 $20~40 안팎이고 여기에 뉴욕 주 세금(8.875%)과 팁(18%~)을 함께 내야 한다.

팁

통상 음식 값의 15~20%를 주는 것이 관례이며, 호텔에서 캐리어를 배달받았을 때는 $1~2, 택시의 경우 10~15%, 바의 바텐더에게는 10% 정도를 주는 것이 좋다.

LinkNYC

맨해튼 시내를 걷다 보면 쉽게 마주치는 LinkNYC는 무료로 와이파이를 제공하는 것은 물론, 터치스크린으로 이용할 수 있는 뉴욕 및 지도 정보, 911 긴급 통화, 휴대폰 충전 등이 가능한 만능 머신이다. 모두 무료로 이용 가능.

인터넷

길거리의 LinkNYC, 공공기관, 스타벅스 등에서는 무료로 와이파이를 제공하고 있고, 뉴욕 지하철 전 역에도 와이파이를 설치하고 있는 중이다(일부는 완료).

식수

뉴요커들은 수돗물을 그대로 마실 만큼 신뢰하지만 개인 기호에 맞춰 생수를 사 마실 수도 있다. 500ml 생수 한 병에 $1~2 정도이고 마트에서 구입할 경우 더욱 저렴하다.

긴급 연락처

뉴욕 총영사관
주소 460 Park Ave
전화 212-674-6000
홈피 overseas.mofa.go.kr/us-newyork-ko/index.do
운영 월~금 09:00~12:00, 13:00~16:30

- **수신자부담 한국으로의 전화** : 1-800-288-7358, 1-800-822-8256
- **'영사콜센터' 무료 전화 앱** : 별도의 음성 통화료 없이 무료로 영사콜센터 상담 전화 사용 가능. '실시간 안전정보 푸시 알림', '카카오톡 상담 연결하기' 등 서비스 이용 가능.
- **JFK 국제공항** : 718-244-4444
- **라과디아 공항** : 718-533-3400
- **뉴어크 리버티 국제공항** : 973-961-6000
- **대한항공 뉴욕지점** : 800-438-5000(무료), 212-326-5000
- **아시아나항공 뉴욕지점** : 800-227-4262(무료), 212-318-9200
- **긴급 상황(화재나 사고 등)** : 911

뉴욕 여행 필수 준비물

항공권 구매하기

여행 작가가 가장 많이 받는 질문 중 하나는 '어떻게 하면 항공권을 저렴하게 구입할 수 있냐'는 것이다. 그 방법을 안다면 나부터 여행 경비를 많이 줄일 수 있을 텐데 안타깝게도 이 글을 쓰고 있는 여행 작가 또한 뾰족한 수는 없다. 그저 열심히 손품을 팔며 아침저녁으로 항공권의 가격을 조회하다가 적당한 가격이라고 판단했을 때 구입하는 수밖에. 하지만 노력하면 무엇이든 얻어지는 법. 휴대폰에 '스카이스캐너' 혹은 '카약' 애플리케이션을 설치해 두자.

특정 키워드를 입력하면 여러 검색 엔진들을 통해 가장 저렴한 항공권부터 찾아 순서대로 보여준다. 수시로 변하는 항공권의 가격 알림 기능을 활용하면 지금 당장 결제하지 않더라도 현재의 항공권 가격 상황을 메일로 받아볼 수 있으며, 여행 일자가 확정되지 않았을 때는 가장 저렴하게 떠났다가 돌아오는 날짜 또한 달력으로 한눈에 표로 보며 구매할 수 있어 편리하다. 여행을 함께 갈 파트너에게 일정을 공유하는 기능도 갖추고 있다. 또한 각종 신용카드 할인 혜택에 따라 구매 금액이 몇십만 원씩 차이가 나는 경우도 있으니 자신이 가지고 있는 신용카드의 혜택을 확인 후 구매할 것. 왕복 구간뿐 아니라 항공권을 추가로 구매해야 하는 다구간 노선도 경유지를 선택해 검색할 수 있어 편리하다.

Tip

추천 항공권 가격 비교 사이트/앱
- 카약 www.kayak.co.kr (웹사이트/앱)
- 스카이스캐너 www.skyscanner.com (웹사이트/앱)
- Google 항공편 검색 www.google.com/flights?hl=ko
- 플레이윙즈 : 각 항공사별 특가 및 프로모션 알림 (앱)

미국 국내선 가격 비교 사이트
- 프론티어항공 www.flyfrontier.com/ways-to-save/online-deals
- 칩플라이트닷컴 www.cheap-flights.com

준비물 체크리스트

종류	항목	체크(V)	내용
여권/항공/돈	여권		유효기간 6개월 이상/사본 3장/여권 사진 3장
	비자		ESTA 또는 관광 비자
	항공권		사본 3장
	US달러/한국 돈		분산해서 보관할 것
	신용카드		마그네틱 손상 or 전산장애를 고려해 2장
	호텔/투어/철도/버스/렌터카 예약 바우처		사본 3장
	국제학생증/국제운전면허증		사본 3장
의류/소품	옷(카디건, 티셔츠, 청바지, 레깅스 등)		계절/방문지에 따라 선택
	잠옷/숙소에서 입을 편한 옷		
	정장		만찬 or 고급 공연 관람 시 필요
	속옷/양말/모자/스카프		
	신발(구두, 운동화, 단화 등)		계절/방문지에 따라 선택
	여성용품(생리대, 팬티라이너, 탐폰 등)		
세면/화장품	샴푸/보디클렌저/비누/보디타월 등 위생용품		숙소/기호에 따라 선택
	화장품(기초+메이크업)/선크림		
	수건		숙소/기호에 따라 선택
기타	한국 기념품		현지인과 친구가 되었을 때 나눠주면 좋은 작은 선물
	카메라/충전기/메모리카드/방수팩		고장 날 것을 대비해 2개 챙길 것
	AC전원 플러그		
	1회용 렌즈/세척액		
	보조 배터리		휴대폰으로 사진 촬영을 많이 하므로 필수(기내 수화물)
	물티슈/지퍼백(대, 중, 소)		언제 어디서나 유용하니 여유 있게 챙길 것
	수첩+펜		모처럼 감성에 빠져 일기를 쓰고 싶다면
	비상약(지사제, 소화제, 두통약, 밴드 등)		간혹 호텔에 없는 경우를 대비
	유선 이어폰		미술관 도슨트 혹은 버스 투어 시 대여하고 싶지 않다면
	접이식 커피포트		위생적으로 편리하게 사용 가능
	슬리퍼		간혹 호텔에 없는 경우를 대비

여행의 질을 높여줄 아이템

여행하다 보면 한국의 화장품이 우수하다는 걸 많이 느끼는데 그중 **미스트 쿠션**은 단연 최고다. 선크림과 파운데이션까지 합쳐진 기능으로 자외선을 차단해 주고, 내 얼굴에 기미가 끼는 걸 막아주는 고마운 제품이다. **마스크 팩** 또한 요긴한데 한국 제품은 저렴하면서도 질이 좋아 미국에서도 인기이다. 여행 중 건조하고 피로해진 피부도 마스크팩 하나면 생생히 되살아난다. 미국 방문 시 언제든 반드시 필요한 것은 **립밤**과 **수분크림**! 10시간 정도 머물러야 하는 기내에서부터 사용하는 것이 좋다.

스커트를 즐겨 입는다면 **고탄력 스타킹**을 여러 컬레 챙기자. 미국 스타킹은 우리나라 것만큼 질이 좋지 않고 가격도 비싸다. **양말** 또한 마찬가지다. 한국의 **액세서리**는 저렴하고 품질도 좋으니 여러 개 준비하여 여행 중 마음껏 멋을 내보자. 부피와 무게가 거의 없어 부담이 없는 데다 현지 친구를 사귀면 선물로 선뜻 건네줄 수도 있으니 일석이조다.

누구나 잘 잊어버리는 한 가지! 일명 '돼지코'라 불리는 **AC전원 플러그** 어댑터이다. 미국은 110V, 11자형으로 된 플러그를 사용하니 한국 전자제품을 사용하려면 멀티 어댑터가 필요하다. 휴대폰, 카메라, 보조 배터리 등 충전할 용품이 많고 고장 날 것을 감안해 2~3개 정도 챙기는 것이 좋다.

유심 칩을 이용한 휴대폰 사용도 인기이다. 한국에서 사용하던 휴대폰을 그대로 쓰면서 미국 휴대폰 번호가 생기는 개념인데, 데이터 사용과 통화가 자유롭다. 칩을 넣었다 빼는 게 부담된다면 **로밍**도 좋은 방법. 과거에 비하면 비용도 많이 합리적이게 됐다. 미국의 통신사는 AT&T, T-Mobile, Verison 등이 있고, 비용은 옵션(용량, 일수)에 따라 천차만별이다.

보조 배터리 역시 필요하고, USB로 연결하는 **미니 전등**도 인기이다. 남들 다 자는 시간에 기내에서 해야 할 일이 있다면 내 좌석에 있는 USB 코드에 연결하여 나만의 전등을 켤 수 있다. 또한 여러 명이 함께 쓰는 도미토리 룸에서도 요긴하다.

평상시보다 많이 걸어 다리가 붓는다면 **휴족시간**도 추천한다. 종아리에 붙이고 자면 다음 날 조금 가벼워진 다리와 마음으로 힘을 내 다시 걸을 수 있다. 음악 마니아라면 **미니 스피커**와 **잡음 차단 이어폰**도 요긴하게 쓸 수 있다. 찬 바람이 불 때 혹은 환절기에 방문한다면 **핫팩** 또한 중요 아이템!

뉴욕 여행에 도움이 되는 애플리케이션 및 웹사이트

- **Papago** 인공지능 실시간 통·번역 서비스
- **Kayak** 항공권(국제선·국내선), 호텔, 렌터카 가격 비교
- **Google Maps** 여행 중 길 찾기에 가장 유용한 구글 지도
- **WiFi+** 사용자가 직접 공유하는 매장 비밀번호 모음
- **Opentable, www.resy.com** 레스토랑 무료 예약
- **Tip N Split** 레스토랑에서 식사 후 지불하는 팁 자동 계산
- **YELP** 미국에서 가장 대중적인 맛집 모음
- **Uber** 또는 **Lyft** 모바일 공유 차량 예약
- **Chipotle** 맛있고 저렴한 멕시칸 패스트푸드 브랜드로 위치 찾기 좋음
- **www.timeanddate.com/sun/usa/new-york** 뉴욕 선셋 시간 확인 가능

유심 칩 판매 사이트
데이터프리 datafree.kr

미국의 단위와 화폐 미리보기

단위

한국과 미국은 사용하는 단위나 계산법이 다른 게 많아 처음에는 많이 당황
스럽고 불편할 것이다. 여행을 준비하면서 미국에서 주로 사용하는 단위를
미리 익혀두자. 이동 거리를 구체적으로 알고 싶을 때, 슈퍼마켓에서 물건을
비교할 때, 실외 온도를 체크할 때 특히 유용하다.

	한국	미국	단위 비교
무게	kg(킬로그램)	LB(파운드)	1LB = 0.45kg
	g(그램)	Oz(온스)	1Oz = 28g
부피	l(리터)	G(갤런)	1G = 3.78l
거리	km(킬로미터)	Mile(마일)	1Mile = 1.60km
길이	cm(센티미터)	Ft(피트)	1Ft = 30.48cm
온도	℃(섭씨)	℉(화씨)	32℉ = 0℃ ℉ = (℃×1.8)+32

화폐

미국 동전에는 저마다 각기 고유한 이름이 있다. 25센트는 쿼터Quarter, 10센
트는 다임Dime, 5센트는 니클Nickel이라 부른다. 1센트는 페니Penny! 잔돈을 주
고받을 때 많이 쓰는 단어이니 외워두면 편리하다. 특히 25센트짜리 쿼터
는 주차장이나 빨래방 등에서 가장 많이 쓰이므로, 여러 개를 가지고 다니
면 좋다. 지폐인 달러Dollar는 현지에서 벅스Bucks라고도 부른다. 10달러를
'텐 벅스'라고 부르는 식이니 기억해 두자. 지폐 중 가장 많이 쓰이는 단위는
1달러, 5달러, 10달러, 20달러로, 100달러짜리 지폐는 일상생활에서 잘 쓰이
지 않는다. 실제로 상점에서 100달러를 내면 위조지폐가 아닌지 확인하기도
하니 거금을 현금으로 결제할 일이 없다면 들고 가지 않는 것을 추천한다.
한 가지 조심할 것은 새 돈일 경우, 겹쳐 있어서 돈을 잘못 세는 경우가 있다
는 것! 실제로 필자는 100달러짜리 새 돈을 여러 장 가지고 있다가 착각해서
다른 사람에게 1장 더 준 적도 있다!

25센트	10센트	5센트	1센트
쿼터 (Quarter)	**다임** (Dime)	**니켈** (Nickel)	**페니** (Penny)

입국 심사와 시내 이동 방법

여행 정보
JFK 국제공항 에어트레인
www.jfkairtrain.com
롱 아일랜드 레일 로드
www.mta.info/lirr

수많은 비행기가 뜨고 내리는 뉴욕의 공항. 뉴욕에는 큰 공항만 3개나 된다. 존 F. 케네디JFK, 라과디아La Guardia, 뉴어크Newark 공항이 있는데, 한국에서 출발하는 뉴욕행 직항은 모두 JFK 국제공항에 도착한다.

1. 공항 도착

뉴욕 공항에 도착하면 제일 먼저 미국 입국 심사를 통과해야 한다. 기내에서 미리 받아 작성해 둔 서류를 제출하면 되는데, 미국 비자 소지자라면 입국신 고서를, ESTA 소지자라면 비자 받은 증빙만 제출하면 된다.

JFK 국제공항 JFK International Airport

미국 제35대 대통령인 존 F. 케네디의 이름을 딴 뉴욕 제1의 공항이다. 공항 에는 6개의 터미널(1, 2, 4, 5, 7, 8)이 존재하며 대한항공은 터미널 1, 아시 아나항공은 터미널 4를 이용한다.

라과디아 공항 La Guardia Airport

맨해튼 시내와도 가까워 대중교통으로의 이동이 편리한 미국 국내선 이 용 공항이다.

뉴어크 리버티 국제공항 Newark Liberty International Airport

뉴욕 주의 옆에 있는 뉴저지 주의 공항으로, 라과디아와 마찬가지로 국내선 운항이 많으며 일부 국제선도 운항한다.

2. 미국 입국 심사, 이것만 따라하면 OK!

미국 입국 심사는 어떤 심사관을 만나느냐에 따라 까다로운 정도가 달라진 다. 관광 비자를 소지한 경우 6개월, ESTA 소지자는 3개월 체류 허가가 일 반적이다. 입국할 때 하는 질문으로는 왜 왔는지, 어디서 체류할 것인지, 돈 은 얼마나 갖고 있는지, 돌아갈 항공권을 보여줄 수 있는지 등이며 이를 미 리 감안해 답변을 준비해 두는 것이 좋다. 자신이 체류할 곳의 주소와 귀국 항공권 사본 등을 미리 여권에 끼워 두었다가 보여주면 좀 더 쉽게 통과할 수 있다. 특히 미혼 여성이 혼자 입국할 때는 불법체류를 할 수 있다고 의심받는 경우가 종종 있으므로 위에 말한 것들을 꼭 챙겨두는 게 좋다.

ESTA(전자여행허가제) 신청서 받기

미국 입국을 위한 사전 허락 제도로, 이 승인이 있어야 90일 이하 체류로 입 국이 가능하다. 인터넷으로 신청해 개인 정보 입력 후 $21을 결제하면 된다. 유효기간은 2년인데, 가장 중요한 건 미국 입국 72시간 전 비자 신청이 완 료되어 있어야 한다는 것!
홈피 esta.cbp.dhs.gov/esta

▓ 미국 입국 시 한국 공항에서의 출국 과정

미국 교통보안청(TSA)에 의해 2017년부터 전 세계 항공사에 대한 보안이 강화되어 공항의 체크인 카운터에서 항공사 직원으로부터 1차 간단 인터뷰가 진행된다. 소요시간은 3분 이내이고 주로 체류 목적과 기간, 소지한 현금액수 등에 대해 묻는다.

2차로 진행되는 인터뷰는 비행기 탑승 게이트 앞에서 이루어지는데 이때 재검색이 필요하다고 판단되는 고객에 한해서 소지품과 수하물 검사가 진행되므로 추가 시간이 소요될 수 있다. 그러니 다른 나라로 출국할 때보다 일찍 공항에 도착해 수속을 진행할 것을 추천한다.

▓ 한눈에 보는 미국 입국 심사 과정

① 세관직원의 안내에 따라 입국 심사장으로 이동, 이때 ESTA, 비자 받은 증빙 등을 준비
② 줄을 선 후 입국 심사관이 묻는 질문에 답하고 양쪽 손가락의 지문 스캔 진행

Tip
간단한 항공 정보 찾기
구글, 네이버의 검색창에서 비행기 편명을 입력하면 도착 시간, 터미널 번호, 출구, 수하물 수취대 정보를 알 수 있다. 특히 공항에서 정신없을 때 일일이 항공권을 찾아보지 않아도 되니 편리하다.

Tip
ESTA 1회 이상 입국자라면 무인 자동 입국 심사대를!
자동 입국 심사인 APC(Automated Passport Control) 프로그램으로 미국 입국 절차가 간소화되었다. 이용 대상자는 미국 혹은 캐나다 국적자와 ESTA(전자여행허가) 취득자 등으로, ESTA 취득자의 경우는 1회가 아닌 2회째 미국 입국 시부터 적용이 가능하다. APC 기기에서 여권 판독 → 사진 촬영 → 관련 질문 항목 답변 → 개인정보 입력 순으로 진행하면 인증 내용이 문서로 출력된다. 동반 가족이 있다면 함께 진행이 가능해 입국 심사 시간을 절약할 수 있다(미국 내 이용 가능한 공항이 정해져 있는데 뉴욕에서는 3개의 공항 중 JFK 국제공항에서만 이용 가능).

미국 입국에 편리한 항공사, 에어캐나다
에어캐나다 항공을 이용해 경유하면 미국 입국이 편리하다. 뉴욕 도착 전 캐나다 토론토 국제공항에서 환승하며 입국심사를 마치게 되므로 미국 공항에 도착한 뒤에는 바로 수하물을 찾으면 된다. 경유 시간도 길지 않아 더욱 효율적이니 항공권 구매 시 참고하도록 하자.

APC 프로그램으로
빠르게 수속 가능!

3. 시내로 이동하기

JFK 국제공항 ↔ 맨해튼 시내 이동

가장 편리한 건 택시다. 비용은 택시비와 톨^{Toll} 비용, 팁을 포함해 $50~70 정도인데, 일반 택시에 비해 한국인 콜택시가 좀 더 저렴하고 편리하니 미리 예약해서 이용할 것을 권한다. 가장 저렴한 방법은 에어트레인^{Air Train}과 지하철로 이동하는 것이다. 에어트레인은 JFK 국제공항 내의 각 항공사 터미널과 지하철역을 연결하는 모노레일이며 LIRR 기차와 지하철 E·J·Z선이 지나는 Jamaica역, 지하철 A선이 지나는 Howard Beach역을 연결한다. 요금은 $5(MTA 메트로 카드로 결제 가능). 또는 각 터미널에서 15분 간격으로 출발하는 무료 셔틀버스를 이용해 지하철 A선 Howard Beach역으로 갈 수 있다(뉴욕 시내 지하철은 24시간 운행함). 또 다른 방법은 '도어 투 도어^{Door to Door}' 서비스로 내가 가는 곳까지 여러 사람들과 묶어 한꺼번에 이동하는 셔틀 서비스를 이용하는 것이다. GO Airlink NYC라는 이름의 이 버스는 04~23시까지 운행되며 요금은 $27~46. 그 외 시간 이용 시에는 $200 이상의 비용이 든다. 우버나 리프트의 경우 좀 더 비싸고($70~100) 공항에서 기사를 만나기가 쉽지 않아 추천하지 않는다.

뉴욕 콜택시 안내
www.ny1004taxi.co.kr
www.orangecalltaxi.com

이동 수단	비용	특징
에어트레인+지하철	$8+$2.90=$10.90	이동 시간 오래 걸림
셔틀 밴	$27~46	인원이 개별 하차해 오래 걸림
한인 콜택시	$60~80	요금+Toll+팁, 2인 이상 시 유리
현지 택시	$70~80	요금+Toll+팁, 2인 이상 시 유리

라과디아 공항 ↔ 맨해튼 시내 이동

라과디아 공항에서 맨해튼까지는 택시로 30분이면 도착이 가능하다(요금 $30+Toll+팁).
셔틀 밴(GO Airlink NYC)
홈피 www.goairlinkshuttle.com
요금 편도 $40.61, 왕복 $81.22
대중교통
① 포트 오소리티 터미널^{Port Authority Bus Terminal} 기준, 지하철 E·F·M·R선 Jackson Heights-Roosevelt Ave역 이동
② Q47, Q70 버스로 환승

뉴어크 리버티 국제공항 ↔ 맨해튼 시내 이동

택시로 이동 시 주가 달라져 요금이 많이 비싸진다. 가능한 한 셔틀버스로 이동할 것을 권한다.
셔틀버스
홈피 www.coachusa.com
요금 편도 $18.7, 왕복 $33(신용카드 결제 가능)

시내 교통 이용하기

버스

차가 막히면 한도 끝도 없이 시간이 지체되지만 창밖을 볼 수 있어 운치가 있는 버스 여행! 뉴욕의 지하철이 남북 이동 시 편리하다면 버스는 동서 방향으로 이동할 때 편리하다. 요금은 메트로 카드, 현금, OMNY로 지불 가능하다. 맨해튼에서 운행하는 버스의 번호 앞에는 M, 브롱크스 지역은 B, 퀸스 지역은 Q의 영문이 숫자 앞에 붙는다(예: M10, B108 등).
현금으로 요금을 냈는데 지하철로 갈아탈 계획이면 트랜스퍼를 달라고 해야 하고("Transfer, Please."라고 말하면 하얀 티켓을 준다) 버스에서 내릴 땐 버스 창문 위의 노란 줄을 당기거나 빨간 벨을 누르자. 다음 정거장에서 내리겠다는 뜻이니 버스 정차 후 문을 밀어서 내리면 된다. 1회 탑승 요금은 $2.90.

택시

캡CAP이라고 불리는 노란 택시는 뉴욕의 상징이 되었다(최근엔 연두색 택시도 등장했지만). 택시 뒷좌석엔 내비게이션이 있어 편리하며 택시의 기본요금은 $2.5부터 시작한다. 교통 체증으로 차가 서 있을 때도 1분에 50센트, 매일 밤 20:00~06:00까지 할증 요금 1분당 50센트, 월~금요일 피크타임(16:00~20:00)에는 $1의 요금이 추가된다. 유료 터널이나 다리를 지날 시에도 요금이 추가된다. 요금은 신용카드로 결제 가능.

예상 택시비 미리 알아보기
www.worldtaximeter.com/new-york
www.worldtaximeter.com/m
(모바일 버전)

렌터카

뉴욕 맨해튼을 여행할 때 렌터카는 거의 소용이 없다. 주차장 이용료가 비싸기도 하지만 시내 한복판에서 주차할 공간을 찾는 건 서울 이상으로 어려우며 차가 늘 막히기 때문에 어딘가를 예정대로 간다는 자체가 불가능하다. 더구나 맨해튼의 길은 일방통행이 대부분이라 여행자가 운전을 하면서 다니기엔 많은 시간이 소요된다. 그러니 렌터카로 하는 뉴욕 여행은 추천하지 않는다. 더군다나 렌터카의 가격도 미국의 다른 주에 비해 비싸다.

시티 바이크

2012년 5월 시작된 '시티 바이크Citi Bike'는 차 막히는 맨해튼 시내를 하루 24시간 내 언제든 빠르게 이동할 수 있어 인기이다. 시민들을 위해 연간 회원권을 판매하지만 여행자를 위해 1회 혹은 하루 이용권도 판매 중이니 자전거로 뉴욕을 돌아보고 싶다면 추천! 정류장은 맨해튼과 브루클린 내 300개 이상 있고 스마트 폰의 애플리케이션을 통해 위치를 확인할 수 있다.
홈피 www.citibikenyc.com
요금 1회권 $4.49, 24시간권 $19

우버 & 리프트 Uber & Lyft

스마트폰으로 내 위치와 목적지를 등록한 후 해당 지역의 운전자를 연결 받는 택시 공유 개념의 애플리케이션으로 비용이 저렴하고 편리해 인기. 위치 파악이 중요하므로 와이파이는 필수!

뉴욕 지하철 완벽 해부

Tip
지하철 이용 팁
지하철역 입구에 초록색 등이 켜져 있으면 역무원이 있다는 뜻이니 문의 사항이 있다면 얼굴을 보고 이야기할 수 있다. 빨간색 불이 켜져 있거나 아예 꺼져 있다면 역무원이 없다는 뜻이니 기억해 두자. 티켓을 살 땐 자동 판매기를 이용하면 편리한데 한글 안내가 되어 있는 기계가 많으니 참고. 비용은 현금이나 신용카드로 지불이 가능하다. 지하철→버스, 버스→지하철 탑승 시 1회에 한해 2시간 내 무료 환승이 가능하다. 마지막으로 재미있는 사실 하나! 뉴요커들은 지하철을 메트로나 서브웨이라는 이름 대신 트레인Train이라고 표현한다. 우리가 아는 그 기차가 아니라 지하철을 의미한다.

Tip
뉴욕의 새 교통카드, OMNY
한국처럼 교통카드 기능이 탑재되어 있는 신용카드를 터치하고 탑승하는 방식이다. 이용방법은 3가지. 1) 와이파이가 높혀진 모양이 있는 신용카드나 직불카드로 결제 2) 스마트폰의 모바일 지갑으로 결제 3) 가까운 매장에서 OMNY 카드 구입하고 충전 후 사용 시 결제. 'Weekly Fare Cap'은 같은 신용카드로 OMNY를 12회 탑승 시($33) 그 주(월요일 00:00~일요일 23:59) 13회 탑승부터는 무료로 지하철 무제한 탑승이 가능해 인기이다. 결제는 신용카드, 애플페이, 삼성페이(해외결제 지원되는 카드만) 등으로 가능하다.
홈피 https://omny.info

지하철 노선만 23개, 500여 개가 넘는 지하철역이 존재하는 뉴욕! 일단 지하철과 친해지려면 출입구를 잘 찾아야 한다. 한국과 달리 지하철역이 바깥에 표시되어 있는 경우가 별로 없고 대부분 건물 내에 있기 때문. 뉴욕 지하철의 단점 두 가지는, 지하철 내에서 휴대폰 통화와 와이파이가 거의 불가능하다는 것(최근엔 가능한 곳이 늘어나고 있는 추세)과 일부 몇 개 역을 빼고는 화장실이 없다는 사실이다.

메트로 카드

뉴욕의 지하철 티켓은 메트로 카드Metro Card라고 부른다. 1회 탑승 요금이 $2.90(MTA 카드 구매값 $1 별도)이며 일주일 패스($34)와 한 달 패스($132)를 많이 사용한다. 기간 내 무한대로 탈 수 있지만 18분 내에는 다시 사용할 수 없으니(한 카드로 여러 명이 사용하는 걸 방지하기 위함) 기억해 둘 것.
유용한 메트로 카드의 종류 중엔 페이 퍼 라이드Pay-Per-Ride가 있는데, 일정 금액을 충전해 놓고 탑승 시마다 요금이 빠져나가는 개념이다. 카드에 적혀 있는 유효기간까지 계속 충전할 수 있다. 최대 $80까지 충전 가능하며 개찰구 근처의 메트로 카드 리더Metro Card Reader를 통해 남은 금액을 확인할 수 있고 카드 하나로 4명까지 동시에 이용할 수 있다.

지하철 종류

뉴욕 지하철은 로컬Local과 익스프레스Express, 두 가지로 나뉜다. 로컬은 모든 역마다 정차하고 익스프레스는 지하철 지도의 하얀 동그라미로 표시된 역만 선다. 노선 2·3·7·A·D·E·F·L·Q선 등은 익스프레스와 로컬이 같이 다니거나 아예 익스프레스 노선이니 참고하자. 지하철 7선 익스프레스의 경우 지하철 라인 표시 부분에 있는 ○ 모양이, ◇ 모양으로 되어 있어 구별하기 쉽다.

이용 시 주의사항

내가 가야 할 방향이 업타운Uptown인지, 다운타운Downtown인지 반드시 알고 타야 한다. 역에 따라 다르지만 역 입구에 업타운 또는 다운타운 중 하나만 쓰여 있는 경우가 있는데 이건 그 방향으로만 간다는 뜻이니 내가 이동할 방향과 지하철역의 방향을 체크한 후 타야 한다. 뉴욕 지하철은 24시간 운행이니 여행에 편리할 수 있지만 늦은 시간 탑승은 주의할 것.

뉴욕에서 헤매지 않고 길 찾는 꿀팁!

세상에서 뉴욕의 맨해튼만큼 길 찾기 쉬운 도시가 또 있을까. 맨해튼은 애비뉴Ave와 스트리트St만 기억하면 된다. 남북의 길은 애비뉴, 동서의 길은 스트리트로 불리는데 애비뉴와 스트리트 앞에 붙은 숫자는 남에서 북으로, 동에서 서로 갈수록 높아진다. 숫자 외에 고유명사로 지어진 이름들도 있다. 브로드웨이Broadway, 렉싱턴 애비뉴Lexington Ave, 파크 애비뉴Park Ave 등이 그것이다(6th Ave는 아메리카 애비뉴America Ave라고도 부름).

뉴욕의 주소 중 E(East)나 W(West)는 동쪽과 서쪽의 방향을 의미한다. 이 동서를 나누는 기준은 센트럴 파크이다. 예를 들어 56 E 48th St라는 주소를 본다면, 48번 길의 동쪽, 56번지라는 뜻이다. 정확한 애비뉴와 스트리트 주소만 알면 길을 쉽게 찾아갈 수 있는데, 특정 주소에는 애비뉴나 스트리트가 빠져 있을 수도 있으니 이럴 때는 맵퀘스트Mapquest나 구글 맵스Google Maps에서 미리 확인하면 된다.

7th Ave는 패션 거리인데, 30th St 부근에 패션 관련 회사들이 밀집되어 있기 때문이다. 9th Ave는 맛집이 많은 먹자골목으로 소문이 나 있어 맨해튼에서 일하는 사람들이 점심 식사를 위해 자주 방문한다. 특히 30~60th St & 9th Ave 주변에 수십 개의 식당이 있으며 전 세계 맛집이 모두 모여 있다. 맨해튼 47th St & 5~6th Ave는 '다이아몬드 거리'라고 불리며 다이아몬드 도매상들이 모여 있다. 이스트 빌리지 동쪽 1st Ave에는 리틀 인디아, 이스트 빌리지의 **세인트 마크 플레이스**St. Mark Place에는 리틀 도쿄, 8~9th Ave & 46th St 주변은 리틀 브라질, 차이나타운과 소호 사이에는 리틀 이태리가 있으니 뉴욕 속에 있는 또 다른 나라의 문화를 느끼는 재미가 있다. 몇 해 전에는 새로운 Ave가 등장했는데 이름은 6 1/2 Ave! 6 & 7th Ave 사이의 W 51~57th St 골목길을 지칭하며 보행자의 안전을 위해 이와 같이 결정했다고.

스트리트는 한 블록이 60~80m, 애비뉴는 한 블록이 150~200m 정도로 애비뉴가 좀 더 큰 간격이다. 시간 여유만 있다면 하루에 몇십 블록의 스트리트와 애비뉴 정도는 걸어갈 수 있으니 운동도 하고 거리도 구경할 겸 걷는 것을 추천한다. 마지막으로 중요한 팁 하나! 길을 걸을 때 쓰레기통을 유심히 보면 현재의 위치가 표시되어 있다. 이스트 미드타운East Midtown, 소호SoHo, 5번가5th Ave 등 알아보기 쉽게 되어 있으니 쓰레기통을 확인하며 걸으면 방향감각을 익히는 데 도움이 될 것이다.

뉴욕 맨해튼의 지역별 약자 의미
- SoHo : South of Houston Street
- Nolita : North of Little Italy
- NoHo : North of Houston Street
- Tribeca : Triangle Below Canal Street
- DUMBO : Down Under the Manhattan Bridge Overpass

뉴욕에서 길 찾기
(PC · 모바일 버전 가능)
maps.google.com
www.mapquest.com

Tip

1. 구글 맵스로 길 찾기
구글 맵스에서 검색한 장소를 기억하고 싶다면 로그인 후 '저장' 버튼을 누르자. 이때 노란 별이 나타나는데 인터넷이 연결되지 않은 곳에서도 데이터 확인이 가능하니 길 찾기가 훨씬 쉬워진다.

2. 모든 교통 정보를 한 번에, Citymapper
구글 맵스와 도시에 대한 여행 정보, 그리고 원하는 곳을 찾아가기 위해 가장 최적화된 방법과 소요시간 등을 제공해 주는 무료 애플리케이션으로 우버까지 연동되어 있어 택시도 탈 수 있다.

뉴욕에서 화장실 찾기

거대한 도시 뉴욕은 화장실 인심이 야박하다. 실제로 물건을 구매하거나 음식을 사먹었다 하더라도 화장실을 사용하지 못하게 하는 매장도 많다. 당황스럽지만 이곳의 문화이니 어쩔 수 없다. 그러니 뉴욕 여행을 할 때는 반드시 숙소를 나서기 전 볼일을 끝내야 하며 여기저기 들르다가 화장실이 눈에 띄면 바로 들어가서 미리미리 앞으로 닥칠 큰 일(?)을 막아야 한다. 참고로 뉴욕에서는 화장실을 토일렛Toilet이라고 표현하기보다는 배스룸Bathroom 또는 레이디스 룸Lady's Room, 멘스 룸Men's Room이라고 이야기한다.

뉴욕 화장실 찾기
(PC · 모바일 버전 가능)
m3.mappler.net/nyrestroom

화장실이 개방된 주요 장소

- **백화점**
- **호텔**
- **지하철역**
지하철 4 · 5 · 6선 59th St역, 지하철 1 · 2 · 3 · 7 · N · R · Q · S선 Times Sq-42nd St역
- **기차역**
펜 스테이션, 모이니한 트레인 홀, 그랜드 센트럴 터미널
- **타임스 스퀘어 인포메이션 센터**
- **타임 워너 센터 빌딩**
- **록펠러 센터 지하**
- **교회 or 성당**
- **브라이언트 파크**
- **애플스토어**
- **첼시마켓**
- **블루밍데일 백화점**
- **디즈니 스토어**
- **센트럴 파크 내**
베데스다 분수, 시프 메도, 보트 하우스, 회전목마, 안데르센 동상 옆, 공원의 서쪽 입구(60th St & 8th Ave)
- **패스트푸드 매장 혹은 카페**
스타벅스, 맥도날드, KFC, 버거킹, 웬디스(화장실이 없거나 영수증 하단에 비밀번호가 있어 구매 후 이용할 수 있는 매장도 있음)

강 위에서 맨해튼의 뷰 즐기는 법

뉴욕을 색다르게 바라볼 수 있는 방법이 뭐가 있을까? 하늘 위도 좋고 전망대에서의 뷰도 근사할 테지만 강 위에서 보는 것 또한 매력적이다. 시원한 바람을 가르며 바라보는 맨해튼 의 뷰! 상상만으로도 멋지다.
여행 중 하루쯤은 시간을 내어 복잡하고 정신없는 맨해튼 시내에서 벗어나 새로운 풍경을 만나보자. 한 발자국 떨어져 바라보면 그동안 보지 못했던 뉴욕의 또 다른 풍경에 새삼 반 하게 될 것이다.

페리로 돌아보는 뉴욕 1일 투어, 이스트 리버 페리

페리를 타고 뉴욕 최고의 명소를 돌아보는 꿈 같은 코스가 뉴욕에서 인기를 얻고 있다. 월 스트리트에서 출발해 브루클린, 윌리엄스버그, 퀸스의 롱 아일랜드 시티를 거친 후 맨해튼 의 34번가로 돌아오는 이 일정은 현지에서 출퇴근하는 뉴요커뿐 아니라 여행자에게도 인 기가 많다. 월 스트리트를 걷다가 브루클린의 덤보, 브루클린 브리지를 감상하고 윌리엄스 버그의 플리 마켓을 구경하다가 롱 아일랜드 시티의 P.S.1 현대 미술 센터에서 미술 감상을 한 후에 타임스 스퀘어로 돌아와 뮤지컬을 본다면 이보다 더 완벽한 하루는 없을 것이다.
전화 800-533-3779
홈피 www.ferry.nyc/routes-and-schedules/route/east-river
운영 06:49~20:45(노선에 따라 운행 시간 변동 가능)
요금 **1회권** $2.90(자전거 포함 시 $1 추가), **30일 패스** $132(자전거 포함 시 $20 추가)

선착장 위치

선착장	주소	가는 법
E. 34th St/Midtown	E. 35th St at F.D.R. Drive	지하철 6선 33th St역
Hunters Point South/Long Island City	East River Parking Lot	지하철 7선 Vernon Blvd-Jackson Ave역
India St/Greenpoint	Foot of India St, Greenpoint	지하철 G선 Greenpoint Ave역
N. 6th St/N. Williamsburg	North 6th St and Kent Ave	지하철 L선 Bedford Ave역
Schaefer Landing/S. Williamsburg	440 Kent Ave	지하철 J·M·Z선 Marcy Ave역
Brooklyn Bridge Park/DUMBO	Old Fulton St & Furman St	지하철 A·C선 High St역
Wall St/Pier 11	Gouverneur Ln at South St, F.D.R. Drive	지하철 J·Z선 Broad St역

노란 택시가 강 위에?! 워터 택시

뉴욕에선 해마다 여름철이면 워터 택시를 운항하는데 극심한 교통 체증을 분산하고자 생겨난 것이다. 원하는 코스를 선택할 수 있고, 타고 내리는 지점이 여러 곳이니 여정 중 하루쯤 이용해 볼 만하다. 업타운에서 다운타운, 브루클린 하이츠를 주로 이동하며 미드타운과 그리니치 빌리지를 지나 배터리 파크, 사우스 스트리트 시포트, 국제연합 등에 선착장이 있다. 최고의 장점은 하루 종일 몇 번이고, 어디서든 타고 내릴 수가 있으며 자유의 여신상 근처까지 가므로 뉴욕 여행 인증 사진도 찍을 수 있다. 날씨가 좋은 날 탑승할 것을 권한다.

전화 212-742-1969

홈피 www.nywatertaxi.com

운영 첫 운항 10:00, 마지막 운항 18:00

요금 올데이 패스 성인 $37, 어린이 $31

선착장 위치

선착장	주소	가는 법
Pier 79	459 12th Ave	지하철 A · C · E선 42nd St-Port Authority Bus Terminal역
Pier 45	353 West St	지하철 1선 Christopher St-Sheridan Sq역
Battery Park, Slip 6	75 Battery Place	지하철 1 · R선 Rector St역
Pier 11, Slip A	11 Bush Terminal Yard	지하철 J · Z선 Broad St역
Pier 1, DUMBO	Brooklyn Bridge Park	지하철 A · C선 High St역

공짜로 즐기는 페리, 스테이튼 아일랜드 페리

스테이튼 아일랜드는 맨해튼 남단에 위치하는 작은 섬으로 맨해튼까지 출퇴근하는 사람들을 위해 시에서 무료 페리를 운행하고 있다. 배터리 파크의 남단에서 스테이튼 아일랜드까지 이어지는 구간에는 자유의 여신상과 월 스트리트, 브루클린 브리지가 보여 멋스럽다. 페리를 타고 스테이튼 아일랜드로 가면 또 다른 뉴욕이 펼쳐지는데, 한적하고 조용한 외곽 지역 느낌이 물씬 풍긴다. 특별한 볼거리보다는 강 건너에서 보는 맨해튼의 풍경을 즐기기 좋다. 유일한 단점은 무료이다 보니 워낙 사람이 많아 좋은 자리를 잡기 어렵다는 것. 그러니 탑승 시 빠른 동작으로 걸음을 옮겨 좋은 자리를 선점하도록 하자.

전화 4 South St

홈피 www.siferry.com

운영 24시간

요금 무료

선착장 위치

선착장	주소	가는 법
Manhattan	4 Whitehall St	지하철 1선 South Ferry역
Staten Island	1 Bay St, Staten Island	—

뉴욕에서 뮤지컬 보는 7가지 방법

뉴욕 브로드웨이는 영국 런던의 웨스트엔드와 더불어 세계 최고의 뮤지컬을 공연하는 극장가의 이름이다. 뉴욕 맨해튼의 42nd~53rd Sts, 그리고 6~10th Ave 사이에 뮤지컬을 상영하는 극장 40여 개가 화려한 불빛을 뽐내며 하루 종일 그 빛을 밝히고 있다. 이 덕분에 브로드웨이가 자리하고 있는 뉴욕의 타임스 스퀘어는 언제나 활기차다. 뉴욕 브로드웨이의 뮤지컬 역사는 1892년으로 거슬러 올라가며 극장이 지어지기 시작하면서 1920년대부터 본격적으로 인기를 얻기 시작했다.

브로드웨이의 도시 뉴욕에 갔는데 뮤지컬을 안 볼 수는 없는 일! 아래 소개하는 7가지 방법을 통해 뮤지컬 예약이 가능하니 본인의 스케줄이나 상황에 맞춰 진행해 보자! 인기 많은 뮤지컬일수록 좌석 구하기가 어려우므로 사전에 미리 예약해 둘 것을 권한다. 불안하게 계속 티켓을 확인하느라 정작 여행을 즐기는 데 방해가 될 수 있으니 말이다.

1. TKTS 부스를 통한 예매
타임스 스퀘어의 삼성 광고판 밑으로 이어지는 붉은색 계단 바로 옆에 자리한 이곳은 당일 남는 좌석의 뮤지컬 티켓을 구매할 수 있다. 미리 계획하지 않고 원하는 날 가서 예약하면 되니 편리하지만 단점은 줄을 서서 기다려야 하고 인기 많은 뮤지컬은 좌석이 없을 확률이 높다는 것. 시포트에도 지점이 있다. 'TKTS' 애플리케이션으로 방문 전에 구매 가능한 티켓을 검색해 보자(현금/카드 결제 모두 가능).

2. 뉴욕 현지 전문 여행사 '타미스Tamice'를 통해 예매
인터넷 사이트를 통해 미리 예약을 할 수 있는데 일반 시중가보다 저렴해 인기가 많다. 최고의 장점은 가격 대비 상당히 좋은 좌석을 제공해 준다는 것. 가장 안전하고 실용적으로 뉴욕에서 뮤지컬을 볼 수 있는 좋은 방법이라 추천.
홈피 www.tamice.com

3. 인터넷 카페를 통한 예매
인터넷의 뉴욕 여행 카페에서 할인 쿠폰을 주거나 프로모션을 하는 경우가 많으니 여행 전 미리 카페에 가입한 후 수시로 체크해 저렴한 티켓을 구매해 보자. 장점은 예약이 된다면 저렴하다는 것, 단점은 수시로 모니터링이 필요하다는 것.

4. 로터리 티켓을 통한 예매
말 그대로 복권 티켓을 의미하며 뮤지컬의 오케스트라 바로 뒷줄이나 무대 맨 앞의 한 줄, 혹은 다른 좌석을 파격적인 가격($35~40)에 판매한다. 공연 시작 1~2일 전 오픈되고 애플리케이션이나 인터넷 사이트를 통해 응모할 수 있다. 추첨 후 응모자에게 이메일로 당첨/미당첨 여부를 알려준다(두 군데의 인터넷 사이트 모두 앱으로도 이용 가능).
홈피 lottery.broadwaydirect.com, www.todaytix.com/nyc-shows/tickets
앱 Broadway Lottery

Tip
놓치지 말아야 할 뉴욕 뮤지컬!

–가장 인기 있는 뮤지컬 순위
① 라이온 킹
2. 알라딘
3. 위키드
4. 해밀턴
5. 오페라의 유령
6. 시카고
7. 마이클 잭슨
8. 해리 포터
9. 물랑 루즈
10. SIX

–가장 많이 누적 상영된 뮤지컬 순위
① 오페라의 유령
2. 시카고
3. 캣츠
4. 라이온 킹
5. 레 미제라블

로터리 & 러시 티켓이 가능한 뮤지컬 리스트
www.nytix.com/Links/Broadway/
lotteryschedule.html

5 러시 티켓을 통한 예매

공연 당일 아침에 극장을 방문해 선착순으로 배부하는 저렴한 티켓을 구입하는 것으로 장점은 저렴한 가격에 뮤지컬을 볼 수 있다는 것이다. 단점은 최악의 경우 내 앞에서 구매가 끝나 마냥 기다린 시간이 의미가 없어질 수도 있다는 것. 그러니 한정된 티켓을 거머쥐기 위해서는 이른 아침 중무장을 하고 1시간 이상 기다릴 각오가 되어 있어야 한다. 진행 여부는 각 뮤지컬 홈페이지를 통해 확인이 가능하다.

6 Ticket Master를 통한 예매

안전하고 빠르게 예약할 수 있는 유명 사이트로, 그때그때 유행하는 인기 뮤지컬을 알 수 있어 편리하다. 영어로 진행이 되니 날짜나 좌석 등에 유의하고, 티켓 수령 방법은 현장 방문을 택해 극장에서 찾을 것을 권한다. 뮤지컬 티켓 외에도 뉴욕에서 진행되는 각종 콘서트, 연극, 농구나 야구 등의 스포츠 경기 입장권도 판매하니 참고할 것.
홈피 ticketmaster.com

7 Ticket Tix 애플리케이션을 통한 예매

인기 있는 뮤지컬의 남은 티켓을 저렴하게 판매하는 사이트로, 당일 것과 며칠 후의 공연 티켓이 있다. 브로드웨이의 뮤지컬은 물론 오프브로드웨이 뮤지컬까지 저렴하게 예약할 수 있다. 이메일을 넣고 회원가입 후, 원하는 뮤지컬과 날짜를 고르고 좌석을 지정해 결제하면 된다.

＊오프브로드웨이(Off-Broadway)란?

뮤지컬 하나가 탄생하기까지 처음부터 큰 무대에서 빛을 보는 것은 아니다. 흔히 말하는 뉴욕의 '브로드웨이'는 300석 이상의 객석을 갖춘 무대에서 대중적인 작품을 선보이는 극장을 뜻하고, 예술성을 위주로 공연하는 300석 이하의 객석을 가진 극장을 '오프브로드웨이'라고 한다. 오프브로드웨이에서 관객들의 반응과 인기를 점친 후 브로드웨이로 옮겨 오는 경우도 많다. 그 대표적인 예가 〈코러스 라인〉, 〈킨키 부츠〉, 〈푸에르자 부르타〉, 〈원스〉 등이다. 종종 할리우드의 유명 배우가 오프브로드웨이에 출연하기도 하는데 2015년엔 〈The Way We Get By〉란 작품에 아만다 사이프리드가 출연해 화제를 모았다.

뉴욕 여행지 입장권 패스

할 것, 볼 것이 넘쳐나는 뉴욕을 좀 더 합리적으로 여행할 수 있도록 만들어진 패스로, 자신의 여정과 방문지, 취향에 맞춰 개별 입장과 패스 중 가격 대비 효율적인 것을 구매할 것을 권한다. 기부 입장이나 무료입장이 가능한 곳들도 감안해야 되지만 사람들로 많이 붐비는 경우엔 이 종합 티켓이 유리할 수 있으니, 자신의 여정을 고려해 결정하자.

뉴욕 패스 정리

	시티 패스	뉴욕 빅 애플 패스	뉴욕 익스플로러 패스
가격	· 5곳 입장 가능 $140 (6~17세 $120)	· 3곳 입장 가능 $87(6~12세 $80) · 5곳 입장 가능 $131(6~12세 $122) · 7곳 입장 가능 $173(6~12세 $158)	· 3곳 입장 가능 $104(3~12세 $89) · 5곳 입장 가능 $164(3~12세 $129) · 7곳 입장 가능 $204(3~12세 $169)
포함사항	1. 엠파이어 스테이트 빌딩 전망대 2. 자연사 박물관 3. 구겐하임 미술관 또는 톱 오브 더 록 전망대 4.자유의 여신상 & 엘리스 아일랜드 페리 또는 서클라인 자유의 여신상 크루즈 5. 9 · 11 메모리얼 & 박물관 또는 인트레피드 해양 항공 우주 박물관	1. 엠파이어 스테이트 빌딩 전망대 2. 톱 오브 더 록 전망대 3. 자유의 여신상 스카이라인 데이 크루즈 4. 모마 현대 미술관 5. 모마 현대 미술관 도슨트 투어 6. 마담 투소 + 마블 4D 7. 에지 전망대 8. 인트레피드 해양 항공 우주 박물관 9. MLB 뉴욕 양키스 경기 10. 서클라인 자유의 여신상 리버티 크루즈 11. 구겐하임 미술관 12. 메트로폴리탄 미술관 13. 메트로폴리탄 미술관 도슨트 투어 14. 자연사 박물관 15. 센트럴파크 올데이 자전거 대여 16. 브루클린 브리지 올데이 자전거 대여 17. 라이즈 뉴욕 18. 더 투어 버스 19. 맨해튼 → JFK 공항 셔틀버스 　　JFK → 맨해튼 공항 셔틀버스 20. 브루클린 미술관 & 브루클린 식물원 21. 원 월드 트레이드 센터 전망대 22. 230 피프스 루프탑 바 23. 브루클린 덤보 야경 워킹 투어 24. 자유의 여신상 & 엘리스 아일랜드 페리 25. 우드버리 아웃렛 왕복 버스 26. 더 라이드 퍼포먼스 투어 버스 27. 톱 뷰 24시간 2층 버스 28. 휘트니 미술관 29. 9 · 11 메모리얼 박물관 30. 서클라인 자유의 여신상 선셋 & 야경 크루즈 31. 미국 유심 칩 32. 서클라인 자유의 여신상 랜드 마크 크루즈 33. 서밋 전망대 주간 34. 서밋 전망대 야간 35. 빅 버스 24시간 클래식 2층 버스 36. 국제연합 한국어 가이드 투어	1. 엠파이어 스테이트 빌딩 전망대 2. 톱 오브 더 록 전망대 3. 자연사 박물관 4. 뉴욕 현대 미술관 5. 뉴욕 식물원 6. 구겐하임 미술관 7. 인트레피드 해양우주항공박물관 8. 브루클린 박물관 & 식물원 9. 9 · 11 메모리얼 & 박물관 10. 클로이스터스 11. 랜드 마크 크루즈 12. 빅 버스(2층 버스) 13. 하버 라이트 크루즈 14. 리버티 크루즈 15. 센트럴파크 자전거 하루 대여 16. 휘트니 미술관 17. 성 박물관 18. 자유의 여신상 페리 19. 걸어서 먹거리 탐방
특징	긴 줄을 설 필요 없이 5곳 선택 입장 가능	최대 64%까지 할인, 가장 인기 많음	가장 기본적인 곳들 방문 위주
유효기간	첫 사용 후 9일	첫 사용 후 6개월~1년	첫 사용 후 30일
판매처	www.tamice.com		

한식이 그립다면 코리아타운으로!

뉴욕 코리아타운의 다양한 한국 음식점에 가면 한국인 외에 외국인도 많이 볼 수 있어 뿌듯하다. 뉴욕 여행 중 눈물 나게 한국 음식이 그립다면 이곳으로 향해보자. 다만 가격은 저렴하지 않은 편이니 마음의 준비는 필요하다. 비빔밥이나 부대찌개가 먹고 싶다면 **큰집**The Kunjip으로 가면 된다. 비, 박진영 등 한국 연예인이 많이 방문한 곳으로 알려졌다.

한국식 중국 음식이 먹고 싶다면 **상하이 몽**Shanghai Mong을 찾자. 자장면과 짬뽕을 한 번에 맛볼 수 있는 메뉴가 있어 인기다. 가벼운 분식이 먹고 싶다거나 1인분 음식을 사고 싶다면 **우리집**Woorizip으로 가면 된다. 잡채, 비빔밥, 떡볶이, 전, 반찬, 죽, 떡, 밥 한 공기 등 다양한 한국 음식을 원하는 만큼 무게대로 계산해 구입이 가능하다. 소주 한 잔이 필요하다면 포차32, 한국식 치킨이 그립다면 **턴테이블 치킨 재즈**Turntable Chicken Jazz 혹은 **턴테이블 치킨 록**Turntable Chicken Rock 중 택일하면 된다.

요즘 최고 유행인 K-스타일의 BBQ를 맛보고 싶다면 **강호동 백정**Baekjeong NYC에서, 미국에서 시작해 인기가 많아진 후 한국으로 역수출된 순두부 맛이 궁금하다면 **북창동 순두부**BCD Tofu House로!

Tip
미슐랭에 뽑힌 한식당이 뉴욕에!
100년이 넘는 역사를 자랑하는 맛집 평가 가이드 미슐랭에서 1~2 스타를 받은 한식당 몇 곳을 소개한다. 매년 발표하는 등급에서 때론 변동이 있기도 하지만 이름을 올렸다는 것 자체만으로도 대단한 가치가 있는 것이니 미슐랭이 인정한 한식당이 궁금하다면 한 번쯤 방문해 보자.(2021~2022년 기준 선정된 한식당)

아토믹스 Atomix
(★★ 2020년 기준)
주소 104 E 30th St
홈피 atomixnyc.com
운영 화~일 17:30~23:00(월요일 휴무)
위치 지하철 4·6선 28th St역

꽃 Cote Korean Steakhouse
(★ 2021년 기준)
주소 16 W 22nd St
전화 212-401-7986
홈피 cotenyc.com
운영 17:00~23:00
위치 지하철 N·Q·R·W선 23rd St역

꼬치 Kochi
(★ 2021년 기준)
주소 652 10th Ave
전화 646-478-7308
홈피 kochinyc.com
운영 월~목 17:00~21:30,
   금~토 17:00~22:00,
   일 17:00~21:30
위치 지하철 A·C·E선 50th St역

정식 Jungsik
(★★ 2021년 기준)
주소 2 Harrison St
전화 212-219-0900
홈피 jungsik.com
운영 일~목 17:00~21:00,
   금~토 17:00~22:00
위치 지하철 1·2선 Franklin St역

모모후쿠 코 Momofuku Ko
(★★ 2022년 기준)
주소 8 Extra Pl
전화 212-203-8095
홈피 ko.momofuku.com

운영 화~금·토 16:00~21:30
   (일~월요일 휴무)
위치 지하철 F선 2nd Ave역

주막 반점 Joomak Banjum
(★ 2022년 기준)
주소 312 5th Ave
전화 212-268-7888
홈피 joomakbanjum.com
운영 화~목 17:00~21:00,
   금~토 17:00~21:30
   (일~월요일 휴무)
위치 지하철 4·6선 33rd St역

오이지 미 Oiji mi
(★ 2022년 기준)
주소 17 W 19th St
전화 212-256-1259
홈피 oijimi.com
운영 화~토 17:00~22:00
   (일~월요일 휴무)
위치 지하철 N·Q·R·W선 23rd St역

©Joomak Banjum

©Joomak Banjum

소중한 사람을 위한 선물 맞춤 추천

여행을 떠나 보면 나 혼자 여행을 즐기는 것으로 끝이 아니라는 걸 알 것이다. 여행에 도움을 준 주변의 기대에 부응할 수 있는 선물을 준비해야 하기 때문. 뉴욕에서 사 가면 환영받을 아이템들을 소개해 본다.

특별한 사람을 위한 선물

뉴욕에는 미술관과 박물관이 즐비한데 그곳에 모두 기프트 숍이 있다. 그중에 소장 작가의 작품으로 만든 기념품이 특히 또한 근사하다. 단점은 값이 비싸다는 것이지만 그 어디에도 없고 뉴욕의 뮤지엄에서만 판매한다는 사실에 후한 점수를 준다면 고민해볼 만하다. 메트로폴리탄 미술관과 뉴욕 현대 미술관의 기프트 숍에 다양하고 멋진 디자인 작품이 많다.

여자친구를 위한 선물

멋쟁이 친구를 위한 티셔츠나 운동화는 키스에서, 뷰티 제품을 좋아한다면 나스, 베네피트, 세포라, 글로시에서 구매하면 된다. 커피 마니아라면 유명 커피 도매상인 포르토 리코 Porto Rico Importing Co. 에서 원두를 선물하자. 속옷이나 보디 제품은 빅토리아 시크릿을 추천한다. 우리나라 사이즈와 차이가 있을 수 있으니 입을 사람의 체형을 고려할 것. 빅토리아 시크릿의 자체 브랜드 핑크는 10대를 타깃으로 한 귀여운 디자인이 많다. 미스트, 향수 등도 인기지만 액체류이니 무게를 고려해야 한다. 생활용품은 베드 배스 & 비욘드를 방문하자. & 아더 스토리즈는 합리적인 가격으로 액세서리, 가방, 의류 등 모든 종류를 커버한다. 실용적인 선물을 찾는다면 버츠비를 추천한다. 전 제품 유기농이고 립밤이 특히 유명하며 CVS에서 쉽게 살 수 있다.

남자친구를 위한 선물

캘빈 클라인의 속옷은 남자들이 언제나 좋아하는 선물이니 기본적으로 구매할 것을 권하며, 나이키와 아디다스, 언더 아머, 컨버스, 챔피온, 뉴발란스 등도 한국보다 저렴하게 구매 가능하다. 한정판 운동화를 좋아한다면 플라이트 클럽 강추!

▶ 뉴욕 샘플 세일 정보
ny.racked.com

가족을 위한 선물

뉴욕 거리 곳곳에서 종합영양제 브랜드인 GNC나 비타민 숍 Vitamin Shoppe 을 쉽게 찾을 수 있다. 편의점이자 약국인 듀안 리드나 CVS에만 가도 자체 브랜드의 영양제를 쉽게 구입할 수 있다. 영양제는 매장에 따라 특별 할인을 해주거나 1+1 행사를 하는 경우가 많으니 기억해두자.

Tip

접시가 이렇게 예쁠 일? 피시스 에디!
미국 스타일의 투박하면서도 클래식한 접시, 그릇, 엽서, 기념품 등을 판매하는 숍이다. 그림액자와 자전거 사이로 보이는 각종 소품들의 배치가 기가 막힌다. 쇼핑도 하고 매장 구경도 즐기기 좋은 곳이라 강력 추천!

한눈에 비교하는 한국과 미국 사이즈

	기준	XS	S	M	L	XL	XXL	XXXL
의류	한국	44	55	66	77	88	99	-
	미국여성	2	4	6	8	10	12	-
	미국남성	14	15	16	16.5	17.5	18.5	-
신발	한국	210	220	230	240	250	260	270
	미국여성	4	5	6	7	8	9	10
	미국남성	3	4	5	6	7	8	9

뉴욕 숙소, 그것을 알려주마!

개인 취향이 가장 많이 반영되는 부분이라 무엇이 가장 좋다고 추천하기는 어려우나 단 한 가지, 위치는 중요하다. 뉴욕을 처음 여행하는 사람이라면 미드타운, 두 번 이상이라면 다운타운을 권한다. 머무는 위치에 따라 보고 느끼는 뉴욕도 달라질 것이다.

호텔

관광대국인 뉴욕의 숙박시설은 그 어느 도시보다 높은 콧대를 자랑한다. 맨해튼의 호텔은 1박에 최소 $300~400 정도는 지불해야 냄새 안 나고 쥐가 안 보이는 곳에서 지낼 수 있다. 위치 좋은 맨해튼 한복판에서도 호텔 간판은 쉽게 찾아볼 수 있지만, 경험해 본 이들은 말한다. "저 호텔에선 쥐가 나와! 저 호텔에선 하수도 냄새가 나!" 워낙 오래전에 지어진 호텔이 많기 때문에 이름만 들어도 알 만한 유명 호텔이라고 해서 크게 다르진 않다. 그만큼 뉴욕에서의 숙박은 쉽지 않은 문제다. '난 죽어도 잠은 편안하고 깨끗한 데서 자야 해'라고 외치는 사람이라면 호텔에서 묵을 것을 권한다. 비딩^{Bidding}이라고 해서 내가 원하는 가격을 제시하고 호텔 측에서 OK 하면 숙박 계약이 체결되는 방식도 있는데, 이를 위해서는 뉴욕 호텔 가격 리스트를 모두 뒤지고 마땅한 가격을 딜^{Deal}할 수 있을 만큼의 시간과 배짱이 있어야 한다. 요즘은 호텔 비교 사이트를 통해 가격을 비교한 후 예약하는 것이 기본이다. 같은 날, 같은 룸 타입이라 하더라도 가격은 천차만별이니 반드시 가격 비교를 해본 후 예약하는 것이 좋다.

호스텔

뉴욕에도 여러 개의 호스텔이 있다. 공식 유스호스텔인 하이 뉴욕은 할렘 쪽 어퍼 웨스트에 위치하는데, 거대한 규모를 자랑하지만 워낙 인기가 많으니 미리미리 예약을 해두는 게 안전하다. 여러 부대시설이 갖춰져 있지만 위치가 불편한 편이다. 맨해튼 다운타운의 첼시 인터내셔널 호스텔도 많이들 찾는다. 호스텔은 한 방에서 여럿이 지내도 크게 스트레스 받지 않을 성격의 소유자에게 권한다. 물론 개인 룸도 있으나 원한다면 미리 예약을 해야 한다. 호스텔에선 간단한 음식을 해먹을 수 있는 부엌이 있는 경우가 많으니 식비를 절약할 수 있고, 때로는 함께 투숙하는 여행자들과 정보 교류를 하며 같이 여행할 수 있는 기회가 생기기도 한다.

에어비앤비 & 한인민박

요즘 인기인 에어비앤비 혹은 한인민박을 통해 현지 뉴요커의 집에서 잠시 살아보는 것도 좋은 경험이 될 것이다. 집을 통째로 빌리는 것에서부터 개인 룸이나 도미토리까지 내 예산과 취향에 맞춰 선택이 가능하고, 기본적인 세면도구가 딸려 있는 경우가 많아 편리하다. 부엌도 갖추고 있어 현지인처럼 간단한 요리도 해먹을 수 있다. 그간 여러 가지 숙소의 형태를 이용해 본 결과, 가장 권하고픈 숙박의 종류이기도 하다. 단, 안전은 어디서나 조심해야 한다.

이것만 외우면 끝! 뉴욕 여행 필수 문장

공항 & 비행기

ASIANA 카운터가 어디 있습니까?	Excuse me, Where is the ASIANA counter?
창가 좌석을 주세요.	Please give me a window seat.
저는 앞쪽 좌석에 앉기를 원합니다.	I would like to be seated in the front.
탑승 수속은 몇 시에 합니까?	What is the check-in time for my flight?
비행기가 지연된 이유가 무엇입니까?	What is the reason for the delay?
담요 한 장 주시겠습니까?	May I have a blanket?

호텔

예약 좀 확인해주세요.	Please check my reservation.
이틀 더 머물겠습니다.	I'd like to stay two days longer.
하루 일찍 떠나겠습니다.	I'd like to leave a day earlier.
체크아웃 타임이 몇 시입니까?	When is the check-out time?
오늘 오후까지 짐을 맡아 주실 수 있나요?	May I have my baggage here until today afternoon?
맡긴 짐을 찾고 싶어요.	May I have my baggage?
에어컨이 작동하지 않아요.	This air conditioner doesn't work.

쇼핑 & 명소

그냥 구경하는 중입니다.	I'm just looking around.
금액이 얼마인가요?	How much is the fare?
할인해줄 수 있습니까?	Can you give me a discount?
좀 더 싼 것이 있습니까?	How you anything cheaper?
이것을 사겠습니다.	I think I'll take this one.
환불 부탁드립니다.	I'm sorry but can I get a refund on this?
입장권은 어디서 삽니까?	Where can I buy tickets?
오늘밤 공연 표를 두 장 원합니다.	I'd like two tickets for tonight's performance.

레스토랑

예약해 주시겠습니까?	Can you make a booking for me?
오늘의 특별요리는 무엇입니까?	What is today's special?
메뉴 좀 주시겠습니까?	May I have the menu, Please?
저는 완전히 익힌 스테이크를 원합니다.	I want my steak well-done.
계산서를 주세요.	Bill, Please.
남은 음식을 포장해 주시겠어요?	Can I get a doggy bag?

인사 및 소개

안녕하세요. 만나서 반갑습니다.	Hello. Nice to meet you.
존 씨를 아세요?	Do you know John?
제 친구 줄리를 소개합니다.	I'll be introduce my friend, Julie.
시청에서 근무하는 리입니다.	I'm Lee, I work at City Hall.
요즘 뭐하며 지내세요?	What are you up to these days?
무슨 좋은 일 있어요?	Any good news?
만나서 반가웠어요. 조심히 가세요.	It was nice meeting you. Take care.
이곳은 처음이에요?	Is this your first time here?
조라고 불러 주세요.	Please call me Joy.
이름의 철자가 어떻게 되세요?	How do you spell your name?
계속 연락합시다.	Let's keep in touch.
제가 곧 다시 연락드릴게요.	I'll contact you soon.
도착하는 대로 전화주세요.	Please call me when you arrive.

길 찾기

이 도시의 지도를 주시겠어요?	May I have a map of the city?
버스 시간표 한 장 주세요.	Please let me have a bus timetable.
근처의 명소를 추천해 주세요.	Can you recommend some places of interest around here?
근처의 좋은 식당을 추천해 주세요.	Can you recommend a good restaurant near?
에이스 호텔에 어떻게 갑니까?	Can you tell me how to get ACE hotel?
가장 가까운 지하철역이 어디 있습니까?	Where is the nearest subway station?
에이스 호텔까지는 몇 정류장 남았습니까?	How many stops are there before the ACE hotel?
택시 승차장이 어디 있습니까?	Where is the taxi stand?
호텔 입구에서 세워주세요.	Stop at the entrance to the hotel.
이 코스는 시간이 얼마나 걸려요?	How long does this tour take?

경찰서 & 병원

잃어버린 물건을 어디서 신고합니까?	Where can I report my lost articles?
영수증을 주세요.	Give me a receipt.
이 부근에 병원이 있습니까?	Is there a hospital around here?
약국을 찾고 있습니다.	I'm looking for a pharmacy.
여기가 아픕니다.	I have a pain here.
기침이 나옵니다.	I have a cough.

코로나19 안전 여행 가이드

미국에서는 비행기, 기차, 버스 등의 대중교통 내 마스크 착용 의무가 해제되었지만, 감염을 예방하는 의미로 실내 마스크 착용을 권고한다.

코로나19 관련 상황이나 증오 범죄 관련 문제 발생 시 '영사콜센터' 앱을 설치하면 무료 통화를 할 수 있다. 코로나 확진 시에는 대한민국 대사관으로 전화하거나 재외국민 응급의료 상담서비스를 이용하자.

주미국 대한민국 대사관
전화 202-939-5653

재외국민 응급의료 상담서비스
카카오톡 플러스 친구 추가로 24시간 응급의학전문의의 상담을 받을 수 있다.
전화 +82-44-320-0119
홈피 www.119.go.kr

미국 입국 시
미국 질병통제센터(CDC)는 미국으로 여행 오거나 미국을 경유하는 모든 사람에게 아래와 같은 서류를 요구하고 있다. 백신 미접종자는 입국이 제한된다(2022년 12월 기준).

백신접종증명서(출력본 또는 COOV 앱)
화이자, 모더나, 얀센, 아스트라제네카, 시노팜/시노백, 코비실드, 노바백스 인정 및 접종 완료 후 14일 경과 필수
홈피 **한국 질병관리청** nip.kdca.go.kr

미국 질병통제센터 요구 서약서
영문 서류이며 항목 체크 및 사인이 필요하다. 항공사 측에서 메일로 보내주거나 체크인 시 제공한다. 미리 프린트하여 작성해 가면 편리하다.
홈피 **미국 질병통제센터** www.cdc.gov

코로나19 음성확인서

미국 입국 시 필요했던 코로나19 음성확인서(또는 회복증명서)는 2022년 6월 12일을 기준으로 제출 의무가 폐지되었다. 단, 새로운 변이 등의 우려스러운 상황 발생 시 다시 시행될 수 있으므로 여행을 떠나기 전 확인해 보자.

한국 귀국 시

2022년 9월 3일자로 미국 여행을 마치고 한국 입국 시 코로나19 음성확인서 제출 의무가 폐지되었다. 이는 차후 변경 가능한 사항으로 질병관리청 및 인천공항 홈페이지를 통해 확인하자.

이후 검역정보 사전입력시스템(Q-code)에 접속해 미리 여권 정보, 입국 및 체류 정보, 음성확인서 등의 건강 상태 정보를 입력해 두면 기내에서 나눠주는 '건강상태질문서'와 '특별검역신고서'를 작성할 필요 없이 빠르게 이동할 수 있다.

참고로 검역정보 입력은 항공권 구매 등 여행을 준비하는 시점부터 입력 및 임시저장이 가능하며, QR코드 발급은 항공기 탑승 전까지 완료하자.

2022년 6월 8일부터 예방 접종력 또는 비자 종류 구분 없이 해외 입국자 대상 의무 격리가 해제되었다(확진자만 격리). 만약 검역소를 통과할 때 발열이 있다면 유증상자로 분류된다. 증상을 통해 검사 대상자가 되면 검체 채취 및 결과가 나올 때까지 공항에서 대기해야 한다. 양성 판정 시에는 자택 또는 병원이나 생활치료센터로 이송된다.

국내 입국 후 1일 차 PCR검사 의무 또한 2022년 10월 1일부터 폐지되었다. 입국 이후에는 일반 대중교통을 이용할 수 있다. 입국 후 3일 내에 검사를 희망하는 내국인 또는 장기 체류 외국인의 경우 거주지 관할 보건소에서 무료 검사가 가능하다(2022년 12월 기준).

홈피 **Q-code** cov19ent.kdca.go.kr/cpassportal/
　　　인천공항 www.airport.kr

Index

트래블 노트
Travel Note

트래블 노트
Travel Note

트래블 노트
Travel Note